下水道管理技術認定試験
（管路施設）

TGS合格編集委員会

理工図書

まえがき

　下水道の主な役割は、①汚水の処理による生活環境の改善、②雨水の排除による浸水の防除、③川や海などの水質保全などで、今や市民生活に不可欠なインフラとなっています。この下水道の重要性は、東京オリンピックの開会式で、五輪旗を運ぶ8人のエッセンシャルワーカーの中の一人に東京都下水道局の職員が選ばれるなど、新型コロナウイルス感染症が蔓延している中で再確認されました。

　国土交通省によると、令和2年度末における全国の下水道普及率は80.1%（福島県の一部を除く）になり、多くの地域で下水道が毎日の暮らしの中で当たり前のものとなっています。一方、下水道管渠の総延長は約49万kmですが、標準耐用年数50年を経過した管渠の延長が約2.5万km（総延長の5%）に達しており、これが10年後は8.2万km（17%）、20年後は19万km（39%）と急速に増加します。

　このような状況の中にあっても住民の安全を守り、安心で快適な生活を今後も維持していくためには、下水道管路施設を適切に維持管理し、将来にわたる安定的な流下機能の確保と下水道管路施設に起因した事故を防止することが不可欠です。このため、管路施設の維持管理を担う技術者を早急に育成していくことが必須となっています。

　下水道管理技術認定試験は、技術者の技術水準の向上を図り、下水道の適正な維持管理に資することを目的として地方共同法人日本下水道事業団により毎年11月に実施されており、近年の全国の受験者数は1,500人程度となっています。

　東京都23区の下水道管路施設を維持管理している東京都下水道サービス株式会社（TGS）では、新規あるいは中途採用の土木技術者全員に初任者研修の一環としてこの下水道管理技術認定試験を受験させています。

　受験に際しては、東京都下水道局で長年にわたり実務経験を積んだベテラン技術者と認定試験に合格している先輩社員が講師となり指導していることもあり、これまで受験者全員が合格しています。

　このTGSにおける実績が評価され、その合格のノウハウをテキス

トに込めて出版できないかとの要望が寄せられたことから、平成24年に「下水道管理技術認定試験テキスト（管路施設）」を"合格率100％の企業が書いた本"として発刊しました。その後、「下水道法」の改正、「下水道維持管理指針」の改訂に伴い、それに合わせて本テキストも改訂を行ってきたところ、受験対策のみならず、日常の実務に非常に役立つものとして、これまで多くの方から好評をいただいてきました。

　本書は、「下水道施設計画・設計指針と解説（2019年版）」などに基づき、下水道管路維持管理技術者が基礎知識として留意すべき要点を解説していますが、維持管理からスタートする新たなマネジメントサイクルの構築に対応した改訂版となっています。そのため、過去に出題された問題及び近年の出題傾向に基づく「オリジナル問題」をすべて新しい問題に差し変えた上で、発刊することとしました。

　これまで以上に短期間の受験準備の中で、効率的で効果的な専門知識を習得できるよう工夫してあり、試験対策は本書一冊で万全です。また、初めて下水道の維持管理に携わる人が実務を理解する際にも十分役立つと考えます。

　受験される方々が本書を最大限活用して合格されることをお祈りするとともに、下水道に携わる技術者が日常の業務においても本書を有効に活用し、適切かつ効果的な下水道管路施設の維持管理の確立に役立てていただくことを切に願うものです。

令和4年6月吉日
東京都下水道サービス株式会社
専務取締役　池田　匡隆

目　次

まえがき

第1章　管路施設の基礎知識 ･････････････････････････ 1

 1　総　論……1

 2　管きょの種類と断面……13

 3　埋設位置及び深さ……20

 4　管きょの防護及び基礎……24

 5　管きょの接合及び継手……31

 6　伏越し……38

 7　マンホール……43

 8　ます及び取付管……47

 9　排水設備……51

 10　設計縦断面図計算問題……60

第2章　管路施設の維持管理 ･････････････････････････ 65

 1　計画的維持管理の目的……65

 2　管きょ……76

 2－1　巡視・点検及び調査……76

 2－2　清掃及びしゅんせつ……111

 2－3　修繕及び改築……129

 3　マンホール……148

4　ます及び取付管……159

　　5　伏越し……167

　　6　保護及び防護……174

　　7　マンホール形式ポンプ場……180

　　8　管路施設における硫化水素による腐食及び防止対策……184

第3章　臭気、騒音、振動の防止対策 ・・・・・・・・・・・・・・・・・・・・・193

　　1　臭気対策……193

　　2　騒音・振動対策……200

第4章　管路施設の安全管理 ・・・・・・・・・・・・・・・・・・・・・・・・・・・・207

　　1　総説（安全衛生管理）……207

　　2　管理体制……207

　　3　管理方法……208

　　4　管路施設の労働安全衛生対策……217

　　5　救急措置……232

　　6　安全器具及び保護具……236

第5章　下水道処理施設の基礎知識 ・・・・・・・・・・・・・・・・・・・・・243

　　1　水処理施設……243

　　2　汚泥処理施設……255

第6章　工場排水の規制・・・・・・・・・・・・・・・・・・・・・・・・・・・・265

1　排水規制の目的……265
2　事業場別の排水の特徴……269
3　処理対象物質が下水道に与える影響と処理方法……274

第7章　法規等・・・・・・・・・・・・・・・・・・・・・・・・・・・・・・・・・283

1　下水道法……283
2　廃棄物の処理及び清掃に関する法律……300
3　道路法・道路交通法……310
4　水質汚濁防止法……316
5　環境基本法……320
6　騒音規制法……322

本書の活用法

> **ポイント**
> ○試験科目の内容を確認(受験案内参照)
> ○出題傾向(例年の出題数)の分析
> ○節毎の重要項目について、基礎知識の解説を理解
> ○過去問題及びオリジナル問題を解く
> ○基礎知識の解説に戻り理解を深める

(1) 本書の構成

○本書は、第1章 管路施設の基礎知識、第2章 管路施設の維持管理、第3章 臭気、騒音・振動の防止対策、第4章 管路施設の安全管理、第5章 下水道処理施設の基礎知識、第6章 工場排水の規制、第7章 法規等の7章で構成されている。

○各章には、過去の出題傾向を分析して重要項目を節立てしている。

○各節では、その項目の出題傾向をポイントとして明確に示した。特に重要な項目に絞り込み基礎知識について解説するとともに、関連した過去問題及びオリジナル問題を掲載し、正解を導く考え方を示した。

(2) 出題傾向(章ごとの出題数)の分析

各章の出題傾向(例年の出題数)及び問題の主な出典は次表のとおりである。

章	出題傾向	問題の主な出典
第1章 管路施設の基礎知識	10～11問	下水道施設計画・設計指針と解説など
第2章 管路施設の維持管理	16～18問	下水道維持管理指針など
第3章 臭気、騒音・振動の防止対策	2問	下水道維持管理指針など
第4章 管路施設の安全管理	6問	下水道維持管理指針など
第5章 下水道処理施設の基礎知識	3問	下水道施設計画・設計指針と解説など
第6章 工場排水の規制	4問	事業所排水指針など
第7章 法規等	5～7問	下水道法、騒音規制法、廃掃法など
合　計	50問	

《参考資料》
下水道管理技術認定試験受験案内
地方共同法人　日本下水道事業団

> 　管理技術認定試験は、下水道管路施設の維持管理業務に携わる技術者を対象としてその技術力を認証することにより、管路施設維持管理の健全な発展と技術者の技術水準の向上を図り、これにより下水道の適正な維持管理に資することを目的として日本下水道事業団が実施するものです。
> 　下水道の計画設計、実施設計及び工事の監督管理、処理施設及びポンプ施設の維持管理を行なうために必要とされる技術の検定を受けたい方は、下水道技術検定を受検してください。

◎　受験資格　制限はなく、だれでも受験できます。
◎　試験日　毎年11月第2日曜日に実施されている。

◎　試験の区分及び対象

試験区分	試験の対象
管路施設	管路施設の維持管理を適切に行なうために必要とされる技術

◎　試験科目及び試験の方法

試験区分	試験科目	試験の方法
管路施設	工場排水、維持管理、安全管理及び法規	多肢選択式

◎　試験科目の内容

試験区分	試験科目	内容
管路施設	工場排水	工場及び事業場からの排水並びに排水が下水道に与える影響に関する一般的な知識
	維持管理	管路施設の維持管理その他の管理に必要な知識
	安全管理	管路施設の安全管理に関する一般的な知識
	法規	下水道関連法規に関する一般的な知識

下水道管理技術認定試験（管路施設）テキスト

第1章　管路施設の基礎知識

1　総論

> **ここがポイント！**
>
> 総論に関する問題は、例年2〜4問程度出題されている。
> 必ず出ているので、特に以下の5項目を理解する。
> ①管路施設の概要
> ②計画下水量
> ③余裕
> ④流量の計算
> ⑤流速及び勾配

(1) 管路施設の概要

　管路施設とは、管きょ、マンホール、雨水吐、吐口、ます、取付管等の総称であり、下水道の根幹をなすものである。これらは排水設備とともに住居、商業、工業地域等から排出される汚水や雨水を収集し、ポンプ場、処理場または放流先まで流下させる役割を果たす。

1) 管路施設の種類

　下水の排除方式から、図1.1.1のように分類される。

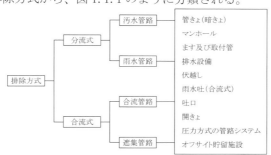

図 1.1.1　管路施設の分類

出典：「下水道施設計画　設計指針と解説・前編」（2019年版、P281）（公社）日本下水道協会

2) 送水方式

管路施設の送水方式は従来より自然流下方式を標準としてきたが、図1.1.2に示す方式等も考慮し、総合的に検討し決定する必要がある。

図 1.1.2　送水方式の分類

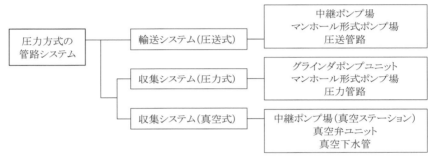

図 1.1.3　圧力方式の種類

出典：「下水道施設計画　設計指針と解説・前編」（2019 年版、P368 ～ 369）
　　　（公社）日本下水道協会

(2) 計画下水量下水道管きょとその断面を決定する場合の計画下水量の組合せは、次のとおりである。

管きょ計画下水量
・雨水管きょ：計画雨水量
・汚水管きょ：計画時間最大汚水量
・合流管きょ：計画雨水量＋計画時間最大汚水量
・遮集管きょ：雨天時計画汚水量

(3) 余裕

下水を支障なく排除するため、必要に応じて、計画下水量に対して施設に余裕を見込む。

表 1.1.1　汚水管きょの余裕

管きょの内径	余　裕
700 mm未満	計画下水量の100%
700 mm以上　1650 mm未満	計画下水道の50%以上　100%以下
1650 mm以上　3000 mm以下	計画下水道の25%以上　50%以下

出典：「下水道施設計画　設計指針と解説・前編」（2019年版、P286）
（公社）日本下水道協会

（4）流量の計算
1）流量計算式

自然流下ではマニング式またはクッター式、圧送式ではヘーゼン・ウィリアムス式を用いる。

流量 Q＝A（断面積）・V（流速）Manning（マニング）式

$Q = A \cdot V$

$V = \dfrac{1}{n} \cdot R^{\frac{2}{3}} \cdot I^{\frac{1}{2}}$

ここに、Q：流量（㎥/s）A：流水の断面積（㎡）V：流速（m/s）

n：粗度係数

R：径深（m）（＝A/P）

P：流水の潤辺長（m）

I：勾配（分数または小数）

2）水理特性曲線

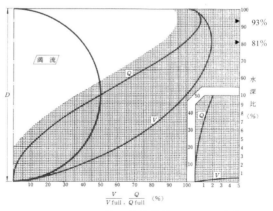

図 1.1.4　円形管の特性曲線（マニング式）

出典：「下水道施設計画　設計指針と解説・前編」（2019年版、P288）（公社）日本下水道協会

マニング式の粗度係数nを一定と仮定したときの円形管の水理特性曲線である。各水深ごとに、流速、流量を計算しプロットしたものであり、この水理特性曲線から、円形管において、流速は水深がほぼ81%のとき最大となり、流量は水深がほぼ93%のとき最大になることがわかる。

3) 粗度係数

鉄筋コンクリート管きょ等の工場製品、及び現場打ち鉄筋コンクリート管きょの場合は0.013、硬質塩化ビニル管及び強化プラスチック複合管の場合は0.010を標準とする。

4) 雨水流出係数（計画雨水量を算定する合理式に使用する係数）

排水区域内に降った雨は、地下に浸透したり、蒸発したりする。そして残りの雨が下水管に流入する。この下水管に流入する雨水量の降水量に対する比率を流出係数という。流出係数が大きいほど下水道管に流入する雨水が多いことを表している。

（5）流速および勾配

汚水管きょ及び遮集管きょにあっては、計画下水量に対し、原則として、流速は最小0.6m/秒、最大3.0m/秒とする。

雨水管きょ及び合流管きょにあっては、計画下水量に対し、原則として、流速は最小0.8m/秒、最大3.0m/秒とする。なお、理想的な流速は、汚水管きょ、遮集管きょ、雨水管きょ及び合流管きょとも1.0～1.8m/秒程度である。

・流速は、一般的に下流に行くに従い少し早くする。
・勾配は、下流に行くに従い、次第に緩くなるようにする。

過去問題（平成30年）

次は、管きょの流量計算について述べたものです。最も不適切なものはどれですか。

(1) 流量計算には、自然流下の場合はマニング式を用いて、圧送管の場合は、クッター式を用いる。
(2) 下水は、清水に比較して浮遊物を含んでいるが、水理計算に支障をきたすほどではない。
(3) マニング式を用いた水理計算曲線によると、円形管において流量は水深がほぼ93％のときに最大となる。
(4) 管きょの勾配は、下流に行くほど緩くする。

【解説】

(1) 本問は、管きょの流量計算に関しての設問である。(1) について「流量計算の流速の式には、一般に自然流下でマニング式またはクッター式を用い、圧送式・圧力式ではヘーゼン・ウィリアムス式を用いる。」とされており、設問の「圧送式の場合はクッター式を用いる」は不適切である。
(2) については設問のとおり。
(3) については設問のとおり。（下図参照）

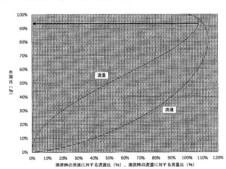

円形管の水理特性曲線（マニングの式）

(4) については設問のとおり。

【解答】(1)

出典：「下水道施設計画　設計指針と解説・前編」(2019年版、P287～288、P292)
　　　（公社）日本下水道協会

過去問題(令和2年)

次は、管きょの流速及び勾配について述べたものです。最も不適切なものはどれですか。

(1) 自然流下方式の遮集管きょにおいては、沈殿物が堆積しないような流速が必要であり、計画下水量における最小流速を 0.6m/秒とする。

(2) 管きょ網が整備途上であることにより、供用開始後もしばらくの間、最小流速を確保できない幹線管きょにおいては、構造を複断面化することや2本に分割して段階施工を行う等の対策も検討する。

(3) 圧送管においては、管内壁面や内面のモルタルライニング、塗装等に損傷が起こらないよう、最大流速を 3.0m/秒とする。

(4) 合流管きょにおいては、土砂の流入により沈殿物の比重が汚水管きょより大きくなるため、計画下水量における最大流速が 1.8m/秒を超えるような個所では、段差及び階段を設けて流速を小さくする。

【解 説】

本問は、下水道管きょの流速及び勾配に関する設問である。
(1) については設問のとおり。
(2) については設問のとおり。
(3) については設問のとおり。
(4) について合流管きょにおいては、沈殿物の比重が土砂等の流入によって汚水管きょの場合より大きいため、最小流速は 0.8m/秒とし、最大流速は 3.0m/秒とする。よって設問中の「最大流速が 1.8m/秒を超えるような箇所では、段差及び階段を設けて流速を小さくする。」は不適切である。

【解答】(4)

出典:「下水道施設計画 設計指針と解説・前編」(2019年版、P292〜293)
　　　(公社)日本下水道協会

第1章 管路施設の基礎知識

過去問題（令和元年）

次は、下水管きょにおける流量計算についてついて述べたものです。最も不適切なものはどれですか。

(1) 粗度係数nは、マニング式及びクッター式とも鉄筋コンクリート管きょの工場製品の場合は、0.010、硬質塩化ビニル管の場合は、0.013を標準とする。

(2) ヘーゼン・ウィリアムス式の流速係数cの値は、管内の粗度、屈曲、分岐等の数で異なるが、これらの屈曲損失等を含み110を標準とする。

(3) 下水は清水に比較して浮遊物質を多く含んでいるが、水理計算に支障をきたすほどではないので清水と考えて水理計算とする。

(4) 定めた流量と勾配からマニング式を用いて、円形管であれば、満水のときに所定の流量を流すのに十分な断面の大きさを決める。

【解　説】

本問は、下水道管きょの流量計算に関する設問である。

(1) についてマニング式及びクッター式とも、粗度係数は鉄筋コンクリート管等の工場製品及び現場打ち鉄筋コンクリート管の場合は0.013、硬質塩化ビニル管及び強化プラスチック複合管の場合は0.010を標準とする。よって設問中の「鉄筋コンクリート管の工場製品の場合は0.010、硬質塩化ビニル管の場合は0.013を標準とする。」は不適切である。

(2) については設問のとおり。

(3) については設問のとおり。

(4) については設問のとおり。

【解答】(1)

出典：「下水道施設計画　設計指針と解説・前編」（2019年版、P287～288、P292）
　　　（公社）日本下水道協会

過去問題（令和元年）

次は、管きょの流速及び勾配について述べたものです。最も適切なものはどれですか。

(1) 汚水管きょにあっては、計画下水量に対し、原則として流速は最小 3.0m/秒、最大 6.0m/秒とする。

(2) 一般に管きょの勾配は、流速を考慮せず地表の勾配に応じて定めれば経済的である。

(3) 圧送式の場合、管内流速は、沈殿物が堆積しないよう最小流速を 3.0m/秒とする。

(4) 流速は、下流に行くに従い漸増させ、勾配は、下流に行くに従いしだいに緩くなるようにする。

【解　説】

本問は、管きょの流速及び勾配に関する設問である。

(1) について汚水管きょの流速は、自然流下の場合、沈殿物が堆積しないような流速としなければならない。計画下水量に対して少なくとも最小流速を 0.6m/秒とする。最大流速は 3.0m/秒とする。設問中の「原則として流速は最小 3.0m/秒、最大 6.0m/秒とする。」は不適切である。

(2) について一般に管きょの勾配は、地表勾配に応じて定めれば経済的であるが、勾配を緩くし、流速を小さくすれば管きょの底部に沈殿物が堆積し、常時清掃作業が必要となる。また逆に流速があまり大きいと管きょやマンホールを損傷するので、適正な勾配を定めなければならない。設問中の「流速を考慮せず地表の勾配に応じて定めれば経済的である。」は不適切である。

(3) について圧送式・圧力式の場合、管内流速は、沈殿物が堆積しないよう最小流速を 0.6m/秒とし、管内壁面や内面のモルタルライニング、塗装等に損傷が起こらないよう最大流速を 3.0m/秒とする。設問中の「最小流速を 3.0m/秒とする。」は不適切である。

(4) については設問のとおり。

【解答】(4)

出典：「下水道施設計画　設計指針と解説・前編」（2019 年版、P292～293）
　　　（公社）日本下水道協会

第 1 章　管路施設の基礎知識

オリジナル問題①

　次は、管路施設の吐口について述べたものです。最も不適切なものはどれですか。

(1) 吐口の底面の高さは、原則として河海または湖沼の底水位付近とする。
(2) 吐口の位置及び放流の方向は、放流水が付近に停滞するように定める。
(3) 吐口には、必要に応じてゲートを設ける。
(4) 吐口における流速は、航路、洗堀等周囲に影響を及ぼさないようにする。

【解　説】

　本問は、管路施設の吐口に関する設問である。
(1) については設問のとおり。
(2) について「吐口の位置及び放流の方向は、放流水が付近に停滞しないように定める。」とされている。設問中の「放流水が付近に停滞するように定める。」は不適切である。
(3) については設問のとおり。
(4) については設問のとおり。

【解答】(2)

出典：「下水道施設計画　設計指針と解説・前編」(2019 年版、P363)
　　　(公社) 日本下水道協会

オリジナル問題②

次は、円形管について述べたものです。最も不適切なものはどれですか。
(1) 円形管は、卵形管に比較して、垂直方向の土圧に有利であり、水理学上流量が少ない場合にも有利である。
(2) 円形管は、一般に内径3,000 mm程度まで工場製品となり、力学上の計算は簡易となる。
(3) 下水道用鉄筋コンクリート管の内面は、平滑仕上げになっており、粗度係数は0.013を標準としている。
(4) 下水道用硬質塩化ビニル管の直管は、呼び径75～600 mmが規定されている。

【解　説】

本問は、円形管に関する設問である。
(1) について卵形管の特徴・利点として、「流量が少ない場合、水理学上有利である。円形管に比較して管幅が小さく、垂直方向の土圧には有利である。」とされている。設問中の「円形管は卵形に比較して、垂直方向の土圧に有利であり、水理学上流量が少ない場合にも有利である。」は、不適切である。
(2) については設問のとおり。
(3) については設問のとおり。
(4) については設問のとおり。

【解答】(1)

出典：「下水道施設計画　設計指針と解説・前編」(2019年版、P287、P294～295、P298)
　　　(公社) 日本下水道協会

オリジナル問題③

次は、下水道管きょにおける流量計算について述べたものです。最も適切なものはどれですか。

(1) 陶管の粗度係数は、内面が滑らかなためマニング式及びクッター式とも0.010を標準とする。
(2) 管きょの断面決定の際、流水の断面積における水深を、円形管は9割、く形きょは内のり高さの8割、馬てい形きょは内のり高さとし、計画下水量を流すのに必要な形状寸法を決める。
(3) 下水は、清水と比較して浮遊物を多く含んでいるが、水理計算に支障を来すほどではないため、清水と考えて水理計算する。
(4) ヘーゼン・ウィリアムス式の流速係数の値は、管内面の粗度、屈曲、分岐等の数で異なるが、これらの屈曲損失等を含み210を標準とする。

【解説】

(1) についてマニング式及びクッター式とも、粗度係数は鉄筋コンクリート管等の工場製品（陶管を含む）及び現場打ち鉄筋コンクリート管の場合は0.013、硬質塩化ビニル管及び強化プラスチック複合管の場合は0.010を標準とすることから、設問中の「内面が滑らかなためマニング式及びクッター式とも0.010とする。」は不適切である。

(2) について管きょの断面決定の際、流水の断面積における水深は、円形管は満水、く形きょは内のり高さの9割、馬てい形きょは内のり高さの8割とし、計画下水量を流すのに必要な管きょの形状寸法を定める。設問中の「円形管は9割、く形きょは内のり高さの8割、馬ていきょは内のり高さとし、」は不適切である。

(3) については設問のとおり。

(4) についてヘーゼン・ウィリアムス式の流速係数Cの値は、管内面の粗度、屈曲、分岐等の数で異なるが、これらの屈曲損失等を含み110を標準とすることから、設問中の「これらの屈曲損失等を含み210を標準とする。」は不適切である。

【解答】(3)

出典：「下水道施設計画　設計指針と解説・前編」（2019年版、P286～292）
　　　（公社）日本下水道協会

オリジナル問題④

　次は、管きょの流速及び勾配について述べたものです。最も不適切なものはどれですか。
(1) 自然流下方式の場合、汚水管きょでは沈殿物が堆積しないよう流速が必要であり、1.0m/秒以上とすることが望ましい。
(2) 雨水管きょの場合、沈殿物が少ないので最小の流速は汚水管きょよりも小さく、0.8m/秒とする。
(3) 地表こう配がきつく、管きょの勾配が急になって、最大流速が3.0m/秒を超える場合は、適当な間隔に段差を設けて流速を小さくする。
(4) 流速は、一般的に下流側に向かって漸増させると堆積物が抑制される。

【解説】
　本問は、管きょの流速及び勾配に関する設問である。
(1) について自然流下方式の汚水管きょは、沈殿物が堆積しないような流速としなければならない。計画下水量に対して少なくとも最小流速は0.6m/秒とし、最大流速は3.0m/秒とする。設問中の「1.0m/秒以上とすることが望ましい」は不適切である。
(2) については設問のとおり。
(3) については設問のとおり。
(4) については設問のとおり。

【解答】(1)

出典：「下水道施設計画　設計指針と解説・前編」(2019年版、P292～293)
　　　（公社）日本下水道協会

2 管きょの種類と断面

> **👍ここがポイント!**
>
> 管きょの種類と断面に関する問題は、例年1～2問出題されている。必ず出ているので、特に以下の3項目を理解する。
> ①管きょの種類
> ②管きょの断面
> ③最小管径

(1) 管きょの種類

管きょには、一般に次のものを使用する。
・鉄筋コンクリート管
・硬質塩化ビニル管
・ポリエチレン管
・ダクタイル鋳鉄管
・現場打ち鉄筋コンクリート管きょ
・シールド工法で使用する各種セグメント
・鉄筋コンクリート製ボックスカルバート
・強化プラスチック複合管
・レジンコンクリート管
・鋼管

(2) 管きょの断面

　管きょの断面形状は、暗きょの場合には円形、く形、馬てい形、卵形等がある。このうち、最も一般的に使用されているのは円形である。

図1.2.1　管きょ断面の種類

出典:「下水道施設計画　設計指針と解説・前編」(2019年版、P294)(公社)日本下水道協会

1) 円　　　形：内径3,000mm程度まで工場製品が使用できるので、施工が容易で工期が短縮できる。安全に支持するため、適切な基礎工が必要となる場合がある。
2) く　　　形：築造場所の土被り及び幅員に制限を受ける場合に有利である。現場打ちの場合は、工期が長期間になる。
3) 馬てい形：上半部のアーチ作用によって力学上有利であるが、断面が複雑、施工性が劣る。現場打ちの場合は、工期が長期間になる。
4) 卵　　　形：円形管に比べ流量が少ない場合、水理学上、有利である。また、垂直方向の土圧には有利である。垂直精度が要求される為、基礎工等において入念な施工が必要となる。

(3) 最小管径

1) 汚水管きょは200mmを標準とする。ただし、下水量が少なく、将来も増加が見込まれない場合には、100mmまたは150mmとすることができる。
2) 雨水管きょ及び合流管きょは250mmを標準とする。
3) 中継ポンプ場またはマンホール形式ポンプ場からの圧送管きょについては、75mmを標準とする。

第1章　管路施設の基礎知識

過去問題（令和2年）

次は、下水道で使用されている管きょの管種及び特徴について述べたものです。最も適切なものはどれですか。

(1) 鉄筋コンクリート管は、剛性管で変形が生じにくい。重量は比較的重く、酸により腐食しやすい。
(2) レジンコンクリート管は、剛性管でたわみが生じにくい。鉄筋コンクリート管と同等の重量であるが、耐食性に優れている。
(3) ダクタイル鋳鉄管は、剛性管で衝撃に強く耐久性がある。重量は比較的重く、施工性はよい。
(4) ポリエチレン管は、可とう性管で収縮性があり、耐摩耗性に優れている。雨天時や湧水地盤であっても融着継手の施工は容易である。

【解説】

本問は、下水道で使用されている管渠の管種と特徴に関する設問である。
(1) については設問のとおり。
(2) についてレジンコンクリート管は、剛性管でたわみや変形が生じにくい。管体強度が大きく、耐食性に優れている。重量は鉄筋コンクリート管より軽いことから、設問中の「鉄筋コンクリート管と同等の重量であるが」は不適切である。
(3) についてダクタイル鋳鉄管は、可とう性管で管体強度が大きく、靭性に富み、衝撃に強く、耐久性がある。重量は比較的重く、施工性はよいことから、設問中の「剛性管で」は不適切である。
(4) についてポリエチレン管は、可とう性管で、収縮性があり、耐摩耗性、耐食性に優れている。重量が軽く、管切断などの加工性がよい。雨天時や湧水地盤では、融着継手の施工が困難である。設問中の「雨天時や湧水地盤であっても融着継手の施工は容易である。」は不適切である。

【解答】（1）

出典：「下水道施設計画　設計指針と解説・前編」（2019年版、P296～298）
　　　（公社）日本下水道協会

過去問題（令和元年）

次は、管きょの断面形について述べたものです。最も不適切なものはどれですか。

(1) 円形管は、内径3,000 mm程度まで工場製品が使用できるので工期短縮ができる。
(2) 卵形管は、流用が少ない場合、水理学上不利である。
(3) く形きょは、築造場所の土被り及び幅員に制限を受ける場合に有利で、一般に高さが幅より小さいか同じである。
(4) 管きょの断面形は、一般に円形管が多いが、水理学上の特性、経済性、維持管理性や施工箇所の状況等を考慮して定める。

【解説】

本問は、管きょの断面形に関する設問である。
(1) については設問のとおり。
(2) について卵形管の利点は、「流量が少ない場合、水理学上有利である」ことから、設問中の「流量が少ない場合、水理学上不利である」は不適切である。
(3) については設問のとおり。
(4) については設問のとおり。

【解答】(2)

出典：「下水道施設計画　設計指針と解説・前編」（2019年版、P294～295）
　　　（公社）日本下水道協会

第 1 章　管路施設の基礎知識

過去問題（平成 30 年）

次は、一般に下水道で使用されている管きょの種類及び特徴にについて述べたものです。最も適切なものはどれですか。
(1) 下水道用硬質塩化ビニル管は、VP 管と VU 管があり、一般に下水道用の直管では VP 管を使用する。
(2) 下水道ミニシールド工法では、リングを三等分割した鉄筋コンクリートセグメントを突き合わせて組み立てる。
(3) 下水道用鉄筋コンクリート管のうち、NB 形はいんろう継手形状である。
(4) 下水道用ダクタイル鋳鉄管は、耐圧性、耐食性に優れた剛性管である。

【解説】

本問は、下水道管きょの種類と特徴に関する設問である。
(1) について下水道用硬質塩化ビニル管は、塩化ビニル重合体を主原料に押し出し射出等の方法によって形成されるもので、VP 管と VU 管の 2 種類があるが下水道（直管）では VU 管が使用されるとあることから、設問中の「一般に下水道用の直管では VP 管を使用する。」は不適当である。
(2) については設問のとおり。
(3) について下水道用鉄筋コンクリート管は、コンクリートを遠心力等によって締め固めて形成するもので、一般にヒューム管と呼ばれている。管種は直管と異形管に区別され、さらに直管は継手の形状によって A 形管（カラー継手）、B 形及び NB 形（ソケット継手）、C 形及び NC 形（いんろう継手）に区別される。設問中の「NB 形はいんろう継手である。」は不適当である。
(4) について下水道用ダクタイル鋳鉄管は、ダクタイル鋳鉄に適する材料を融解し、鋳放しで黒鉛を球状化させるための適切な処理を行い、これを鋳型に注入し、鋳造する。ただし、直管は遠心力を応用して鋳造する。耐圧性及び耐食性に優れており、高強度でじん性に富んだ可とう性管である。設問中の「耐圧性、耐食性に優れた剛性管である。」は不適当である。

【解答】（2）

出典：「下水道施設計画　設計指針と解説・前編」（2009 年版、P203 〜 204、P208、P213）
　　　（公社）日本下水道協会

オリジナル問題①

　次は、一般に下水道で使用されている管きょの種類及び特徴について述べたものです。最も不適切なものはどれですか。
（1）硬質塩化ビニル管は、可とう性管きょで耐食性に優れている。重量が軽く管切断などの加工性がよく、熱、紫外線に強い。
（2）ポリエチレン管は、可とう性、収縮性及び耐摩耗性に優れ、地盤沈下、寒冷地、流速が高速となる場所に有利である。
（3）鉄筋コンクリート管は剛性管きょでたわみや変形が生じにくいが、酸により腐食しやすい。
（4）推進工法用ガラス繊維鉄筋コンクリート管は、鉄筋とガラス繊維により複合補強された管である。

【解説】
　本問は、管きょの種類及び特徴に関する設問です。
(1) について硬質塩化ビニル管は、可とう性管きょで耐食性に優れている。重量が軽く、管切断などの加工性がよいが、熱、紫外線に弱い。設問中の「熱、紫外線に強い。」は不適切である。
(2) については設問のとおり。
(3) については設問のとおり。
(4) については設問のとおり。

【解答】（1）

出典：「下水道施設計画　設計指針と解説・前編」（2019年版、P298～299）
　　　（公社）日本下水道協会

第 1 章　管路施設の基礎知識

オリジナル問題②

　次は、管きょの断面形の特徴について述べたものです。最も不適切なものはどれですか。
(1) 円形管は、力学上の計算が簡単であるが、安全に支持するため、砂基礎のほか、別に適切な基礎工を必要とする場合もある。
(2) 馬ていきょ形は、上半部のアーチ作用によって力学上、有利であるが、断面が簡易なため、施工性に優る。
(3) く形きょは、鉄筋が腐食すると、上部荷重に対して極めて不安定であるが、築造場所の土被り及び幅員に制限を受ける場合に有利である。
(4) 卵形管は、円形管に比較して垂直方向の土圧に有利であるが、水理学上、流量が少ない場合に有利である。

【解説】
　本問は、管きょの断面形の特徴に関する設問です。
(1) については設問のとおり。
(2) について馬ていきょは、一般に上部は半円形のアーチとし、側壁は直線または曲線をもって内側に曲げるか垂直とする。そのため、上部のアーチ作用によって、力学上有利である。一方、断面が複雑なため施工性が劣る。また、現場打ちの場合は、工期が長期間になるといった欠点がある。よって設問中の「断面が簡易なため、施工性に優る。」は不適切である。
(3) については設問のとおり。
(4) については設問のとおり。

【解答】(2)

出典：「下水道施設計画　設計指針と解説・前編」(2019 年版、P294 〜 295)
　　　(公社)日本下水道協会

3　埋設位置及び深さ

> **👍ここがポイント！**
>
> 出題頻度は少ないが、以下の項目を理解する。
> 　①管きょを布設する施設の管理者
> 　②管きょの最小土かぶり

（1）管きょを布設する施設の管理者

管きょの埋設位置及び深さについては、布設する施設の管理者と協議しなければならない。

1) 公道内布設……道路管理者
2) 河川内布設……河川管理者
3) 河川保全区域内……道路及び河川管理者
4) 軌道敷内布設……軌道事業者

（2）管きょの最小土被り

・管きょの土被りについては、取付管、輪荷重の影響、路盤厚及び他の埋設物の関係、その他道路占用条件を考慮して適切に決定する。
・公道内に埋設する管きょについては、道路法施行令第12条第4号において、「下水道管の本線を地下に設ける場合において、その管頂部と路面との距離が3m（工事実施上やむを得ない場合にあっては、1m）を超えていることとする。」と定められている。
・管径が300mm以下のダクタイル鋳鉄管、ヒューム管（外圧1種、2種管）、強化プラスチック複合管、硬質塩化ビニル管の埋設については、1999年の建設省路政課事務連絡「電線、水道管、ガス管または下水道管を道路の地下に設ける場合における埋設の深さなどについて」により、最小土被りを表1.3.1として運用してよいが、道路管理者に浅層埋設基準の運用についての確認が必要である。

表1.3.1　浅層埋設基準

下水道管種別		管頂部と路面との距離
下水道管の本線		当該道路の舗装の厚さに0.3mを加えた値（当該値が1mに満たない場合には、1m）以下にしないこと
下水道管の本線以外の線	車道	当該道路の舗装の厚さに0.3mを加えた値（当該値が1mに満たない場合には、1m）以下にしないこと
	歩道	0.5m以下にしないことただし切り下げ部があり、0.5m以下となるときは、あらかじめ十分な強度を有する管路等を使用する場合を除き、防護措置が必要

注：ヒューム管（外圧1種）を用いる場合は、当該下水道管と路面の距離は1m以下としないこと
出典：「下水道施設計画　設計指針と解説・前編」(2019年版、P306)（公社）日本下水道協会

- やむを得ず土被りが小さくなる場合にあって、車両の通行が激しい幹線道路や輪荷重及び振動を受ける軌道敷内に管渠を布設する際には、管きょの安全性を確認するとともに、高強度の管きょの採用や適切な防護工を検討する必要がある。
- 私道等に布設する場合は、排水設備の接続に支障なく、上載荷重や管理上の条件等に問題のないことを確認した上で、管きょの土被りを浅くすることができる。
- 寒冷地での施工の際には、管きょの土被りは凍結深度を考慮する。

過去問題（平成 29 年）

次は、管きょの最小土被りについて述べたものです。最も不適切なものはどれですか。

(1) 浅層埋設基準を適用する場合でも、鉄筋コンクリート管（外圧1種）は、管頂部と路面との距離は1m以下としないとされている。
(2) 道路法施行令では、下水道管の本線を埋設する場合、管頂部と路面との距離は、原則として3m以下としないと規定されている。
(3) 浅層埋設基準では、下水道管の本線以外の線を車道に埋設する場合、当該道路の舗装の厚さに0.3mを加えた値以下にせず、その値が0.6mに満たない場合は0.6mにするとされている。
(4) 私道に埋設する管渠は、排水設備基準となるので、原則0.15mを最小土被りとしている。

【解説】

本問は、管きょの最小土被りを決める際の留意事項に関する設問である。

管きょの最小土被りは、取付管、輪荷重の影響、路面厚、他の埋設物、その他道路占用条件を考慮して決める。

(1) については設問のとおり。
(2) については設問のとおり。
(3) については設問のとおり。
(4) について私道等に敷設する場合は、排水設備の接続に支障がなく、上載荷重や管理上の条件等に問題がないことを確認したうえで、管きょの埋設深を浅くすることができるとされていることから、設問中の「原則0.15mを最小土被りとしている。」は不適切である。

【解答】(4)

出典：「下水道施設計画　設計指針と解説・前編」（2019年度版、P306）
　　　（公社）日本下水道協会

過去問題（令和元年）

次は、管きょの埋設位置及び設置について述べたものです。最も不適切なものはどれですか。

(1) 河川区域内布設では、河川管理者と事前協議を行い、占用及び工作物の新築等に係る許可を受けなければならない。
(2) 軌道を横断して管きょを布設する場合で、特に浅い埋設によって輪荷重及び振動の影響を受けるような場合は、軌道事業者と協議のうえ防護工を施す必要がある。
(3) 地形及びその他の関係で、管きょを私道等の私有地に埋設しなければならない場合は、その土地の所有者または管理者と協議し、地上権の設定等必要な手続きを完了しておかなければならない。
(4) 道路管理者が設置する共同溝への占用は、他の公益物件（水道管、ガス管、電気ケーブル、通信ケーブル等）と異なり衛生上の観点から下水道管の占用はできない。

【解説】

本問は、管きょの埋設位置及び設置に関しての設問である。
(1) については設問のとおり。
(2) については設問のとおり。
(3) については設問のとおり。
(4) について共同溝への占用は、下水道管の布設申請を行い占用することができるとされているため、設問中の「衛生上の観点から占用できない。」は不適切である。

【解答】(4)

出典：「下水道施設計画　設計指針と解説・前編」(2019年版、P305〜306)
　　　（公社）日本下水道協会

4　管きょの防護及び基礎

> **ここがポイント！**
>
> 管きょの基礎については出題率が高いので、以下の項目をよく理解する。
> 　①管きょの防護及び埋戻し
> 　②管きょの基礎

(1) 管きょの防護
1) 外圧への対応
　土圧及び上載荷重が、管きょの耐荷力を超える場合は、必要に応じてコンクリートまたは鉄筋コンクリートで巻立てて、管きょを防護する。

2) 磨耗、腐食等への対応
　管きょ内面が、摩耗、腐食等によって損傷するおそれのある場合は耐摩耗性、腐食性等に優れた材質の管きょを使用。または管きょの内面に適切な方法によってライニングまたはコーティングを施す。

3) 管きょの埋戻し
　管きょを埋設する際の締固めが適切に行えるよう、埋戻し方法及び材料等を選定する。特に、管きょ周辺の地盤、あるいは開削工法の埋戻し土が液状化するおそれがある場合は、液状化の判定を行い、液状化対策を施す。

(2) 管きょの基礎
　管きょの基礎は、使用する管きょの種類、土質、地耐力、施工方法、荷重条件、埋設条件等によって定めるが、工事費に著しく影響するので、管きょの耐久性と合わせて経済性についても十分に検討し、適切なものを選定する。

表 1.4.1 管きょの種類と基礎の種類

管　種	地盤	硬質土及び普通土	軟　弱　土	極　軟　弱　土
剛性管	鉄筋コンクリート管 レジンコンクリート管	砂　基　礎 砕　石　基　礎 コンクリート基礎	砂　基　礎 砕　石　基　礎 はしご胴木基礎 コンクリート基礎	はしご胴木基礎 鳥　居　基　礎 鉄筋コンクリート基礎
可とう性管	硬質塩化ビニル管 ポリエチレン管	砂　基　礎	砂　基　礎 ベットシート基礎 ソイルセメント基礎	ベットシート基礎 ソイルセメント基礎 はしご胴木基礎 布　基　礎
	強化プラスチック複合管	砂　基　礎 砕　石　基　礎		
	ダクタイル鋳鉄管 鋼　　　　管	砂　基　礎	砂　基　礎	砂　基　礎 はしご胴木基礎 布　基　礎

出典：「下水道施設計画　設計指針と解説・前編」（2019年版、P312〜318）
　　　（公社）日本下水道協会

1）剛性管きょの基礎

　鉄筋コンクリート管等の剛性管きょには、条件に応じて、砂、砕石、はしご胴木、コンクリート等の基礎を設けるほか、鉄筋コンクリート基礎、鳥居基礎（くい打ち基礎）またはこれらを組み合わせた基礎を施す場合もある。

　ⅰ）砂または砕石基礎

　　比較的地盤のよい場所に採用する。

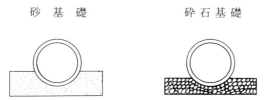

　　　　　砂　基　礎　　　　　砕　石　基　礎

出典：「下水道施設計画　設計指針と解説・前編」（2019年版、P313）（公社）日本下水道協会

　ⅱ）コンクリート及び鉄筋コンクリート基礎

　　地盤が軟弱な場合や管きょに作用する外圧が大きい場合に採用する。

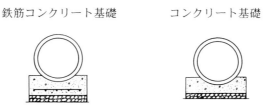

　　　鉄筋コンクリート基礎　　　コンクリート基礎

出典：「下水道施設計画　設計指針と解説・前編」（2019年版、P313）（公社）日本下水道協会

ⅲ) はしご胴木基礎

地盤が軟弱な場合や土質や上載荷重が不均質な場合等に採用する。

はしご胴木基礎

出典:「下水道施設計画 設計指針と解説・前編」(2019年版、P313)(公社)日本下水道協会

ⅳ) 鳥居基礎（くい打ち基礎）

極軟弱地盤で、ほとんど地耐力を期待できない場合に用いられ、はしご胴木の下部をくいで支える構造である。

鳥 居 基 礎

出典:「下水道施設計画 設計指針と解説・前編」(2019年版、P313)(公社)日本下水道協会

2) 可とう性管きょの基礎

硬質塩化ビニル管、強化プラスチック複合管等の可とう性管きょは、原則として自由支承の砂または砕石基礎とし、条件に応じて、ベットシート、布基礎等を設ける。

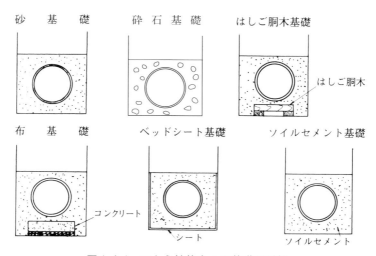

図 1.4.1　可とう性管きょの基礎の種類
出典:「下水道施設計画　設計指針と解説・前編」(2019 年版、P315)（公社）日本下水道協会

3）管の支承

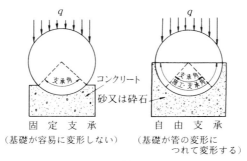

図 1.4.2　管の支承状態
出典:「下水道施設計画　設計指針と解説・前編」(2019 年版、P315)（公社）日本下水道協会

　　固定支承…管体底部が基礎によって変形を完全に拘束されるもので、コンクリート基礎がこれにあたる。
　　自由支承…管の変形につれて基礎も変形するというもので、砂または砕石基礎が代表的なものである。そのほか、はしご胴木基礎がこれにあたる。

過去問題（令和2年）

次は、管きょの基礎について述べたものです。最も不適切なものはどれですか。

(1) 可とう性管きょの基礎は、原則として自由支承の砂または砕石基礎とする。

(2) 剛性管きょの基礎は、砂、砕石、はしご胴木、コンクリート等の基礎を設けるほか、鉄筋コンクリート基礎、鳥居基礎またはこれらを組み合せた基礎を施す場合もある。

(3) 掘削工法では、管に作用する土圧は、土被り、掘削幅、土質、基礎の形式等の設計要因と矢板引抜きや埋戻し土の締固め等の施工要因により大きく異なることはない。

(4) 可とう性管きょを埋設した場合の荷重算定では、埋設管に作用する鉛直方向の土圧分布と、水平分布に作用する反力及び土圧分布は、埋戻し土によるものと活荷重によるものとでは分布形状が多少異なる。

【解説】

本問は、管きょの基礎に関する設問である。

(1) については設問のとおり。
(2) については設問のとおり。
(3) について開削工法では、管に作用する土圧は、土被り、掘削幅、土質、基礎の形式等の設計要因と、矢板引抜きや埋戻し土の締固め等の施工要因によって大きく異なることから、設問中の「施工要因により大きく異なることはない。」は不適切である。
(4) については設問のとおり。

【解答】(3)

出典：「下水道施設計画　設計指針と解説・前編」(2019年版、P312～315)
　　　（公社）日本下水道協会

過去問題(平成30年)

次は、管きょの基礎について述べたものです。☐内にあてはまる語句の組合せとして最も適当なものはどれですか。

リブ付き硬質塩化ビニル管は、 A であり、一般に B の C 基礎とする。

	A	B	C
(1)	可とう性管きょ	自由支承	砕石
(2)	剛性管きょ	固定支承	コンクリート
(3)	可とう性管きょ	固定支承	砂
(4)	剛性管きょ	自由支承	砕石

【解説】

本問は、管きょの基礎に関する設問である。

管きょの基礎は、使用する管きょの種類、土質、地耐力、施工方法、荷重条件、埋設条件等によって定めるが、工事費に著しく影響するので、管きょの耐久性と合わせて経済性についても十分に検討し、適切なものを選択する必要がある。硬質塩化ビニル管、強化プラスチック複合管等の可とう性管きょは、原則として自由支承の砂または砕石基礎とし、条件に応じて、ベットシート、布基礎等を設ける。よってA：可とう管きょ、B：自由支承、C：砕石の組み合せとなる。

【解答】(1)

出典：「下水道施設計画　設計指針と解説・前編」(2019年版、P298、P312、P315)
　　　(公社) 日本下水道協会

オリジナル問題①

次は、管きょの防護及び埋戻しについて述べたものです。最も不適切なものはどれですか。

(1) 土圧及び上載荷重が管きょの耐荷力を超える場合は、必要に応じてコンクリートまたは鉄筋コンクリートで巻きたて、外力に対応する。

(2) 管きょ周辺の地盤、または開削工法の埋戻し土が液状化するおそれがある場合は液状化の判定を行い、液状化対策を行う。

(3) 小口径汚水管きょの場合、土被りが1.5m以下で交通量が少なく大型車両の通行がない路線については、発生土を基礎材として利用することがある。

(4) 鋼管及びダクタイル鋳鉄管を電車軌道や変電設備の周辺に布設し、迷走電流の影響を受ける可能性があっても、管きょの外側に絶縁被覆及び絶縁継手等を使用する必要はない。

【解説】

本問は、管きょの防護及び埋戻しに関しての設問である。

(1) については設問のとおり。
(2) については設問のとおり。
(3) については設問のとおり。
(4) について鋼管及びダクタイル鋳鉄管を電車軌道や変電設備の周辺に布設する場合、迷走電流の影響を受けることがあるため、管きょの外側に絶縁被覆を施し、絶縁継手等を使用することから、設問中の「管きょの外側に絶縁被覆及び絶縁継手等を使用する必要はない。」は不適切である。

【解答】(4)

出典:「下水道施設計画　設計指針と解説・前編」(2019年版、P317〜318)
　　　(公社) 日本下水道協会

5 管きょの接合及び継手

> **ここがポイント！**
>
> 管きょの接合及び継手に関する問題は、出題率が高いので、以下の項目を理解する。
> ①管きょの接合（接合方法とその特徴）
> ②管きょの継手（不完全な場合の影響）

(1) 管きょ内径の変化点及び、管きょ合流点における接合方法
1) 管きょ内径が変化する場合及び、2本の管きょが合流する場合の接合方法は、原則として水面接合または管頂接合とする。
　ⅰ) 水面接合
　　水理学的におおむね計画水位を一致させて接合することから、望ましい方法である。

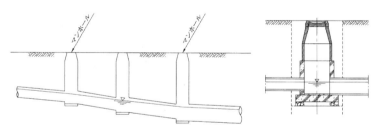

図1.5.1　水面接合

　ⅱ) 管頂接合
　　流水は円滑となり水理学的には安全な方法であるが、管きょの埋設深さが増して工事費がかさみ、ポンプ排水の場合はポンプの揚程が増す。

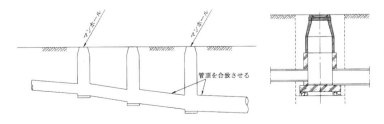

図1.5.2　管頂接合

ⅲ）管中心接合

　水面接合と管頂接合との中間的な方法であり、管の中心線を接合するため計画下水量に対応する水位の算出を必要としないことから、水面接合に準用されることがある。

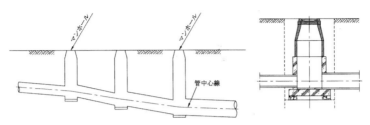

図1.5.3　管中心接合

図の出典：「下水道施設計画　設計指針と解説・前編」(2019年版、P307～308)
　　　　　（公社）日本下水道協会

ⅳ）管底接合

　掘削深さを減らして工事費を軽減でき、特にポンプ排水の場合は有利になる。しかし、上流部において計画下水量でも自由水面を確保できないおそれがある。

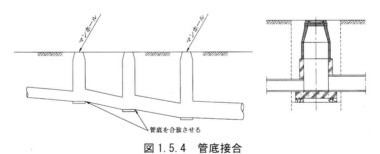

図1.5.4　管底接合

2）急傾斜地における接合方法

　地表勾配が急な場合には、管きょ内の流速を調整するとともに、下流側の土被りを確保するためまたは、上流側の掘削深さを減ずるため、地表勾配に応じて段差接合または階段接合とする。

ⅰ）段差接合

　地表勾配に応じて、適切な間隔にマンホールを設ける。1箇所当りの段差は1.5m以内とすることが望ましい。なお、段差が0.6m以上の場合、合

流管きょ及び汚水管きょについては、副管を使用することを原則とする。

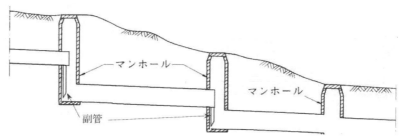

図 1.5.5　段差接合の例

ⅱ）階段接合

通常、大口径管きょまたは現場打ち管きょに設ける。階段の高さは1段当たり 0.3m 以内とすることが望ましい。

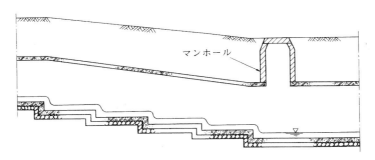

図 1.5.6　階段接合の例

図の出典：「下水道施設計画　設計指針と解説・前編」（2019 年版、P309）
　　　　　（公社）日本下水道協会

ⅲ）その他

地形状況により段差接合や階段接合の設置が困難な場合、流速の抑制を目的とした、減勢工の設置や洗堀防止を目的とした石張り等を検討する。

また、幹線管きょへの接続等、高落差で管きょを接合する必要がある場合には、空気混入を抑制する構造上の配慮等を行うとともに、マンホール底部の洗堀防止及び下水の飛散防止を目的とし、高落差工などの設置を検討する場合がある。

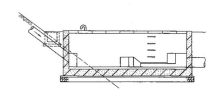
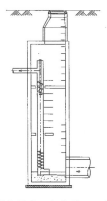

　　　　図 1.5.7　減勢工の例　　　　図 1.5.8　高落差工の例

図の出典：「下水道施設計画　設計指針と解説・前編」(2019 年版、P310)
　　　　　(公社) 日本下水道協会

(2) 管きょの継手

　管きょの継手は、水密性、耐久性及び耐震性について、要求性能を有するものとする。

　また、軟弱地盤等において、マンホールなどの剛性の高い構造物と管きょを接続する場合には、必要に応じて可とう性の継手を用いる。

　管きょは、他の埋設物に比較して埋設深さが深くなる。このため、地下水位が高い箇所では、継手が不完全な場合、地下水が多量に管きょ内に浸入することとととなり、次のような状況が発生する可能性がある。

- ポンプ排水の場合は、ポンプの増設を必要とするばかりでなく、排水経費の増加、管きょの流下能力の不足及び余裕の減少を招いて、予想外の支障を来すことがある。
- 処理施設において、処理経費を増加させるとともに、施設の機能を低下させるおそれがある。
- 土質が砂質土で、地下水位の高い箇所では、継手の接合部の隙間で目地切れ等の箇所から地下水が管きょに浸入し、管きょの周囲の地盤を緩めることで、土砂を管きょ内に引き込む場合がある。これにより、管きょの閉塞や不同沈下、道路の陥没、他の地下埋設物の損傷を発生させるおそれがある。

第1章　管路施設の基礎知識

過去問題（令和2年）

次は、管きょの接合方法について述べたものです。最も不適切なものはどれですか。
(1) 管きょが合流する場合は、流水が円滑となるようマンホール底部のインバートを検討する。
(2) 地表勾配が急な場合には、原則として地表勾配に応じ段差接合または階段接合とする。
(3) 管きょの内径が変化する場合の接合方法は、原則として管底接合とする。
(4) 2本の管きょが合流する場合の接合方法は、原則として水面接合または管頂接合とする。

【解説】

本問は、管きょの接合方法に関する設問である。
(1) については設問のとおり。
(2) については設問のとおり。
(3) について管きょ径が変化する場合の接合方法は、管きょ内の流水を水理学的に円滑に流下させることが最も重要であり、原則として水面接合または管頂接合とすることから、設問中の「原則として管底接合とする。」は不適切である。
(4) については設問のとおり。

【解答】(3)

出典：「下水道施設計画　設計指針と解説・前編」（2019年版、P307～310）
　　　（公社）日本下水道協会

過去問題(平成30年)

次は、管きょの接合方法について述べたものです。最も不適切なものはどれですか。

(1) 管中心接合は、水面接合と管頂接合との中間的な方法であり、水面接合に準用されることがある。
(2) 管きょ径が変化する場合の接合方法は、原則として水面接合または管頂接合とする。
(3) 管底接合は、掘削深さを減じて工事費を軽減でき、特にポンプ排水の場合は有利となる。
(4) 管頂接合の場合、流水は円滑となり水理学的に安全であり、工事費も軽減される。

【解説】

本問は、管きょの接合方法に関しての設問である。
(1) については設問のとおり。
(2) については設問のとおり。
(3) については設問のとおり。
(4) について管頂接合の場合は、流水は円滑となり水理学的に安全な方法であるが、管きょの埋設深さが増して工事費がかさみ、ポンプ排水の場合はポンプの揚程が増す。よって設問中の「工事費も軽減する。」は不適切である。

【解答】(4)

出典:「下水道施設計画 設計指針と解説・前編」(2019年版、P307～308)
　　　(公社)日本下水道協会

第1章　管路施設の基礎知識

オリジナル問題

次は、管きょの接合方法について述べたものです。最も不適切なものはどれですか。
(1) 管頂接合の場合、流水は円滑となり水理学的に安全な方法であるが、管きょの埋設深さが増して工事費がかさむ。
(2) 管中心接合は、計画下水量に対応する水位の算出を必要としない。
(3) 水面接合の場合、水理学的におおむね計画水位を一致させて接合させるので良い方法である。
(4) 管底接合は、掘削深さを減じて工費を軽減できるが、下流部において計画下水量でも自由水面を確保できないおそれがある。

【解説】
　本問は、管きょの接合方法に関しての設問である。
(1) については設問のとおり。
(2) については設問のとおり。
(3) については設問のとおり。
(4) について管底接合の場合は、掘削深さを減じて工事費を低減できるが、上流部において計画下水量でも自由水面を確保できないおそれがある。よって設問中の「下流部において」は不適切である。

【解答】(4)

出典：「下水道施設計画　設計指針と解説・前編」(2019年版、P307～308)
　　　（公社）日本下水道協会

6　伏越し

> **ここがポイント！**
>
> 伏越しに関する問題は出題率が高いため、伏越しにおける維持管理と合わせて、構造、設計時の留意事項を理解する。
> ①伏越しの概要

(1) 伏越しの概要

伏越しは、原則として避けるべきであるが、地域の実情等によりやむを得ず設置する場合は、以下の項目を考慮する。

- 伏越し管きょは、閉塞時の対応、清掃時の下水の排水対策等を考慮して、原則として二条とする。

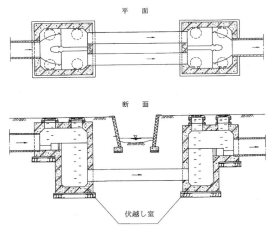

図1.6.1　伏越しの例

出典：「下水道施設計画　設計指針と解説・前編」(2019年版、P356)（公社）日本下水道協会

- また、橋台及び橋脚等の荷重または不同沈下による影響を直接受けないようにするため、また、維持管理の上からも、その直下に伏越しを設置することは避ける。
- さらに、伏越しの設置場所には、護岸等の目のつきやすいところに標識を設け、伏越し管きょの大きさ、埋設深さなどを明確に表示する必要がある。

- 伏越しの構造は、障害物等の上下流の両側に設けられた垂直な伏越し室と、これらを水平または下流に向かって下り勾配で接続する伏越し管きょで構成される。
- 伏越し室には、ゲートまたは角落しのほか、伏越し管きょ内に土砂、汚泥等の堆積による流下阻害や水質悪化が生じないように、深さ 0.5m 程度の泥溜めを設けるなどの対策を講じる。
- 伏越し管きょの流入口及び流出口は、損失水頭を少なくする構造とする。また、管きょ内の流速は、上流管きょ内の流速の 20〜30％増しとする。
- 汚水管きょの伏越しの選定にあたっては、ベンド管を用いた伏越し（改良型伏越し）の設置も検討する。

過去問題（令和2年）

次は、伏越しについて述べたものです。最も不適切なものはどれですか。
(1) 伏越し管きょ内の流速は、土砂、汚泥等の堆積を水勢によって防止するため、上流管きょ内の流速より早くする。
(2) 伏越し管きょの設置に際しては、原則として計画下水量を二条で流下させるものとする。ただし、小口径管きょの場合は、一方を予備とすることができる。
(3) 雨水管きょまたは合流管きょが河川等を伏越しする場合において、上流側に雨水吐がないときは、非常用の放流管きょを設けることが望ましい。
(4) 改良型伏越しは、従来型の伏越しに比べ、伏越し室や泥溜めがないことから、清掃の頻度を多くする必要がある。

【解説】

本問は、伏越しの構造や設計時の留意点に関する設問である。
(1) については設問のとおり。
(2) については設問のとおり。
(3) については設問のとおり。
(4) について改良型伏越しは、従来型の伏越しに比べ、伏越し室を持たない等の簡易な構造であることから、工事費の縮減効果が高く、また、泥溜めがないことから清掃の頻度が少なくて済む利点があることから、設問中の「清掃の頻度を多くする必要がある。」は不適切である。

【解答】（4）

出典：「下水道施設計画　設計指針と解説・前編」（2019年版、P354～358）
　　　（公社）日本下水道協会

第 1 章　管路施設の基礎知識

過去問題（平成 30 年）

次は、伏越しまたは改良型伏越しについて述べたものです。最も不適切なものはどれですか。

(1) 伏越しの構造は、障害物の両側に垂直な伏越し室を設け、これらを水平または下流に向かって下り勾配で接続する伏越し管きょで結ぶものである。
(2) 伏越し管きょは、原則として二条とし、護岸等の構造物の荷重や不同沈下の影響を受けないようにする。
(3) 改良型伏越しでは、ベンド管内の土砂堆積を防止するため上流側マンホールには、深さ 0.5m 程度の泥溜めを設ける。
(4) 伏越し管きょ内の流速は、上流管きょ内の流速より 20%から 30%増しとする。

【解説】

本問は、伏越しまたは改良型伏越しに関しての設問である。
(1) については設問のとおり。
(2) については設問のとおり。
(3) について改良型伏越しは、従来型の伏越しに比べ、伏越し室を持たないなど簡易な構造であることから建設コストの縮減効果が高く、また、泥溜めがないことから清掃頻度が少なくて済むという利点がある。よって設問中の「上流側マンホールには、深さ 0.5m 程度の泥溜めを設ける。」は不適切である。
(4) については設問のとおり。

【解答】(3)

出典：「下水道施設計画　設計指針と解説・前編」(2019 年版、P354〜358)
　　　（公社）日本下水道協会

オリジナル問題

次は、伏越しについて述べたものです。最も不適切なものはどれですか。

(1) 伏越し管きょは、閉そく時の対応、清掃時の下水の排水対策等を考慮して原則二条とし、一方を予備とすることができる。

(2) 合流式下水道では、晴天時の流量が雨天時の流量に比べて著しく少ないので、晴天時用と雨水時用とを並列にして、それぞれの最小流量時でも十分な自己掃流力を保つようにする場合もある。

(3) 伏越しの構造は、障害物の両側に垂直な伏越し室を設け、これらを下流方向に向かって下りこう配の管きょで結ぶものとする。

(4) 伏越し管きょの流入口及び流出口は損失水頭を少なくする構造とする。また管きょ内の流速は、上流管きょの流速と同じにする。

【解説】

本問は、伏越しの構造や設計時の留意点に関しての設問である。

(1) については設問のとおり。

(2) については設問のとおり。

(3) については設問のとおり。

(4) について伏越し管きょの流入口及び流出口は、損失水頭を少なくする構造とする。また、管きょ内の流速は、上流管きょの流速の20%から30%増しとする。よって設問中の「管きょ内の流速は、上流管きょ内の流速と同じにする」は不適切である。

【解答】(4)

出典：「下水道施設計画　設計指針と解説・前編」(2009年版、P354～355)
(公社) 日本下水道協会

7　マンホール

> 👍 **ここがポイント！**
>
> マンホールに関する問題は、出題率が高いので以下の項目を理解する。
> 　①マンホールの配置
> 　②マンホールの種類、形状、構造
> 　③マンホールのその他の構造

(1) マンホールの配置
1) 設置場所

　マンホールは、管きょ内の維持管理（点検、調査、清掃、修繕、改築）を行うために必要な施設であり、管きょの接合及び会合のために設置するものである。

　マンホールは、下記の箇所に必要に応じて設置する。

・維持管理の上で必要な箇所
・管きょの起点及び方向または勾配が著しく変化する場所
・管きょ径等の変化する箇所
・段差の生ずる箇所
・管きょの会合する箇所

2) 設置間隔

表 1.7.1　マンホールの管きょ径別最大間隔

管きょ径(mm)	600 以下	1,000 以下	1,500 以下	1,500 超
最大間隔(m)	75	100	150	200

出典：「下水道施設計画　設計指針と解説・前編」(2019年版、P319)
　　　（公社）日本下水道協会

(2) マンホールの種類、形状

　マンホールは、ふた、ふた枠、調整リング、側塊（斜壁、直壁）、底版、足掛け金物、副管、インバート等から構成される。

　マンホール本体の種類、形状及び構造は、管きょ径、起点、中間点、会合点等に応じて定める。

マンホール本体には、全部を現場打ちコンクリート施工するもの、下部を現場打ちコンクリート施工し、上部を既製コンクリートブロックとするもの、全部を工場製品とするものの3種類の構造が用いられている。現在では、施工の容易性及び工期短縮を図るため、全部を工場製品とする組立マンホールが一般的となっている。

(3) マンホールの構造
1) ふたは鋳鉄製を標準とする。
2) 足掛け金物は、腐食に耐える材質とする。
3) マンホールが深くなる場合、維持管理上の安全面を考慮して、3～5mごとに踊り場（中間スラブ）を設けることが望ましい。
4) 副管は、上流管きょ、下流管きょの段差が0.6m以上の場合に設ける。

《副管の特徴》
・マンホール内での点検や清掃作業を容易にする
・流水によるマンホールの底部、側壁等の磨耗を防ぐ。
・分流式下水道の雨水管きょのマンホールには、使用しないのが通例である。
・原則としてマンホールの内側に設置する。この場合、維持管理上の問題から、2号マンホール以上の適用が望ましいが、省スペース型の内副管継手の採用等で維持管理に支障がない場合はこの限りではない。

5) マンホール底部には、下水の円滑な流下を図るため、管きょの接合や会合の状況に応じたインバートを設ける。
6) 上流管きょと下流管きょとの最小段差を2cm程度設ける。
7) 衝撃圧、急激な水位上昇等によるマンホール内圧力上昇が発生する箇所においては、ふたの浮上、飛散防止対策を講じる。
8) 地震時にも下水道の有すべき機能を維持するため、地震対策を講じる。

第 1 章　管路施設の基礎知識

過去問題（令和2年）

次は、マンホールにについて述べたものです。最も不適切なものはどれですか。

(1) 内圧が作用する管きょで排気口を設置する場合は、動水勾配より高い位置で、かつ地上に空気や水が噴出しても安全な位置とする。
(2) 同じ内径の管きょを接続するマンホールでは、流入管きょと流出管きょの管底高を同一にする。
(3) 副管は、耐震性・施工性・止水性等を考慮し、原則として内側に設置し、2号マンホール以上の適用が望ましい。
(4) スラブ及び中間スラブを設置するマンホールにおいては、施工性や維持管理・改良時の対応を考慮し、スラブ及び中間スラブと流入管きょとの離隔は30cm程度確保することが望ましい。

【解説】

本問は、マンホールに関する設問である。
(1) については設問のとおり。
(2) について同じ内径の管きょを接続するマンホールでは、曲がり損失水頭や施工誤差等を考慮し、流入管きょと流出管きょに段差を設ける。一般的に、開削工法では2cm程度の段差を設けることから、設問中の「流入管きょと流出管きょの管底高を同一にする。」は不適切である。
(3) については設問のとおり。
(4) については設問のとおり。

【解答】(2)

出典：「下水道施設計画　設計指針と解説・前編」（2019年版、P320、P326〜328）
　　　（公社）日本下水道協会

オリジナル問題

次は、マンホールについて述べたものです。最も不適切なものはどれですか。

(1) 管きょ径が1,000 mmの管きょの直線部のマンホール最大間隔は、75mを標準とする。
(2) 踊り場（中間スラブ）は、安全のために3～5mごとに設ける。
(3) 分流式下水道の雨水管きょのマンホールには、副管を使用しないのが通例である。
(4) 衝撃圧、急激な水位上昇等によるマンホール内圧力上昇が発生する箇所においては、蓋の浮上、飛散防止策を講ずる。

【解説】

本問は、マンホールを設置する際の留意点に関しての設問である。

(1) についてマンホールの管きょ径別最大間隔の標準は、管径1,000 mmの直線部においては100mである。よって設問中の「75mを標準とする。」は不適切である。

(2) については設問のとおり。
(3) については設問のとおり。
(4) については設問のとおり。

【解答】(1)

出典：「下水道施設計画　設計指針と解説・前編」(2019年版、P319～328)
　　　（公社）日本下水道協会

8 ます及び取付管

> **ここがポイント！**
>
> ます及び取付管からの問題は2年に1回程度の頻度で出題されている。
> 特に以下の4項目を理解する。
> 　①ますの位置及び配置
> 　②ますの構造及び材質
> 　③取付管の管種及び配置
> 　④取付部の構造

(1) ますの位置及び配置
1) 汚水ます
　設置位置は、公道と民地との境界線付近とする。特定施設からの排水が流入する汚水ますは、原則として、当該下水がその他の下水と混合しない構造とし、水量、水質等の監視及び測定の便宜を考慮して、特に公道内の設置が望ましい。

2) 雨水ます
　設置位置は、公道と民地との境界線付近とする。分流式下水道にあっては雨水の排除に既存の雨水きょまたは道路側溝等を利用する場合もあるため、地域の実状、維持管理等を十分に考慮して設置位置を定めることが望ましい。路面排水の雨ますの間隔は、道路幅員、道路の勾配等で異なる。なお、雨水ますには、流入雨水の一部を浸透させる雨水浸透ますがある。

(2) ますの構造及び材質
1) 汚水ます
・形状及び構造は、円形及び角形のコンクリート製、鉄筋コンクリート製またはプラスチック製とする。
・ふたは、鋳鉄製（ダクタイルを含む）、鉄筋コンクリート製、プラスチック製及びその他の堅固で水密性を確保でき、耐久性のある材料で造られた密閉ふたとする。
・底部には、インバートを設ける。

2) 雨水ます
- 形状及び構造は、円形及び角形のコンクリート製、鉄筋コンクリート製またはプラスチック製とする。
- ふたは、鋳鉄製（ダクタイルを含む）、鉄筋コンクリート製、プラスチック製及びその他の堅固で耐久性のある材料とする。また、雨水の流入が容易であるとともに、スクリーンにもなり、管きょ内の通風にも役立つものがよい。
- 底部には、土砂等の堆積状況に応じて、原則として深さ15cm以上の泥溜めを設ける。

(3) 取付管の管種及び配置
 1) 管種
　鉄筋コンクリート管、硬質塩化ビニル管またはこれと同等以上の強度及び耐久性のあるものを使用する。
 2) 平面配置
- 布設方向は、本管に対して直角、かつ、直線的なものとする。
- 本管の取付部は、本管に対して60度または90度とする。
- 取付管同士の接続間隔は、施工性、本管の強度、及び維持管理上から、1m以上離した位置に設置する。
 3) 勾配
　10‰以上とし、取付位置は、本管の中心線から上方に取り付ける。
 4) 管径
　取付管の最小管径は、150mmを標準とする。但し、局所的な下水量の増加が将来にわたって見込まれない場合は、本管の最小管径を100〜150mmとすることができ、その場合の取付管最小管径は、100mmとしてもよい。

(4) 接続部の構造
　支管を設置しない場合には、本管と取付管の接続部が固定されにくい状態になり、経年変化によって取付管が本管内部に突き出て流水を妨げたり、管きょの清掃・調査等に支障をきたす原因になる。また、接続不良により本管との隙間から土砂等が下水道管きょ内に流入し、道路陥没や管きょ閉塞などの要因となるので、取付管の接続部には、支管を設置する必要がある。

第 1 章　管路施設の基礎知識

過去問題（令和元年）

　次は、管路施設におけるますについて述べたものです。最も不適切なものはどれですか。
(1) 雨水ますは、公道と民地との境界線付近とするが、原則公道内に設置する。
(2) 雨水ますのふたは、臭気防止のため密閉ふたとする。
(3) 汚水ますのふたは、堅固で耐久性を有するとともに、開閉が容易なものとする。
(4) 硬質塩化ビニル製汚水ますで内径 15 cm の円形ますの場合、取付管の内径は 100 mm 以下に使用する。

【解説】
　本問は、管路施設におけるますに関する設問である。
(1) については設問のとおり。
(2) についてますふたは、堅固で、耐久性を有するとともに、開閉が容易なものとする。雨水ますのふたは、雨水の流入が容易であるとともに、スクリーンにもなり、管きょ内の通風にも役立つものがよい。設問中の「臭気防止のため密閉ふたとする。」は不適切である。
(3) については設問のとおり。
(4) については設問のとおり。

【解答】(2)

出典：「下水道施設計画　設計指針と解説・前編」（2019 年版、P336 〜 340）
　　　（公社）日本下水道協会

オリジナル問題

次は、取付管について述べたものです。最も不適切なものはどれですか。
(1) 取付管の勾配は 10‰以下とし、位置は本管の中心線から上方に取りつける。
(2) 本管への取付け部の平面配置は、原則として、本管に対して 60 度または 90 度の角度とする。
(3) 布設方向は、本管に対して直角、かつ直線的なものとする。
(4) 取付管の設置間隔は、施工性、本管の強度及び維持管理上から、1 m 以上離した位置に取り付ける。

【解説】

本問は、取付管に関する設問である。

(1) について取付管の勾配は、浮遊物質等の沈殿及び堆積が生じないようにするため 10‰以上とすることが適当である。設問中の「勾配は 10‰以下とし、」は不適切である。

(2) については設問のとおり。
(3) については設問のとおり。
(4) については設問のとおり。

【解答】(1)

出典:「下水道施設計画 設計指針と解説・前編」(2019 年版、P341)(公社)日本下水道協会

9 排水設備

> **ここがポイント！**
>
> 排水設備からの問題は例年2問程度出題されている。
> 必ず出ているので、特に以下の4項目を重点的に理解する。
> ① 排水設備
> ② 排水管（種類、管径、勾配等）
> ③ 宅地ます（配置、材質、大きさ、構造等）
> ④ 付帯設備（ストレーナ、トラップ、阻集器等）

(1) 排水設備

排水設備とは、下水を公共下水道に流入させるための排水管及びその他の排水設備で、土地、建物等の所有者及び管理者が設置するものである。

下水道施設は、管路、ポンプ場及び処理場施設で構成されるが、各家庭等からの排水を遅滞なく流下させる排水設備が完備されて、はじめて下水道の設置目的が達成される。

したがって、排水設備の設計基準、設置、構造等には、公共下水道と同様に管の種類、管径や勾配等を十分考慮をしなければならない。特に分流式にあっては、汚水が雨水管きょに誤って流入することがないようにするとともに、雨水の汚水管きょへの混入や汚水ますからの雨水の浸入がないように十分注意しなければならない。排水設備の設計基準、設置、構造等については、下水道法施行令第8条に規定されている技術上の基準を遵守しなければならない。

(2) 排水管

排水管は、暗きょとし、種類、管径、勾配等は、次の事項を考慮して適切に定める。ただし、雨水を排除する場合は、開きょとしてもよい。

1) 種類

排水管は、汚水が漏水して地下水等を汚染することを防ぐため、鉄筋コンクリート管及び硬質塩化ビニル管のような水密性のある管材を用い、かつ、継目は管材に最も適した接合材で充填し漏水や浸入水が生じないようにする。

2) 管径及び勾配

・排水管の管径及び勾配は、排水を支障なく流下できるように定める。

表 1.9.1　汚水管の管径及び勾配（例）

排水人口（人）	管径（mm）	勾配
150 未満	100 以上	100 分の 2 以上
150 以上 300 未満	125 以上	100 分の 1.7 以上
300 以上 500 未満	150 以上	100 分の 1.5 以上
500 以上	200 以上	100 分の 1.2 以上

※一つの建物から排除される汚水の一部を排除する排水管で、管路延長が 3m 以下の場合は、最小管径を 75 mm（勾配 100 分 3 以上）とすることができる。
出典：「下水道施設計画　設計指針と解説・前編」（2019 年版、P347）
　　　（公社）日本下水道協会出典

表 1.9.2　雨水管または、合流管の管径及び勾配（例）

排水面積（㎡）	管径（mm）	勾配
200 未満	100 以上	100 分の 2 以上
200 以上 400 未満	125 以上	100 分の 1.7 以上
400 以上 600 未満	150 以上	100 分の 1.5 以上
600 以上 1500 未満	200 以上	100 分の 1.2 以上
1500 以上	250 以上	100 分の 1 以上

※一つの敷地から排除される雨水又は雨水を含む下水の一部を排除する排水管で、管路延長が 3m 以下の場合は最小管径 75 mm（勾配 100 分 3 以上）とすることができる。
出典：「下水道施設計画　設計指針と解説・前編」（2019 年版、P347）
　　　（公社）日本下水道協会

・管内流速は、掃流力を考慮して、0.6〜1.5m/ 秒の範囲とする。ただし、やむをえない場合は、最大流速を、3.0m/ 秒とすることができる。

3) **土被り**

　排水管の土被りは、建物の敷地内では原則として 20 cm 以上とし、公道に準じる道路、車両が出入りする場所等については、公共下水道に準じた深さとする。土被りが浅い場合は外圧から排水管を保護するか、荷重条件に適合した排水管を用いる。

4) **半地下家屋等への浸水対策**

　周辺の地盤より低い半地下家屋等は、豪雨時に下水道管きょ内の水位上昇により下水が逆流することにより、宅内が浸水することもあるため、排水ポンプの設置など必要な対策を行う。

(3) 宅地ます

ますの配置、材質、大きさ、構造等は、次の各項を考慮して定める。

1) ますの配置箇所

宅地ますには、汚水ますと雨水ますとの2種類があり、排水管の起点、終点、会合点、屈曲点、その他点検、清掃等の維持管理する上で必要な箇所に設ける。

2) ますの大きさ、構造及び形状、材質

内径または内のり15cm以上の円形または角形とし、堅固で耐久性かつ水密性のある構造とする。材質は、鉄筋コンクリート、プラスチック（硬質塩化ビニル、ポリプロピレン）などとする。

3) ますのふた及び底部

- ますのふたは堅固で耐久性のある材質とし、汚水ますは密閉ふたとする。
- ますの底部には、汚水ますはインバートを、雨水ますは泥溜めを設ける。

4) 特殊ます

- 臭気対策のためには器具トラップの設置を原則とするが、次に該当する場合はトラップますを設置する。
  ①既設の衛生器具等にトラップの取付けが技術的に困難な場合。
  ②残さ物が下水に混入し、排水設備または公共下水道に支障をきたすおそれがある場合。
  ③雨水排水系統のますまたは開きょ部分からの臭気の発散を防止する場合。
- ドロップます、底部有効ますは、管の会合点で管底高に著しい落差がある場所に設ける。なお、雨水のみの排水管には設けないのが通例である。
- 排水管の点検清掃のために会合点や屈曲点にますを設置することが原則であるが、敷地利用の関係上、設置できない場合に、ますに代えて掃除口を設ける。
- 下水道施設への負荷の軽減を必要とする目的に、固形物、油脂、土砂等を分離するために分離ますを設ける。
- 雨水浸透ますは、雨水の流出抑制等を目的に雨水排水系統に設ける。

(4) 付帯設備

付帯設備は、次の各項のとおりである。

1) ストレーナ

　浴場、流し場等の汚水流出口には、固形物の流下を阻止するためにストレーナを設ける。

2) トラップ

　排水管へ直結する器具には、ガスや臭気及び衛生害虫等が屋内に侵入することを防止するために、原則としてトラップを設ける。

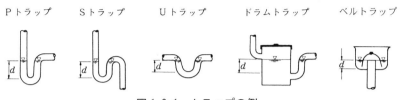

図 1.9.1　トラップの例

出典：「下水道施設計画　設計指針と解説・前編」（2019 年版、P351）（公社）日本下水道協会

　トラップは、固形物等が沈澱して詰まるおそれがあるため、構造が簡単で、排水作用によってトラップ内部の洗浄ができ、点検や掃除が容易な場所に設ける。

3) 阻集器

　阻集器は、排水中に含まれる有害危険な物質または再利用できる物質の流下を阻止、分離、捕集し、自然流下により排水できる形状、構造を有した器具または装置をいい、公共下水道及び排水設備の機能低下や損傷を防止するとともに、処理場における処理水の水質確保のために設けるもので、オイル阻集器、グリース阻集器等がある。

・オイル阻集器は、ガソリンスタンドなどのガソリンや油類の流出する箇所に設け、ガソリンや油類を阻集器の水面に浮かべて除去し、それらが排水管の中に流入して悪臭や爆発事故の発生を防止する。

・グリース阻集器は、営業用調理場等からの汚水中に含まれている油脂類を冷却し、凝固させて除去し、排水管の中に流入して管を詰まらせるのを防止する。

4) 通気管

　排水トラップの封水の保護及び排水管内の流れを円滑にするために、排水系統には、各個通気、ループ通気、伸頂通気方式等を適切に組合せた通気管を設ける。

5) 排水槽

　地階の排水または低地の排水が、自然流下方式によって直接公共下水道に排水できない場合は、排水槽を設置して一時貯留し、排水ポンプ汲み上げて排出する。

6) ディスポーザ排水処理システム

　家庭等から発生する生ごみをディスポーザで破砕したディスポーザ排水を排水処理装置で処理し、下水道に流入させるシステムである。

出典:「下水道排水設備指針と解説」(2016年版、P15)(公社)日本下水道協会

過去問題（令和元年）

次は、排水設備の宅地ますについて述べたものです。最も不適切なものはどれですか。

(1) 排水管の起点、終点、会合点、屈曲点、その他維持管理上必要な箇所には、ますを設置する。
(2) ますは、内径または内のり 15 cm 以上の円形または角形とする。
(3) ドロップますは、主管側への汚物の逆流を防止するため段差を設けることを目的として設置する。
(4) 便所からの排水管は、トラップますのトラップに接続してはならない。

【解説】
　本問は、排水設備の宅地ますに関しての設問である。
(1) については設問のとおり。
(2) については設問のとおり。
(3) についてドロップます、底部有効ますは、上流、下流の排水管の段差が大きい場合に使用することから、設問中の「主管側への汚物の逆流を防止するため段差を設けることを目的として設置する。」は不適切である。
(4) については設問のとおり。

【解答】（3）

出典：「下水道施設計画　設計指針と解説・前編」（2019 年版、P348 〜 350）
　　　（公社）日本下水道協会

第 1 章　管路施設の基礎知識

過去問題（令和 2 年）

次は、排水設備の排水管について述べたものです。最も不適切なものはどれですか。
(1) 排水管には、硬質塩化ビニル管及び鉄筋コンクリート管等を用いる。
(2) 排水管には、雨水流出抑制施設として用いる浸透管（浸透トレンチ）がある。
(3) 排水管の勾配は、やむを得ない場合を除き 1/100 以上とする。
(4) 管内流速は、掃流力を考慮して 0.6～1.5m/秒の範囲とする。ただし、やむを得ない場合は、最大流速を 5.0m/秒とすることができる。

【解説】

本問は、排水設備の宅地ますに関しての設問である。
(1) については設問のとおり。
(2) については設問のとおり。
(3) については設問のとおり。
(4) について排水管は、下水を支障なく流下させるために適切な管径、勾配とする必要がある。急勾配すぎると流速が大きくなり、下水のみが薄い水層となって流下し、逆に緩勾配すぎると流速が小さくなり、掃流力が低下し固形物が残る。管内流速は、掃流力を考慮して、0.6 ㎜/秒～1.5 ㎜/秒の範囲とする。ただしやむを得ない場合は、最大流速を 3.0m/秒とすることができることから、設問中の「最大流速を 5.0m/秒とすることができる。」は不適切である。

【解答】（4）

出典：「下水道施設計画　設計指針と解説・前編」(2019 年版、P345～347)
　　　（公社）日本下水道協会、「下水道排水設備指針と解説」(2016 年版、P58～62)
　　　（公社）日本下水道協会、「下水道法施行令第 8 条第 10 項」

オリジナル問題

次は、排水設備における排水管及び宅地ますについて述べたものです。最も不適当なものはどれですか。

(1) 豪雨時における下水道管から半地下家屋等への逆流に対して、必要な対策を行う。
(2) 排水管の土被りは、原則として 20 cm 以上とする。
(3) 雨ますの底部には、深さ 15 cm 以上の泥溜めを設ける。
(4) 分離ますは、管の会合点で、高低差に極端な段差が生じる箇所に設置する。

【解説】

本問は、排水設備の排水管及び宅地ますに関しての設問である。
(1) については設問のとおり。
(2) については設問のとおり。
(3) については設問のとおり。
(4) について分離ますは、下水道施設への負荷の軽減を必要とする場合、固形物、油脂、土砂等を分離する、し尿を含まない雑排水のますとして設置することから、便所からの排水が分離ますに逆流しないように位置や高さを設定する。設問中の「極端な段差が生じる箇所に設置する。」は不適切である。

【解答】(4)

出典:「下水道排水設備指針と解説」(2016 年版、P67 ～ 73)(公社) 日本下水道協会
　　　「下水道施設計画　設計指針と解説・前編」(2019 年版、P305 ～ 350)
　　　(公社) 日本下水道協会

オリジナル問題②

次は、宅地ますのうち特殊ますについて述べたものです。最も不適切なものはどれですか。
(1) 分離ますは、固形物、油脂、土砂等を分離するために設置する。また、し尿を含む雑排水のますとして設置する。
(2) ドロップますは、管の会合点で排水管の段差が大きい箇所に設置する。
(3) 掃除口は、会合点や屈曲点にますを設置できないときに、排水管の点検・掃除を目的として設置する。
(4) トラップますは、排水設備に器具トラップが設置されている場合は併用して設置しない。

【解説】
　本問は、宅地ますのうち特殊ますに関する設問である。
(1) について分離ますは、下水道施設への負担の軽減を必要とする場合、固形物、油脂、土砂等を分離するために設ける。また、し尿を含まない雑排水のますとして設置し、便所からの排水が分離ますに逆流しないように設置することから、設問中の「し尿を含む雑排水のますとして設置する。」は不適切である。
(2) については設問のとおり。
(3) については設問のとおり。
(4) については設問のとおり。

【解答】(1)

出典：「下水道施設計画　設計指針と解説・前編」(2019 年版、P348 〜 350)
　　　（公社）日本下水道協会

10　設計縦断面図計算問題

ここがポイント！

設計縦断面図の計算問題は、毎年出題されている。以下に示す計算例を理解する。

過去問題（令和2年）

次は、管きょ施設の設計縦断面図を示したものです。□内にあてはまる数値の組合せとして最も適切なものはどれですか。ただし、内径250 ㎜、400 ㎜、500 ㎜の管厚は、それぞれ28 ㎜、35 ㎜、42 ㎜であり、土被り（m）は小数点以下3位を四捨五入した。なお、設計縦断図では、一部の数値を空欄の□で隠している。

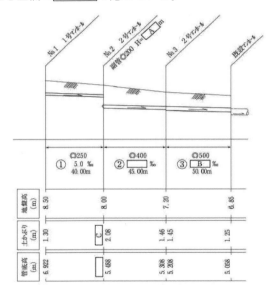

```
       A      B     C
(1)  1.234   3.0   1.00
(2)  1.234   4.0   1.00
(3)  0.930   3.0   1.15
(4)  0.930   4.0   1.15
```

【解説】

本問は、縦断面図の記載数値と図面の見方に関する設問である。

地表勾配が急な場合は、地表勾配に応じて段差接合または階段接合とする。

設問のA、B、Cの値を（Ⅰ）、（Ⅱ）、（Ⅲ）の順に求める。

（Ⅰ）Aは、No.2マンホールの副管の深さである。

マンホールの流入側管底高と流出側管底高の差から算出する。［管底差］＝［区間延長］×［こう配］より

流入側管底高＝6.922－［40m］×［5.0/1,000］＝6.722

副管の深さ＝流入側管底高－流出側管底高＝6.722－5.488＝1.234

よってAは1.234である。

（Ⅱ）Bは、③路線の勾配である。

　　［管底差］＝［区間延長］×［勾配］
　　［5.208m－5.058m］＝50m×勾配　　これより
　　勾配＝［5.208m－5.058m］÷50m＝0.003＝3.0/1,000＝3.0‰

よってBは3.0である。

（Ⅲ）Cは、No.2マンホール流入側の土被りである。

土被りは、地表面から管きょ天端までの深さである

まず流入側管きょ天端の高さを求めると＝（管底高＋管きょ内径＋管厚）

①路線終点の各値は次のとおり

　　管底高　　：6.722m　　（Ⅰ）の結果より
　　管きょ内径：250㎜
　　管厚　　　：28㎜
　　管きょ天端高＝（6.722m＋250㎜＋28㎜）＝7.000m

No.2マンホール流入側の土被りは、地表面から管きょ天端までの深さであるので、

　　土被り＝地盤高－管きょ天端高＝8.00－7.00＝1.00m

よってCは1.00である

　　以上よりA＝1.234、B＝3.00、C＝1.00

よって（1）が適切である。

【解答】（1）

過去問題（令和元年）

次は、管きょの設計縦断面図を示したものです。□内にあてはまる数値の組合せとして最も適切なものはどれですか。

ただし、内径400㎜、450㎜、500㎜の管厚はそれぞれ35㎜、38㎜、42㎜であり、土被り（m）は小数点以下3桁を四捨五入した。

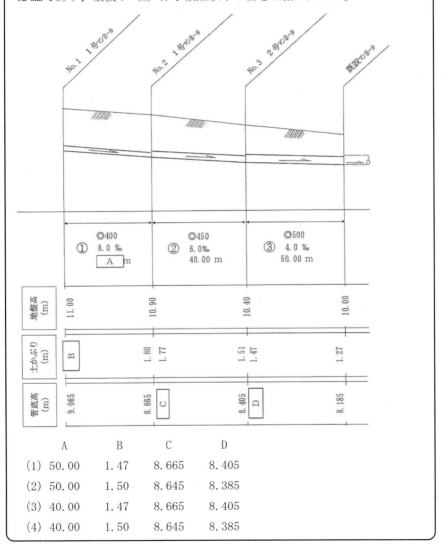

	A	B	C	D
(1)	50.00	1.47	8.665	8.405
(2)	50.00	1.50	8.645	8.385
(3)	40.00	1.47	8.665	8.405
(4)	40.00	1.50	8.645	8.385

【解説】

本問は、縦断面図の記載数値と図面の見方に関する設問である。

A（路線①区間の区間延長）について、

　　　［管底差］＝［区間延長］×［勾配］

(9.065m－8.665m)＝区間延長 A×0.008、これより、

　　　区間延長 A＝(9.065m－8.665m)÷0.008＝50.00

よって A は 50.00 である。

B（1号マンホール流出側の土被り）について、

　　　土被りは、地表面から管きょ天端までの深さである。

　　　［管底高］＝［地盤高］－（土被り＋管きょ内径＋管厚）の関係から

　　　［土被り］＝（地盤高－管底高）－（管きょ内径＋管厚）

　　　［土被り］＝(11.00－9.065)－(0.400＋0.035)＝1.50

よって B は 1.50 である。

C（No.2 マンホール、流出側管底高さ）について

　　　［管底差］＝［区間延長］×［勾配］

　　　(Cm－8.405m)＝40.00×0.006

　　　Cm＝8.405m＋40.00×0.006＝8.645

よって C は 8.645 である。

D（No.3 マンホール、流出側管底高さ）について

　　　［管底差］＝［区間延長］×［勾配］

　　　(Dm－8.185m)＝50.00×0.004

　　　Dm＝8.185m＋50.00×0.004＝8.385

よって C は 8.385 である。

　　　以上より A＝50.00、B＝1.50、C＝8.645、D＝8.385

よって(2)が適切である。

【解答】(2)

下水道管理技術認定試験（管路施設）テキスト

第2章　管路施設の維持管理

1　計画的維持管理の目的

> **👍ここがポイント！**
>
> 計画的維持管理の目的に関する出題は、例年1問程度出題されている。必ず出ているので、特に以下の2項目を理解する。
> ①計画的維持管理
> ②計画的維持管理の目的

(1) 計画的維持管理
1) 計画的維持管理の必要性について

　これまでの下水道の普及に伴って管路施設ストックは増加し、令和2年度末においては約49万kmの管路施設が整備されている。一方、毎年整備が進むことで、管路施設ストックは確実に増加しているにも関わらず、管路施設の維持管理に要している予算を確保するのが厳しい状況となっている。また、老朽化した施設の管理に併せて、下水道管路施設に起因した道路陥没件数等が毎年3,000件程度続いている傾向にあり、計画的な維持管理が必要となっている。

2) 計画的維持管理の手順について

　管路施設の計画的維持管理は、「目標の設定」、「リスクの評価」、「維持管理計画策定（Plan）」、「維持管理の実施（Do）」、「実施効果の評価（Check）」、「目標及び計画の見直し（Action）」の手順で行い、PDCAサイクルにおいては、相互に情報活用を行う仕組みが重要である。

　計画的に維持管理のPDCAサイクルを活性化させることで維持管理の内容や頻度等を評価・見直すとともに、維持管理の効率化、経済性等を高め、活動の最適化を図っていくことが重要である。

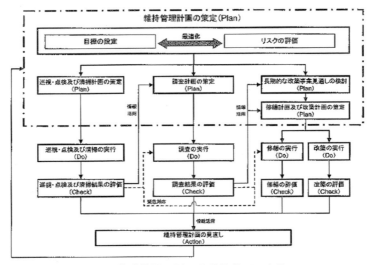

図 2.1.2 管路施設の計画的維持管理の実施手順
出典:「下水道維持管理指針 実務編」(2014 年版、P11)(公社)日本下水道協会

　計画的維持管理は、「巡視・点検」、「調査」、「清掃」、「修繕及び改築」が一連の流れで実施することにより効果を発揮するものである。このため、蓄積した貴重な維持管理データを定期的に分析・評価し、活用していく必要がある。また、これからは、維持管理実務を担当する自治体職員のみならず、民間活力との連携（民間委託業者等）も含めて維持管理に携わる実務者が計画的維持

　管理の必要性を十分に理解して取組むことが重要である。

(2) 計画的維持管理の目的

　管路施設は、管きょ、マンホール、雨水吐、吐口、ます及び取付け管等の総称であり、下水道施設における送水機能である。これらは、宅地内等の排水設備とともに汚水や雨水を収集し、ポンプ場や処理場または河川等の放流先まで速やかに送水させる大切な役割を担っている。

　管路施設の役割について将来にわたってその機能と安全性を確保させるためには、計画的な維持管理が必要である。管路施設の計画的維持管理では維持管理計画に基づいて、これら施設の状態を適切に巡視・点検し、その情報をもとに清掃、調査または修繕・改築を実施し、管路施設を目標とする管理水準に保つことが必要である。

1) 事故の未然防止

　計画的維持管理においては、リスクに基づく優先順位付けや管理水準を設定し、これに基づく維持管理を実施していく必要がある。計画的維持管理を推進することにより、想定されるリスクによる被害を未然に防止し、下水道施設の安全性、信頼性を確保することが可能となる。

2) 施設機能の維持

　管路施設が有すべき機能を挙げると、以下のとおりである。

- 管路施設の部材は、土圧・水圧・震動等に対して十分な強度を有していること。
- 管路施設は、地下水や流下下水に対して十分な水密性を有していること。
- 管路施設は、流下させる下水量に対して十分な断面を保持していること。
- 分流式下水道では、汚水と雨水の流下系統は完全に分離していること。
これらの機能が果たされていない場合の異常現象の例を図 2.1.1 に示す。

3) ライフサイクルコストの低減と事業の平準化

　施設の生涯にわたるライフサイクルコストは、建設から改築（更新）にいたるまでの維持管理費を合算したものである。

　計画的維持管理を行うには、巡視・点検・調査及びそれに基づく計画的な修繕等の予防保全型維持管理を行うことが重要である。計画的維持管理を実行することにより、突発的な修繕等の減少や計画的に改築更新時期を決定し、ライフサイクルコストの低減ならびに事業費の平準化を図ることができる。また、計画的維持管理では巡視・点検、清掃、修繕・改築等の各々のサイクルから得られる実績等の情報を継続的に蓄積し、分析することで PDCA サイクルを活性化させて、維持管理をより充実させることが重要である。

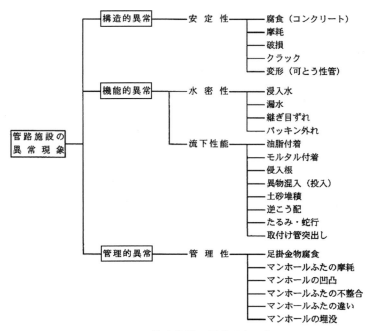

図 2.1.1　管路施設の異常現象の例
出典：「下水道維持管理指針　実務編」(2014 年版、P10)（公社）日本下水道協会

(3) 管路施設の種類と管理の考え方

　管路施設は管きょ、マンホール、雨水吐室、吐口、ます及び取付け管等の総称であり、下水道の根幹をなすものである。これらの施設が所要の機能を十分に果たすことができるよう計画的に維持管理を行う。

　施設の主な種類と維持管理上の留意点は次に示す。
　1) **管きょ**
　　管きょは、下水を収集し、排除するために設けられており、暗きょと開きょがある。
　　また、分流式下水道においては汚水管きょと雨水管きょがある。
　　管きょは、施設の主体をなすものであり、流下能力が損なわれないように、常にその機能保持に努めなければならない。
　　なお、管きょのことを本管と呼ぶ場合があり、下水道維持管理指針では両者は同じ意味で使用している。

2) マンホール

　マンホールは、管きょの起点、方向・こう配・管径等の変化する箇所、段差の生じる箇所、管きょの会合する箇所及び維持管理のうえで必要な箇所に設けられる。その構造は、用途に応じて異なる。

　人の出入りができない小型マンホールを除き、マンホールは、人の出入りが常に行えるようにしておくことが大切で、特に昇降に対する安全を確保しておかなければならない。

　マンホールのふたの表示は、分流式下水道においては「汚水」、「雨水」の区別を明確に表示し、また、流域下水道または流域関連公共下水道で設ける接続マンホール、水量及び水質測定用マンホール等の特殊用途を持ったマンホールについても、適正な管理が行えるよう明確に表示することが望ましい。

　マンホールのふたが摩耗してきた場合またはマンホールのふたや受枠にガタツキや段差が生じた場合には、適切な安全措置を講じる。また、ふたの飛散が予想される箇所については飛散防止型ふたに取替えなければならない。

3) ます及び取付け管

　ますは、家庭や工場等の下水または道路上の雨水を、排水設備または側溝を通して集水するもので、汚水ますと雨水ますに区分される。

　また、取付け管は、ますに集水された下水を、管きょ内に円滑に流下させるために設けるものである。

　ますについては、その状況と土砂等の堆積の有無について点検・清掃等を定期的に行うことが望ましい。取付け管については、閉塞や他工事等による損傷に十分注意する必要がある。

　また、分流式下水道においては、雨水ますと汚水ますを明確に区分するとともに、排水設備の誤接合の防止に万全を図らなければならない。

　なお、汚水ますには、家庭下水等が流入するものと、除害施設等からの排水が流入するます（監視ます）がある。

　除害施設等からの排水の水質測定は設置者に義務付けられているが、それとは別に、下水道管理者として除害施設等からの排水の水質及び水量が監視できるように原則として公道上に監視ますを設ける。その構造は、水質測定のための試料の採取が容易にできるとともに、設置場所の立地条件に適した流量が測定できるものとする。

監視ますは、他の汚水ますと明確に識別できるようにするとともに、ふたの開閉は容易なものとし、工場排水の適正な監視が行えるようにしておく。

4）伏越し

伏越しは、河川、鉄道またはその他埋設物等を横断するため、やむを得ず設けられるもので、伏越し管きょ及び伏越し室からなっている。

伏越しは、下水の流下に支障となることが多く、いっ水やマンホールふた飛散の原因となる場合もある。そのため、通常の管きょ以上にその機能の保持及び流下能力の確保に配慮しなければならない。また、維持管理を行いやすくするため、設置位置を表示板等によって明確にしておく必要がある。

近年では、主に小口径管きょを対象に、伏越し室の土砂、スカム等の堆積及び浮上をなくす観点から、「下水道クイックプロジェクト」で開発された『改良型伏越し（ベンドサイフォン）』が採用されている。ベンドサイフォンは、泥だめがなく、清掃頻度が少なくて済むという利点があるものの、流量の少ない末端管きょ付近や土砂の流入が想定される場所では必要な流速を確保することが困難となり、管きょの閉塞や頻繁な点検・清掃を必要とする場合がある。また、ベンドサイフォンの点検及び清掃は、テレビカメラ搭載車や高圧洗浄車が用いられるため、その性能等に配慮し、維持管理可能な伏越し延長やベンド管の角度や曲率を設定する必要がある。

5）雨水浸透施設

雨水浸透施設は、雨水を地中へ浸透させることにより雨水流出抑制を図る施設であり、浸透ます、浸透トレンチ、浸透側溝、道路浸透桝、空隙貯留浸透施設等がある。

雨水浸透施設は、十分な透水性を有しかつ地下水位が低い地区に設置する。維持管理においては浸透能力の保持のために、清掃等目詰まり防止作業を有効に行う必要がある。

6）雨水調整池

雨水調整池は、下水管きょまたは放流先水路等の流下能力もしくは下流のポンプ場の能力が不足している箇所等に設置され、流入する雨水を一時貯留（ピークカット）して、下流施設の負担を軽減させる施設である。その構造は、ダム式、掘込み式及び地下式がある。

雨水調整池は、一般市民が立入らないように努めるとともに、下流水域

に悪影響を与えないようにしておく。

7) 雨水貯留管

雨水貯留管は、雨水調整池と同様に機能を有するもので、調整池スペースが確保できない場合にシールド工法等で施工する。貯留水の排水が必要であるため、立坑を利用してポンプピットを設置する。

8) 雨水滞水池

雨水滞水池は、合流式下水道の水質改善として初期雨水を取込み夜間等の小水量時に処理場能力に応じて処理場へ送水する施設である。

9) 圧力管路システム

圧力管路システムには、輸送システムとしての圧送式と、収集システムとしての真空式及び圧力式がある。収集システムとは主として発生源から下水を直接受け入れるために設けられる管路施設であり、輸送システムとは収集システムによって集められた下水を処理施設まで輸送する管路及びポンプ場の総称である。

圧送式の管理においては管内閉塞や停電時の事故対策に備えるとともに、泥吐き管、空気弁等に留意し、特に橋梁添架管は塗装及び腐食状況について注意する。また着水井や着水マンホール及びその下流の管きょ部分において、硫化水素の発生による施設の腐食及び悪臭の発生を予防する必要がある。特に、流入下水量が計画下水量よりも少ない場合は、圧送管の腐食も考えられる。

真空式の管理においては、真空弁、コントローラー及び貯水タンク等から構成される真空弁ユニット、中継ポンプ場の維持管理が中心となる。

圧力式の管理においては、グラインダーポンプと貯水タンク等から成るユニットの維持管理が中心となる。

10) 送泥管

送泥管とは、汚泥輸送管、空気弁、泥吐き弁、仕切弁、長距離輸送の場合は調圧タンクで構成されている。各処理場で発生した汚泥を、効率的な汚泥処理が可能な処理場へポンプ圧送するための設備である。道路に埋設されることが多いため、内圧、外圧に対する機械的強度や汚泥の輸送中に発生する硫化水素に起因する硫酸による腐食（生汚泥輸送の場合）等を考慮し、ライニングを施したダクタイル鋳鉄管が多く用いられている。

11) 雨水吐

雨水吐は、合流式下水道において雨天時に未処理下水を越流させ公共用

水域に排除するとともに、一定量の下水をポンプ場または処理場に流下させるもので、越流ぜき、雨水放流管きょ及び汚水流出管きょから成っている。

雨水吐については、下水の流下が円滑に行われるよう特に雨期前等の点検及び清掃等を心掛けるとともに、晴天時に汚水が流出しないようにする。また、公共用水域の水質保全のため、未処理下水放流に伴うきょう雑物の流出防止対策としてろ過スクリーン等を設置する場合もある。

12) 吐口

吐口は、処理水（放流水）または雨水を公共用水域に放流するための施設である。設置に当たっては、放流水域に対して水量や水質の面から支障のないように、放流水域の管理者との協議等を経て設けられているので、維持管理に当たっては、全ての吐口について、その経緯・内容等について十分に認識しておく必要がある。

吐口は、放流水が放流水域の流水等を阻害せず、また放流水域から逆流しない構造として放流に支障を来さないようにしておく。

13) 開きょ

開きょは暗きょと比べ、ごみ等の不法投棄、草木の繁茂、土砂の堆積等による流下能力の低下を招きやすいので、日常的に適正な管理が必要である。

14) 下水道光ファイバー施設

情報化社会に対応して、管路施設内へ管きょの空間を利用し、下水道管理等の目的のために光ファイバーケーブル施設を布設している。

管路施設と、この内に布設された光ファイバーケーブル施設とは、双方に機能の低下や故障の発生、劣化等の影響がないよう維持管理を行う必要がある。

15) 流域下水道と関連公共下水道の接続箇所（接続点）

流域下水道と関連公共下水道の接続箇所（接続点）は、下水の受け入れ側である流域下水道の特殊マンホール等の様な明確な構造物とするのが一般的であり、接続箇所には適正な維持管理を行うために原則として流量・水質の計測装置を設ける。

過去問題(平成 28 年)

管路施設の計画的維持管理におけるリスクの評価について述べたものです。最も適切なものはどれですか。

(1) 管路施設の計画的維持管理においては、機能不全等に起因するリスクを対象とし、「処理区単位」を検討単位の基本としてリスクを特定する。
(2) 被害規模(影響度)は、管路施設の流下機能が低下・停止した場合や管路施設の破損等に起因する道路陥没事故等が発生した場合の被害の大きさを表し、検討単位は「スパン単位」を基本とする。
(3) 施設の不具合に伴う被害の発生確率(不具合の起こりやすさ)は、管路施設の劣化及び事故等の発生の実態に基づき検討し、「管1本単位」を検討単位の基本とする。
(4) 一般にリスクの大きさは、事故等が発生した時の「被害規模」と不具合に伴う「被害の発生確率」の商で定義される。

【解説】
(1) 管路施設の計画的維持管理においては、機能不全等に起因するリスクを対象とし、「**スパン単位**」を検討単位の基本としてリスクを特定する。よって不適切である。
(2) 設問のとおり。
(3) 施設の不具合に伴う被害の発生確率(不具合の起こりやすさ)は、管路施設の劣化及び事故等の発生の実態に基づき検討する。被害の発生確率の検討単位は「**スパン単位**」を基本とする。よって不適切である。
(4) 一般にリスクの大きさは、事故等が発生した時の「被害規模」と「被害の発生確率」の積で定義される。よって不適切である。

【解答】(2)

出典:「下水道維持管理指針 実践編」(2014年版、P89~91)(公社)日本下水道協会

過去問題（平成29年）

次は、下水道維持管理指針に示されている管路施設の維持管理に関する用語について述べたものです。最も適切なものはどれですか。

(1) 事後対応型維持管理とは、施設の劣化や損傷の推移を適切に予測し、早期に損傷や不具合を見つけ、事故や大規模な修繕に至る前に対策を講じることを目的とした維持管理方法をいう。

(2) 予防保全型維持管理とは、日常の巡視・点検、調査を行う中で不具合や損傷等の異常を発見し、その段階で補修や修繕等を行う維持管理方法をいう。

(3) 巡視は、管路施設の地上部の状態を把握するとともに、マンホールふたを開閉し、施設の状態を目視により確認するものである。

(4) 調査は、施設の状態を詳細に把握することを目的として実施するもので、調査には視覚調査と詳細調査がある。

【解説】

(1) 事後対応型維持管理とは、日常の巡視・点検、調査を行う中で不具合や損傷等の異常を発見し、その段階で補修や修繕等を行う維持管理方法をいう。よって不適切である。

(2) 予防保全型維持管理とは、下水道施設に対して計画的な巡視・点検・調査を実施するとともに、施設の劣化や損傷の推移を適切に予測し、早期に損傷や不具合を見つけ事故や大規模な修繕に至る前に対策を講じることを目的とした維持管理方法をいう。よって不適切である。

(3) 第10章管路施設第2節管きょ10.2.1巡視・点検の解説で、巡視は、「マンホールのふたを開けず、埋設された地上部（主に道路面）の状況について観察し、管きょの損傷または継手の不良によって発生する沈下の有無について把握するものである。」とある。よって不適切である。

(4) 設問のとおり。

【解答】(4)

出典：「下水道管路施設の点検調査マニュアル（案）H25年6月」（公社）日本下水道協会

オリジナル問題

次は、管路施設の維持管理の目的を示したものです。最も不適切なものはどれですか。

(1) 施設の機能保持
(2) 施設の使用期間の延伸
(3) ライフサイクルコストの増加
(4) 他の施設への悪影響の防止

【解説】
(1) 設問のとおり
(2) 設問のとおり
(3) について、ライフサイクルコストの縮減。よって不適切である。
(4) 設問のとおり

【解答】(3)

出典:「下水道維持管理指針　実務編」(2014年)(公社)日本下水道協会

2 管きょ
2-1 巡視・点検及び調査

> 👍 **ここがポイント!**
>
> 巡視・点検及び調査に関する問題は、例年5問程度出題されている。
> 必ず出ているので、特に以下の3項目を理解しておくこと。
> ① 巡視・点検
> ② 調査（視覚調査・詳細調査）
> ③ 調査結果の判定及び評価

　管きょの巡視・点検は、膨大な延長を有し広範囲に広がる管路施設の維持管理における基本業務である。特に道路陥没等の重大事故を未然に防止するために、早期に地表面の落ち込み等の不具合の兆候を発見することが重要である。
　効率的かつ優先度を決めて巡視・点検を行うためには、不具合発生頻度の高いエリアや国道等の主要道路に埋設された路線を重点化して巡視・点検計画を策定し、実施する必要がある。なお最近では、硫化水素による大きな陥没事故が発生しているため、腐食の発生しやすい箇所についても重点化して巡視・点検計画を策定し、実施する必要がある。
　管きょの調査は計画的維持管理実施していくために策定した調査結果に沿った日常の巡視点検や不具合等の発生により、速やかに調査が必要と判定された箇所等について視覚調査を実施する。この調査結果により異常と判断した管きょについては、緊急もしくは計画的に修繕・改築を実施する。なお、必要に応じて、不明水調査等の詳細調査を実施する。

(1) 巡視・点検の目的と種類
　巡視はマンホールの蓋を開けずに管路施設が埋設された地表面の状況、マンホールの蓋の状況等、管路施設の地上部の状態を把握することを目的に行う。
　点検はマンホールのふたを開けた上で目視により可能な範囲の管内の状況、堆積物の有無及び流下状況を観察するとともに、管路施設の不具合を早期に発見することを目的に実施する。
　巡視・点検には定期的に行う場合と、緊急に行う場合がある。

(2) 巡視・点検計画の策定

　巡視・点検計画では、巡視と点検の対象区域と対象施設、方法、実施頻度及び緊急時の対応と体制を定める。広範囲に及ぶ管路施設を効率的に巡視・点検するためには、施設の重要度や経過年数、過去の異常発生情報、地下水位、地盤条件等の地域特性に配慮した上で、管路施設の状況に応じた巡視・点検計画を立案する。

1) 対象区域と対象施設

　　巡視・点検計画の立案にあたり、管理している下水道区域を単年度で実施できる程度の大きさにブロック割し、適切な頻度で一巡できるように対象区域を選定する。この場合、対象となる施設は、マンホールとます及びそれにつながる管きょと取付け管等があるが、地方公共団体ごとに必要に応じて決定することが望ましい。巡視と点検は方法が異なるので、対象区域がそれぞれで異なる場合もある。

　　また、巡視の結果を受けて点検を行う場合については、その旨を明記しておく必要がある。

　　対象施設はマンホールとます以外に、伏越し、吐口、雨水吐等がある。

2) 巡視・点検の方法

　　巡視では、異常の確認方法について明記する。

　　点検では、基本は目視であるが、鏡等併用する手段がある場合にはそれを明記する。このほかの点検方法として、管口カメラを用いた方法もあるほか、状況によっては、点検でもマンホール内に入孔する場合もあり得る。

3) 実施頻度

　　巡視・点検の実施頻度は、事故等による影響の大きさ、被害の発生確率等、リスク評価の視点を踏まえて、また、地方公共団体の特性や予算制約等に応じて適正に設定する。

　　巡視・点検計画の策定においては、一定の期間内に未実施の路線や施設がないように注意する。

　　巡視・点検の頻度は、地方公共団体の状況に応じて、適正な頻度を設定する必要があるほか、維持管理を通じて、継続的に見直しを行うことが肝要である。

4) 緊急時の対応と体制

　　住民からの苦情を受けると施設の状況を把握して対応を講じる必要があり、中でも大雨が予想される前には、ます・貯留施設等の施設の機能が十

分に発揮できるよう緊急点検を実施することがある。

このため、緊急時の対応と体制についてあらかじめ定めておく必要がある。

5) その他

膨大な管路施設に対して巡視・点検を実施するため、道路管理者とも連携し、道路パトロールから把握できる情報や、住民から寄せられる情報、清掃時の情報等も日常の維持管理情報として収集・管理し、活用できるようにしておく必要がある。

このほか、管路施設の布設位置（他企業占用位置、処理場内等）、周辺施設状況についても考慮する必要がある。また、受託施設（移管施設）についても、受託前の維持管理の状況について確認しておく必要がある。

(3) 調査の目的

調査は、施設の状態を詳細に把握することを目的として実施する。調査には、視覚調査と詳細調査があり、詳細調査は視覚調査では判断できない場合に実施する。

(4) 調査計画の策定

調査計画は、調査の目的、調査の対象となる管路施設の選定、調査の方法、調査の時期もしくは頻度をまとめたものである。調査計画の策定に当たっては、目標とリスク評価の視点から優先度の検討を行い、効果的な調査が実施できるよう配慮する。

1) 調査の目的

調査は、巡視・点検結果、異常情報等に基づく確認及び施設の長寿命化のための劣化状況の確認等、様々な目的で実施される。そのため、実施する調査が何を目的としたものかを明確にする必要がある。

2) 調査対象の選定

長期的には管理されている管路施設全てが対象となるが、リスク評価の視点から、対象施設を選定し、段階的に調査を行う。このとき、リスク評価に基づく机上のスクリーニングや、管口カメラやマンホール目視調査等を用いた簡易調査等によるスクリーニングを併せて活用することにより、調査の優先度が高い施設を効率的かつ効果的に絞り込むことが有効である（図 2.2.1）。

第 2 章　管路施設の維持管理

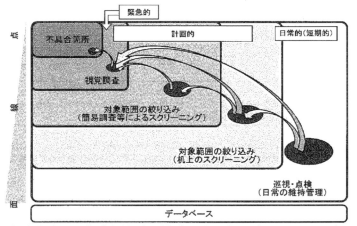

図 2.2.1　不具合箇所の発見に向けた巡視・点検・調査の絞込みイメージ
出典：「下水道管路施設の点検・調査マニュアル（案）」（平成 25 年 6 月版、P5）
　　　（公社）日本下水道協会

3) 調査方法

　調査は視覚調査を基本とし、必要に応じて詳細調査を実施する。視覚調査には、マンホールを対象としたマンホール目視調査のほか、主に口径 800 mm 以上の中大口径管きょを対象とした潜行目視調査と、口径 800 mm 未満の小口径管きょを対象としたテレビカメラ調査がある。管路施設の調査に当たっては、道路施設の空洞化調査を併せて実施する等、水道や道路など他事業者等と連携して行うと効率的である。

4) 調査時期・頻度

　調査時期・頻度は、対象施設の状況、設定目標とリスク評価の視点を踏まえ、地方公共団体の特性に応じて設定する。

　調査頻度は、調査の目的及び地方公共団体の状況に応じて適正な頻度を設定する必要があるほか、維持管理を通じて、目標やリスク評価と併せて継続的に評価と見直しを行うことが肝要である。

5) その他

　調査結果は、維持管理情報として蓄積し、電子データ等で整理して、今後の維持管理業務の改善に向けて活用できるようにしておく必要がある。

(5) 巡視・点検
1) 巡視
　管きょの巡視はマンホールのふたを開けず、埋設された地上部（主に道路面）の状況について観察し、管きょの損傷または継ぎ手の不良によって発生する沈下の有無について把握するものである。この時、マンホールのふた表面の状況把握も合わせて行う。
2) 点検
　管きょの点検は、一般にマンホールの点検及び調査と合わせて実施する。また、管きょの清掃と合わせて実施することも効率的である。
　点検作業は、マンホールふたを開け、地上からの目視による流下状況の確認、鏡とライトの使用またはマンホール内に管口テレビカメラを挿入、もしくは必要に応じてマンホールに入孔した作業員による目視で管内状況や堆積物の有無の確認を行う。
　いずれの場合も管きょの点検は視認できる範囲の状況把握である。点検に当たっては、交通安全、酸素欠乏・硫化水素等の有毒ガス中毒、転落等に十分注意して行う。
　管きょの点検項目の例を表 2.2.1 に示す。

表 2.2.1　管きょの点検項目の例

点　検　項　目		点　検　内　容
地表面の状況		① 亀裂、沈下、陥没の有無 ② いっ水の有無 ③ 周辺状況等の確認
管きょ内部の状況 （管口からの可視範囲）	流下及び堆積の状況	① 滞水、滞流の有無 ② 土砂、竹木、モルタルの有無（工事の残材、不法投棄物等） ③ たるみ、蛇行、閉塞の有無 ④ 油脂類の付着の有無 ⑤ 侵入根の有無
	損傷の状況	① 破損、クラック、腐食、摩耗の有無 ② 継手のズレ、段差の有無 ③ 本管の管口不良の有無 ④ 取付け管の突き出しの有無
	不明水の状況	① 地下水の浸入の有無
その他		① 悪質下水の流入の有無 ② 有害ガス、臭気の発生の有無

出典：「下水道管路施設の点検・調査マニュアル（案）」（平成 25 年 6 月版、P16）
　　　（公社）日本下水道協会　を一部修正

ⅰ）流下の状況及び沈殿物の堆積状況について

　流下能力は、管きょの断面積と流速（勾配）及び管路壁面の状況によって定まるが、長期間のうちに地盤変動等の物理的要因によって建設当初の勾配が確保されなくなったり、管きょ内に流入した土砂、浮遊物、粘性物等の沈殿物が底部に堆積すると流下能力が低下するので、これらの状況を点検する。

　前述のほか、管きょ内に土砂等が堆積する原因としては、事業場等からの排水に含まれる油脂類の固結並びにマンホール及びますに不法投棄された竹木、土砂、モルタル、ベントナイト、発泡スチロール、ビニルまたは侵入根等管きょの不具合によって生じる流水阻害によるものが多い。また、常に土砂等が堆積する箇所は、こう配の不良、地形またはその他の条件等によって予測できるので、点検を定期的に実施する。

ⅱ）損傷の状況について

　管きょの損傷の原因には次のようなものがあり、管きょ内の土砂等の堆積及び事故防止のため、これらの損傷の状況を点検する。

a）施設の老朽化による損傷
b）地下埋設物工事、道路工事、建築工事等及び車両交通の影響による損傷
c）地盤の不同沈下等による損傷
d）悪質下水による損傷
e）地震による損傷
f）清掃時の使用器具による損傷及び高圧水による継ぎ手の損傷

ⅲ）地下水の流入状況について

　地下水位の高いところでは、処理場等への流入下水量の増大を防止するため、管きょ内に流入する地下水の有無を点検する。

ⅳ）悪質下水の流入または有害ガス等の有無について

　損傷の状況を点検する際に、下水道施設の保全、事故防止及び苦情の防止を図るため、管きょの機能を低下させるような悪質下水の流入または有害ガスや可燃性ガス発生の有無を点検することが重要である。特に、滞水箇所は多くの有機物が堆積しており、これらが腐敗して硫化水素等の有害ガスや可燃性ガスが発生しやすいので注意する。このような危険箇所は事前にリストアップして資料整理をしておくことが望ましい。なお、この点検に当たっては、酸素濃度測定器、硫化水素濃度測定器、ガス検知器等で測定し、必要に応じて水質担当職員の協力を求めて行う。

ⅴ）管口テレビカメラについて

　管口テレビカメラは図 2.2.2 に示すように、伸縮可能な操作棒の先にカメラとライトを取付けたものであり、これを地上からマンホールに挿入し、地上にいる調査員が手元のモニターを見ながら管内を点検するものである。

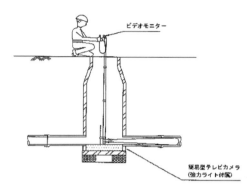

図 2.2.2　管口テレビカメラによる点検概要図

出典：「下水道管路施設の点検・調査マニュアル（案）」（平成 25 年 6 月版、P44）
　　　（公社）日本下水道協会

写 2.2.1　管口テレビカメラ装置（例）

（6）調査

　管きょの調査は、計画的維持管理を実施していくために策定した調査計画に沿った日常の巡視・点検や不具合等の発生により、速やかに調査が必要と判定された箇所等について視覚調査を実施する。この調査結果により異常と判定した管きょについては、緊急もしくは計画的に修繕・改築を実施する。なお、必要に応じて、不明水調査等の詳細調査を実施する。

　視覚調査及び詳細調査方法の分類を図 2.2.3 に示す。

第 2 章　管路施設の維持管理

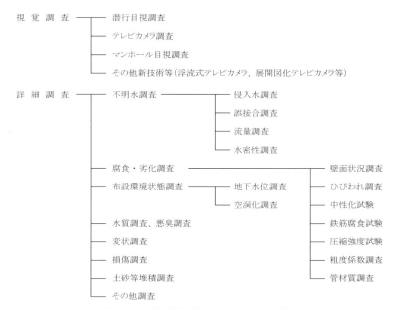

図 2.2.3　管路施設の調査方法の分類
出典：「下水道維持管理指針　実務編」（2014 年度版、P96）（公社）日本下水道協会

1）視覚調査

　視覚調査は、計画的な巡視・点検の結果を受け管きょの不具合を発見する場合と、突発的な道路陥没やいっ水等が発生した場合に行い、管きょ内の損傷の状況及び位置等を判定基準にしたがって、正確に把握し記録する。クラック、破損、流下能力不足等の異常箇所及び損傷度合を調査することによって、修繕等の対策を検討する。

　なお、視覚調査は、潜行目視調査及びテレビカメラ調査が基本であるが、マンホール目視調査時に管口付近の把握も可能である。最近では調査を効率的に進めるために、展開図化テレビカメラや浮流式テレビカメラ等の新技術も開発されている。

　ⅰ）潜行目視調査

　　潜行目視調査は、管路施設に直接調査員が入って目視によりその性状を把握する調査方法である。

　　調査対象は、管内有人作業が可能な内径 800 mm 以上の本管であるが、調査員が管路内を歩行できない場合や有害ガス発生のおそれがある場合等、

83

管路内作業の安全が十分確保できない場合は、テレビカメラ調査を検討する必要がある。また、一般的には、調査前の管内洗浄は行わない。ただし、洗浄を行わないと状況が明らかにならず、安全に調査ができない場合は、管内洗浄を検討する。

調査に関しての注意事項は次に示す。

a) 始業前に現場作業員を集め、作業手順の打ち合わせを行い、作業の目的や各人の職務分担を十分に理解させ、服装や携行器具の点検を行う。
b) 道路上の作業であるため、事前に所轄警察署の道路使用許可を得る。
c) 開口するマンホールの周囲には保安柵を設置し、交通整理員を配置する。
d) マンホールに入る前に、マンホール内の酸素濃度、硫化水素濃度を測定し、安全を確認する。酸素濃度が18%未満、硫化水素濃度が10ppm超える濃度では入孔しない。この場合、酸素欠乏の原因を調べるため、各種ガス（メタン、一酸化炭素、硫化水素、シアン、ガソリン）の検知を行う。また、採水して分析することもある。
e) 硫化水素の発生や酸素欠乏が予想される場合や確認された場合には、作業前から換気を実施し、酸素濃度18%以上、硫化水素濃度10ppm以下等安全性を確認するとともに堆積土砂をかくはんしても安全であることを十分確認した後、作業を開始する。換気は作業終了後管きょ内に作業員がいなくなったことを確認するまで継続する。作業中に硫化水素の発生や酸素欠乏となることが予想される箇所については、常時測定器を携帯し、常に安全を確認しながら作業を進める。また、ビルピット排水が流入する所については、事前にビルピット所有者と運転時間等の事前打合せを行い、さらに硫化水素濃度の調査を行い、高濃度ガスの発生対策を講じるものとする。
f) 管路内及びマンホールでの作業に当たっては、入孔時の安全確認及び安全ベルトや安全ロープ等の設置により、安全対策に万全を図る。
g) 足掛け金物については、片手ハンマー等で軽く叩いて、腐食度合いを点検する。
h) 本管内にモルタルやベントナイト類の堆積があったときは、付近の工事現場等を調査し、モルタル等の流入または投棄の原因を調査する。
i) 下水道管理者においては、悪質排水による管きょの損傷が認められたときは、上流の追跡調査を行い、原因者の発見に努める。または必要

に応じ関係者の協力を得て、工場等の立ち入り検査を行い、採水分析を行う。これは管きょの損傷ばかりでなく、この悪質排水が他の排水と合流し化学変化を起こし、爆発や中毒を起こす原因となる可能性があるからである。

ⅱ）テレビカメラ調査

テレビカメラ調査を行う本管は、内径150 ～ 800 mm未満とする。内径800 mm以上の本管ついては、流量が多い場合や危険ガスが予想される場合等、調査員が管路内に入ることができない場合に用いることが多い。

内径800 mm未満では、調査前に高圧洗浄車で管きょ内の汚れを洗浄する。テレビカメラ調査は、計画的な調査のほか、緊急対応調査、出来形の確認調査、引継検査の確認調査、他工事による影響調査その他広範囲に行われている。

a）テレビカメラの種類

本管用テレビカメラには自走式と牽引式があり、近年は自走式テレビカメラを搭載したテレビカメラ搭載車で作業することが主流である。撮影法には、管路内の全景を映す直視撮影と異常箇所等の局所を映す側視撮影とがある。

図2.2.4に本管用テレビカメラ調査作業標準図を示す。

b）テレビカメラ調査記録表

テレビカメラ調査で発見された管路内の異常は、判定基準にしたがって、DVD等電子媒体に記録する。しかし、調査後、映像のみでは調査結果の把握または検索に時間がかかるため、調査結果を調査記録表に記録する。

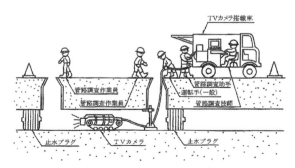

図2.2.4　本管用テレビカメラ調査作業標準図

出典：「下水道維持管理指針　実務編」（2014年版、P98）（公社）日本下水道協会

また、異常箇所だけを抽出した帳票や記録の要約版を作成し、一覧性、

利便性を高めることが望ましい。

調査方法や判定基準、調査結果やその考察は、調査報告書にとりまとめる。調査報告書は、以後の維持管理の基礎情報となる。

ⅲ）マンホール目視調査

マンホール内を目視調査する際に、管口より強力ライト・鏡等を用いて、可視範囲で直接、本管の状況（破損・沈下、土砂の流入・堆積、継手の脱却、段差、浸入水の有無等）を把握する。

ⅳ）その他新技術等

a）浮流式テレビカメラ

浮体の上に搭載された複数のテレビカメラにより管内（内径250～3000㎜程度）を流下しながら管壁面の映像を記録するものである。人による潜行目視調査が危険な流量のある本管について、水面上の壁面を簡易に調査する機器である。調査スパンの下流側で浮体を回収し、録画映像から管内の損傷の有無、継手ズレや浸入水等の情報を得ることが可能である。

b）展開図化テレビカメラ

これまでの調査方法と比較すると、個別の側視調査が不要となる事で調査効率が上がり、現場での作業時間の短縮により、道路交通等への影響を低減できる。

展開図化テレビカメラは、管内の状況を止まることなく撮影し、1スパン全体の管内映像を管軸方向に展開図化し、管内面の状態を1枚から数枚の写真で把握することができる調査機器である。

撮影機器の種類としては、広角レンズを搭載したタイプ、テレビカメラの先端に複数の特殊鏡と複数のテレビカメラを搭載したタイプがある。

2）詳細調査

損傷、流下能力不足等の異常・損傷の原因分析やそれら損傷度合による修繕等の対策検討のため、必要に応じて詳細調査を実施する。

ⅰ）不明水調査

巡視点検や住民からの通報によりいっ水を発見した場合や処理場・ポンプ場の運転記録により晴天時流入量（分流式・合流式）、雨天時流入量（分流式）、流入水質等に異常があると判定した場合、潜行目視調査及びテレビカメラ調査の結果より浸入水と判定された場合等では、地下水及び雨水が浸入または下水が漏水している可能性があるので、誤接合調査、流量調

査、水密性調査のうち施設の種類や作業条件等に適した調査方法を選定し実施する。また、不明水の水量及び浸入経路等を調査することによって修繕・改築等の対策を検討する。調査方法について次に示す。

a）浸入水調査（誤接合、水量及び水密性）

　管路からの浸入水は、処理施設の運転管理に直接影響を与える。管路では流下能力を低下させ、時にいっ水を引き起こし、処理場では処理水質の悪化や経費の増大を来す。また、浸入水は管路周辺の土砂を引き込み、周辺地盤を空洞化させ、道路陥没の発生源となるとともに、管内に土砂等の堆積をもたらす原因ともなる。

　浸入水には、地下水と雨水とがあり、また、地下水には、海水とそれ以外の地下水がある。

　浸入水の原因は、管路施設側にある場合と排水設備側にある場合とがある。したがって、誤接合調査、流量調査、水密性調査等を組み合わせ、浸入水の水量と浸入経路を明確にすることによって、管路施設の修繕・改築に関する検討資料を作成する。また、排水設備に不具合が確認されたら、その改善を使用者に指導する。

b）誤接合調査

　分流式下水道における汚水、雨水系統が正しく分離されているかどうかを確認する調査で、範囲は下水道本管から宅内排水設備までが含まれる。

　この調査方法としては、次の3つの試験方法が挙げられる。

ア）音響試験

　ハンマー等による打撃音や発信機の音波等の伝わり方により、管路施設が正しく接続されているかを調査する。

　この試験は、宅地内の排水管系統及び下水道本管や取付け管の経路を知るには有効なものである。

イ）染料試験

　下水道本管・取付け管及び排水設備の範囲内に処理場等に無害な蛍光染料希釈水を上流より流し、流下経路・漏出場所及び流達時間を調査する。

　特に、石垣壁やポンプ槽からの汚水の流出による悪臭等の通報等に対し、流出経路の確認が早く行える。また、管内の流下状況、流速の測定にも利用できる。

ウ）送煙試験

　送煙試験は誤接合の予測される分流式下水道管路に発煙筒を使用し、ますや雨どいでの昇煙の有無により誤接合を判断する。

　この試験により、雨水ますや雨どい等の雨水排除施設が、直接汚水管きょや汚水ますに接続されている箇所、及び地表や側溝等から地中に浸透した雨水が汚水管きょや汚水ますへ浸透する間接的な箇所が判明する。

　ただし、本試験を行うに当たっては、所轄消防署への火炎発生届や近隣住民への周知徹底を図ることとする。

　なお、検査のために人の住居に使用する建築物に立ち入る場合においては法第13条に基づき、あらかじめ居住者の承諾を得なければならない。また、身分を示す証明書を携帯し、関係者の請求があったときは、これを提示しなければならない。

C）流量調査

ア）調査の重点地域について

　地下水の浸入は、一般に地下水位の高いところで見られるので、そのような地域や河川等の横断箇所または並行縦断箇所を重点的に調査する。

イ）予備調査

　予備調査は、処理区域内の浸入水の概要を把握するためのもので、既存資料を収集し、それらの解析によりある程度把握できる。資料には、下水道台帳、下水道基本計画資料、土質調査資料や流量表、設計図書及び施工記録、ポンプ場・処理場及び流域下水道と関連公共下水道の接続箇所における流量及び水質記録、水道給水量及び日常の巡視・点検記録等がある。これらの資料をもとに、おおむね次のような点を把握する。

あ）地下水位と施設との相対的な高さ関係

い）流入下水量の昼夜の変動、晴雨天時変動及び季節変動等年間雨水浸入水量は次式で算定される。

年間雨水浸入水量（m^3/年）＝Σ〔降雨日流入下水量（m^3/日）－晴天日平均流入下水量（m^3/日）〕

　また、年間地下水浸入水量は次式で算定される。

年間地下水浸入水量（m^3/年）＝Σ〔流入下水量（m^3/日）－雨水浸入水量（m^3/日）－有収水量（m^3/日）〕

ただし、有収水量が得られない場合は、晴天日の時間最低流入下水量を地下水浸入水量とみなしてもよいが、調査区域の大半が一般家庭で構成され、最低流量の生じる時間帯（午前4時～6時ころ）で水使用がほとんどないこと（例えば、1月2日～3日等）、調査区域の面積が比較的小さいことが条件となる。なお、無収水量の資料が得られた場合は、有収水量に加える。

う）水道給水地区における浸入水量の推定年間浸入水量この水量は、有収水量から、次式

浸入水量（m³／年）＝流入下水量（m³／年）－有収水量（m³／年）

によって算出でき、これが最も簡単な方法であるが、一般に水道給水地区と下水処理区の地区分割が異なるため、処理区内の有収水量の算定には、各戸の月別水量を調査することが必要となる。

また、有収水量が確定できない場合は、雨水浸入水量、地下水浸入水量を算出して、浸入水量とするとよい。

ウ）実態調査

実態調査は、予備調査の結果に基づいて、過剰な浸入水の可能性があると予測される地域を選定し、潜行目視・テレビカメラ調査、流量測定、地下水位測定、水質調査等を行う。ここでは流量計測、揚水試験、生活排水量（水道使用量）調査、降雨観測等について記し、地下水位測定、水質調査についてはⅲ）ⅳ）で記す。

管路及びポンプ場・処理場において流量測定を行うが、測定方法には水位測定法、流速測定法、水位・流速測定法、その他の方法があるので、目的、条件に応じて選定する。

計測は、一年間連続して行うことが望ましい。

測定点へ流入している条件にもよるが、流量から地下水浸入水量と雨水浸入水量がある程度推定できる。

あ）流量計測

管路施設における流量計測には、定置式流量計測と簡易式流量計測とがある。定置式は、処理場及びポンプ場に設置している流量計測器を用いて行う方式である。簡易式は、マンホール等の開口部に簡易型流量計測器（PBフリューム、電磁流速計、水位計、超音波流速計、水位計等）を一時的に設置し、ある一定期間計測を行う方式である。

〇計画的流量計測と緊急的流量計測

流量計測には、処理場・ポンプ場及び流域下水道と関連公共下水道の接続点等で一定の計画にしたがって計測している計画的流量計測と、いっ水や過度の流量変化のある系統やその原因を追及するための緊急的流量計測とがある。

○流量計測の方法

定置式は、常時計測を行いその記録を保管する。簡易式は、計測機器をマンホール等の開口部にセンサーとデータ蓄積機器を一時的に設置する。

簡易式で計測する場合、注意すべき事項は以下のとおりである。
・測定箇所は、管路の直線部に位置しているとともに、管路上流の曲がり、たるみ等がないこと。
・下流からのバックウォーターの影響がない箇所を選定すること。
・流量測定中に管内の下水流下を阻害することがないようにすること。
・測定対象としている流量範囲に応じた測定方式、装置等を選択する。

計測のインターバルは1分単位から計測でき、データも一定量を設置機器に蓄積できる。

蓄積したデータを周期的に回収し、日時季節単位の流量変化を分析する。

い）揚水試験

管路の浸入水量を測定する方法で、地下水位が管底より上部にある場合の地下水浸入水量測定には有効な方法である。

一区間または系統ごとの浸入水量を短時間で把握できるが、地下水位の変動により浸入水量が異なるので、降雨・季節等の状況を考慮して測定する必要がある。

この試験での測定値には生活排水を含まないことが条件である。一区間ごとの調査では止水栓を設置することで生活排水を除外できるため、昼夜間の作業時間帯に制限はない。系統ごとの調査では止水栓を設置することが困難なため、事前に流量記録により生活排水のないと思われる深夜の時間帯に実施する必要がある。

う）生活排水量（水道使用量）調査

水道使用量は、流量計測区域内を対象として行う。その方法には、各戸の水道メーターを検針する方法及び給水本管で直接測定する方法

がある。

　各戸の水道メーターを検針する方法の場合は、一般的に2箇月分の使用量が資料となり、解析にはその平均値を使用する場合が多い。

　給水本管で直接測定する場合は、水道給水区域と下水道処理区域が一致しないことが多いのでその補正が必要である。

　え）降雨観測

　処理場・ポンプ場の雨量計を用いるか、これらが利用できない場合には調査区域内に雨量計を設置し、管路内の流量計測と同時に降雨量を測定する。雨量計は10分間隔程度で降雨量が読み取れるものが必要である。これによって、降雨量、強度、継続時間を算出し、それらと雨水流入量との相関関係を明らかにする。

　降雨は連続した現象ではないため、雨量計が降雨時に確実に作動するよう十分な管理が必要となる。気象台等降雨観測機関が近接している場合には、それらの観測記録を用いることもできる。

　処理区の流量が大きい時は、その地区における降雨の地域分布状況を考慮して観測点を決める。

d）水密性調査

　水密性調査は、浸入水や漏水の原因となる管路施設の水密性を調べるのに有効な手段である。

　水密性調査には次の方法がある。

　ア）注水試験

　管路の1区間ごとの水密性を短時間に把握できる方法で、地下水位が管底より低いか、またはあまり高くない場合に用いる。

　流量計測・揚水試験との相関関係を把握し、地下水位を考慮して漏水量の補正を行う必要がある。

　公共ます、取付け管、マンホール及び本管の水密度分布を分析する必要がある。

　イ）水圧・圧気試験

　測定用パッカーを用いて本管の継手部、取付け管接合部等を各1箇所ごとに限定的に水密性を測定する方法で一般的に水または低圧空気を送り、圧力の保持状態から水密性を確認する。

ⅱ）腐食・劣化調査

潜行目視調査及びテレビカメラ調査により、管路施設の腐食を発見した

場合は、現場の状況に適した試験方法を選定し、腐食の程度及び範囲を調査する。なお現状では、潜行目視調査またはテレビカメラ調査による判断を主体としている場合が多いが、調査方法には次の種類がある。

a）潜行目視調査またはテレビカメラ調査による壁面状況調査
b）ひびわれ調査
c）中性化試験
d）鉄筋腐食調査
e）圧縮強度試験
f）粗度係数調査
g）管材質調査

　管路施設のコンクリートは一旦腐食環境が整うと、腐食の進行は加速する傾向があり、この場合は短期間にコンクリート構造物としての躯体の有効厚さが減少し、耐久力を低下させることになる。

　このため、腐食・劣化対策として計画的に現場の実情に合わせた調査を実施し、早めに改善を行う必要がある。

　なお、汚泥等が堆積しやすい管きょのたるみ部や流速が大きく低下する箇所及び圧送管の吐口、またはビルピット排水及び特殊排水（温泉水・工場排水等）が接続し段差のあるマンホール等で下水の流れに乱れが生じる箇所等は、硫化水素による腐食が起こりやすい。このような箇所では定期的な点検並びにテレビカメラ調査を実施し、状況を常に把握しておくことが望ましい。

ⅲ）布設環境状態調査（地下水位及び空洞）

　地中に埋設されている管きょは、管外の地盤、地下水等の状態及び管内における下水の水質によって大きな影響を受ける。

　地盤の空洞化は、管きょの水密性に欠ける部分（目地、破損部等）から地下水または雨水浸入水とともに、土砂が管内に流入することで発生することから、管きょの水密性をチェックすることはもちろん、地下水の状態も把握しておく必要がある。地下水位と流入水量の関係は、「下水道管路施設における浸入水防止対策指針、(公社)日本下水道協会、昭和57年10月」により、地下水位が管底より約60cm以上になると、浸入水量が急激に増加するという報告がなされている。

　また、管きょ（特にコンクリート管）への流入汚水は、その性質により部材を劣化させる原因となるので、悪質下水の流入は、処理場及び管路施

設における水質調査により常にチェックする必要がある。

　地下水位と空洞化に関する調査について次に記す。また、水質についてはⅳ）、a）で記す。
 a) 地下水位調査

　調査区域の地下水位分布とその変動を測定することにより、地下水位と管路埋設深度、及び地下水位と地下水浸入水量との相関関係を調査する。

　地下水位は地形によって異なり、また、時間的・季節的に変動することを考慮して測定箇所数、測定方法を適宜決定する。

　また、地下水位測定結果は注水試験における注水水頭決定にも利用する。地下水位測定は、地下水位観測井戸・管底高調査・マンホール内・既設井戸及び他工事のボーリング資料等で行い、地下水等水位線図より地下水位と管路埋設との関係を明確にする。
 b) 空洞化調査

　空洞は、巡視点検や住民からの通報により地表面の亀裂や落ち込みが発見された場合、潜行目視調査及びテレビカメラ調査の結果より破損、クラック、浸入水等の水密性の低下と判定された場合、清掃中に土砂が流出し続ける場合は、管きょ（本管及び取付け管）周囲の地盤に空洞が生じている可能性があるので、道路陥没等の事故防止対策を検討するために空洞の箇所及びその程度等を調査する。

　空洞化調査には、地盤に電磁波を照射して空洞を検知する電磁探査や地盤と空洞と間の比抵抗値による電気探査、貫入試験やコア抜き等の物理試験がある。

　参考として、一般的な空洞化調査の手順を示す。
 ア）車道下は空洞探査車、歩道下ならびに車道において探査車の入れないような場所は、ハンディ型探査機により、電磁探査により線的に調査を行う。
 イ）電磁探査による結果、空洞の可能性が検知された箇所についてハンディ型探査機による詳細調査を実施し、異常箇所を絞り込む。
 ウ）詳細調査により空洞があると判定された箇所について、路面を削孔し空洞の状況をファイバースコープカメラや貫入試験やコア抜き等で確認する。
 エ）ファイバースコープカメラの調査後、道路管理者と協議し、速やか

に補修が必要とされる空洞箇所について、掘削することにより、その空洞化が下水道管きょの不具合に起因しているか調査して処置する。

ⅳ）水質調査、悪臭調査

a）水質調査

悪質下水の流入は、管路部材の劣化や、放流水の悪化にも直接関係するので、処理場及び管路施設における水質調査により常にチェックする必要がある。工場・ガソリンスタンド等から排水のある管路施設では、その排水が排水基準に適合しているかどうかの定期検査が必要である。

また、水質調査により、海水・地下水・水道水等の浸入水の有無、管路施設の腐食に影響を与える硫化物イオン等の有無を確認することで、管路施設が正常に機能しているかどうかの判断資料となる。

また、水質と管路施設内で遭遇するガスは関連性もあるため、ガス検査も合わせて行う必要がある。

管路における水質調査は、選定したマンホール、ます、放流口、その他で下水を採水するとともに、関連性を確認するため地下水・海水・河川水等を採水し分析を行う。

b）悪臭発生原因調査及び油類等流入追跡調査

ア）悪臭の種類等

悪臭には、主に汚水の腐敗臭、薬品臭及び油類臭等がある。悪臭は、住民の通報等により知らされる場合が多く、原因を究明するためにも直ちに現地に行き、付近住民からの聞き取りが重要である。

イ）可燃性ガス臭の場合

ガソリン、シンナー等揮発性の混入物が考えられるときは、ガス濃度測定器で爆発の可能性がないかどうか確認するとともに、消防、警察との連絡を十分にとり、連携した対応が必要である。

ウ）油類等流入事故の場合

管路施設に、油類等（ガソリン等）の流入が確認されたときは、ポンプ場及び処理場へ連絡し、流入下水の対策に備えさせるとともに、可能な限りマンホール等で吸着材等により回収する。なお、雨水管きょ等直接公共用水域へ流出している場合は、関係者等へ連絡するとともに、吐き口付近において流出量を最小限にとどめるよう処置することが大切である。

エ）流入箇所の追跡調査

第 2 章　管路施設の維持管理

　　原因の追跡調査は、一般に下水の流下経路の上流側を踏査して流入箇所をつきとめる。管きょの煙突作用のため、悪臭発生箇所の下流側に原因がある場合もある。

　　不法投棄と思われるときは、マンホール、ます、側溝等の汚れ等についても細かく調べる。

　　悪臭発生原因の調査に当たっては、必要に応じて水質担当職員及び関係者等の協力を求める。

オ）その他

　　可燃性ガス等の悪臭発生には、緊急を要する場合が多いので、管路部門、運転管理部門、水質管理部門等が連携して、日頃からすばやく対応できる体制を確立しておく必要がある。

ⅴ）変状調査

　一般に下水管きょは自然流下で設計されているが、不等沈下、土圧、荷重等の外力によりこう配や、管形状が変状する場合がある。

　この変状状態を調べ、流下能力の状況を把握し対策資料とする。

　調査は、マンホール部や、大口径管きょのように調査員が入れる場合は実測で調査できるが、人が入れない小・中口径管きょの管内状況はテレビカメラ等の機器を使用して行う。

a）傾斜（不陸、蛇行）測定

　　管きょに不陸や逆こう配が生じると流下機能の低下により清掃効率が減少し、汚物や土砂の堆積を招き、場合によっては硫化水素が発生してコンクリート腐食の要因となる等の不具合が生じるため、改善が必要となる。

b）偏平測定

　　管体の偏平は、硬質塩化ビニル管等プラスチック管において発生する現象で、陶管、コンクリート管では見られることはない。

　　偏平は管きょの有効断面が減少するため、流下能力が低下するばかりでなく、構造上の耐力も著しく低下する。

ⅵ）損傷調査

　点検により、管路施設に損傷が発見された箇所について、状況の確認、原因追究のための調査を行う。

a）状況の確認

　　損傷の状況は、潜行目視またはテレビカメラ等によって確認し、平面

図及び縦断面図等に損傷の位置、状況を記録する。
 b) 原因の追求
　損傷の原因の主なものとして、地盤の不等沈下、老朽化や腐食等による自然的原因と他工事の影響、事業場等の悪質下水による外的原因がある。
　ア) 外的原因によるものと考えられるときは、その関係者に立会を求めて原因を解明する。他工事の影響や廃棄物の不法投棄による損傷は、原因者から損傷負担金を徴収するが、事後にこれらに対応することとなるので、原因調査時には関係者を立会いさせて損傷状況を確認させておくことが必要である。
　イ) 他企業埋設物工事や建築物工事の影響による損傷及びモルタル等の投棄事故はよくあるので、日頃から巡視し、無届け工事等の防止に努める必要がある。これらを発見した場合には、その路線の管きょ、取付け管について調査する必要がある。
　ウ) 悪質下水による損傷を発見したときは、上流側の追跡調査を行い、原因者の究明に努め、水質担当職員の協力を得て、事業場等の立ち入り検査を行うことも必要である。
 c) 道路陥没事故への対応
　道路陥没が生じた場合には管路施設の損傷が原因となっている場合が多いため緊急調査を行う。
　この場合、他埋設物への影響を考え、付近の地下埋設物の種類、形状及び位置の調査を行い、ただちに管理者に連絡し、立会いを要請することが必要である。
　下水道管の閉塞や道路陥没の現象は、取付け管の損傷に起因することが多いので、その原因を分析して、計画的に維持管理を実施することが大切である。
vii) 土砂等堆積量調査
 a) 堆積物の種類
　堆積物には、自然堆積と不法投棄による堆積物があるので、その状況を正確に把握する必要がある。
 b) 堆積物の影響
　土砂等の堆積量が多くなると、流下能力が低下し、浸水の原因となることもある。また、汚水の滞留が悪臭の原因となったり、合流式下水道

においては降雨時には雨水吐き室等から流出して公共用水域の汚濁につながったりすることにもなるので、堆積量の調査は定期的に行う。
　c）記録の活用
　　土砂等堆積量は、地域性、管径、こう配等によって状態の違いがあるが、堆積しやすい場所は、調査結果のデータを収集し、整理することによって把握できる。
　d）堆積量の測定
　　堆積量の測定は、大口径管については管きょ内に入って堆積深を実測し、また、小口径管は各マンホールの管口付近の堆積深を実測して、その調査結果より堆積量を算出する。
　e）その他
　　雨水調整池等は、白色固形物等の浮遊物も流入するので、土砂等堆積深とともに浮遊物の量を測定する。
ⅷ）その他の調査
　調査には、以上の各種調査のほかに、施設の機能を検証するのに必要な資料収集のための次のようなものがある。
　a）管底高調査（管路の状況把握や下水道台帳の修正等）
　b）土砂分析調査（堆積土砂の性状把握等）
　c）酸素濃度・危険ガス検知調査（管路施設に発生するガスの確認等）

(7) 調査結果の判定及び評価

調査の結果発見された異常の程度を、判定基準により診断評価し、その結果をもとに緊急度の判定及び修繕、改築等対策の有無を判断する。

1) 調査判定基準

　本管調査の判定基準は、調査で発見された異常箇所を症状別に分類して緊急対応の必要性や他に及ぼす影響度を考慮し、清掃及び修繕・改築の要否並びに対策工法等の選定に使用するものである。
　ここで、管路施設の調査に当たっては、排除方式、管種、それに伴う接合方法や布設年代等の地域特性があるため、これらの実情に応じた調査項目を設ける必要がある。主な調査判定項目と判定ポイントを表2.2.2に示す。
　これらの調査項目についてテレビカメラ調査等で得られた結果は、調査判定基準により、「スパン全体」及び「管一本ごと」に不具合等の異常程度

をランク付けする。

表 2.2.2 主な調査項目と判定ポイント

調査項目			調査判定ポイント	管種別該当項目	
				鉄筋コンクリート管等及び陶管	硬質塩化ビニル管
スパン全体で評価	劣化度	管の腐食	骨材・鉄筋の露出状況、管壁の状況	○	―
	流下能力	上下方向のたるみ	たるみの程度（管径比）、流下状況	○	○
管一本ごとに評価	劣化度	管の破損及び軸方向クラック	管の変形、断面のずれ	○	○
		管の円周方向クラック	クラックの状況	○	○
		管の継手ずれ	接合部のすき間、ずれの状況	○	○
		偏　平	管の偏平（たわみ率）	―	○
		変　形	内面への突出し・白化状態	―	○
	浸　入　水		噴き出し、にじみの状況	○	○
	流下能力	取付け管の突出し	突出しの程度（管径比）、流下阻害状況	○	○
		油脂の付着	付着の程度（管径比）、流下阻害状況	○	○
		樹木根侵入	侵入の程度（管径比）、流下阻害状況	○	○
		モルタル付着	付着の程度（管径比）、流下阻害状況	○	○

第 2 章　管路施設の維持管理

表 2.2.3　調査判定基準【鉄筋コンクリート管等（遠心力鉄筋コンクリート管含む）及び陶管】（案）

	項目	ランク	A	B	C
スパン全体で評価	管の腐食		鉄筋露出状態	骨材露出状態	表面が荒れた状態
	上下方向のたるみ	管きょ内径 700 mm 未満	内径以上	内径の 1/2 以上	内径の 1/2 未満
		管きょ内径 700 mm 以上 1650 mm 未満	内径の 1/2 以上	内径の 1/4 以上	内径の 1/4 未満
		管きょ内径 1650 mm 以上 3000 mm 以下	内径の 1/4 以上	内径の 1/8 以上	内径の 1/8 未満

	項目	ランク	a	b	c
管一本ごとに評価	管の破損及び軸方向クラック	鉄筋コンクリート管等	欠落／軸方向のクラックで幅 5 mm 以上	軸方向のクラックで幅 2 mm 以上	軸方向のクラックで幅 2 mm 未満
		陶管	欠落／軸方向のクラックが管長の 1/2 以上	軸方向のクラックが管長の 1/2 未満	
	管の円周方向クラック	鉄筋コンクリート管等	円周方向のクラックで幅 5 mm 以上	円周方向のクラックで幅 2 mm 以上	円周方向のクラックで幅 2 mm 未満
		陶管	円周方向のクラックでその長さが円周の 2/3 以上	円周方向のクラックでその長さが円周の 2/3 未満	－
	管の継手ズレ		脱却	鉄筋コンクリート管等：70 mm 以上　陶管：50 mm 以上	鉄筋コンクリート管等：70 mm 未満　陶管：50 mm 未満
	浸入水		噴き出ている	流れている	にじんでいる
	取付け管の突出し		本管内径の 1/2 以上	本管内径の 1/10 以上	本管内径の 1/10 未満
	油脂の付着		内径の 1/2 以上閉塞	内径の 1/2 未満閉塞	－
	樹木根侵入		内径の 1/2 以上閉塞	内径の 1/2 未満閉塞	－
	モルタル付着		内径の 3 割以上	内径の 1 割以上	内径の 1 割未満

注 1　段差は、mm 単位で測定する。また、その他の異常（木片、他の埋設物等で上記にないもの）も調査する。
注 2　取付け管の突出し、油脂の付着、樹木根侵入、モルタル付着については、基本的に清掃等で除去できる項目とし、除去できない場合の調査判定基準とする。
注 3　判定項目は、各自治体の地域特性を踏まえて追加してもよい。
出典：「ストックマネジメント手法を踏まえた下水道長寿命化計画策定に関する手引き（案）」
　　　（H25.9、P75）　国土交通省水管理・国土保全局下水道部（平成 25 年 9 月版）

表 2.2.4　調査判定基準【硬質塩化ビニル管】(案)

スパン全体での評価	ランク 項目	適用	A	B	C
	上下方向のたるみ	管きょ内径800mm以下	内径以上	内径の1/2以上	内径の1/2未満

管一本ごとに評価	ランク 項目	a	b	c
	管の破損及び軸方向クラック	亀甲状に割れている	—	
		軸方向のクラック		
	管の円周方向クラック	円周方向のクラックで幅：5mm以上	円周方向のクラックで幅：2mm以上	円周方向のクラックで幅：2mm未満
	管の継手ズレ	脱却	接合長さの1/2以上	接合長さの1/2未満
	偏平	たわみ率15%以上の偏平	たわみ率5%以上の偏平	—
	変形※（内面に突出し）	本管内径の1/10以上内面に突出し	本管内径の1/10未満内面に突出し	—
	浸入水	噴き出ている	流れている	にじんでいる
	取付け管の突出し	本管内径の1/2以上	本管内径の1/10以上	本管内径の1/10未満
	油脂の付着	内径の1/2以上閉塞	内径の1/2未満閉塞	—
	樹木根侵入	内径の1/2以上閉塞	内径の1/2未満閉塞	—
	モルタル付着	内径の3割以上	内径の1割以上	内径の1割未満

※材料の白化が伴う変形はaランクとする。

注1　段差は、mm単位で測定する。また、その他の異常（木片、他の埋設物等で上記にないもの）も調査する。
注2　取付け管の突出し、油脂の付着、樹木根侵入、モルタル付着については、基本的に清掃等で除去できる項目とし、除去できない場合の調査判定基準とする。
注3　判定項目は、各自治体の地域特性を踏まえて追加してもよい。
出典：「下水道管きょのストックマネジメント導入促進に関する調査、国土技術政策総合研究所資料第773号平成24年度下水道関係調査研究年次報告書集、平成26年1月」
　　　横田敏宏、深谷渉、末久正樹、野澤正裕

「スパン全体」及び「管一本ごと」の評価ランクの分類

スパン全体の評価	管一本ごとの評価
A：重度。機能低下、異常が著しい。	a：重度。劣化、異常が進んでいる。
B：中度。機能低下、異常が少ない。	b：中度。中程度の劣化、異常がある。
C：軽度。機能低下、異常が殆どない。	c：軽度。劣化、異常の程度は低い。
A、B、Cに該当しない場合は、異常なし等と判定する。	a、b、cに該当しない場合は、異常なし等と判定する。

第 2 章　管路施設の維持管理

過去問題（令和元年）

次は、管路施設の点検について述べたものです。最も適切なものはどれですか。
(1) 地下水位の高いところでは、処理場等への流入下水量の増大を防止するため、管きょ内に流入する地下水の有無を点検する。
(2) 管きょの点検は、マンホールの巡視がふたを開けて行うため、マンホールの巡視と合わせて行うのが一般的である。
(3) 管きょの損傷や継手の不良がある場合は、降雨時に満流となって、損傷箇所等から土中に流出した下水により、地表面が隆起する場合が多いので、地表面を把握する。
(4) 地上から簡易テレビカメラ（管口テレビカメラ）を挿入して点検作業を行う場合は、必すマンホール内に作業員を配置しなければならない。

【解説】

(1) 設問のとおり
(2) 同じく第 2 節管きょ 10.2.1 巡視・点検の【解説】②点検に、「管きょの点検は、一般に**マンホールの点検及び調査**と合せて実施する。」、また、同じく第 3 節マンホール 10.3.Ⅰ 巡視・点検及び調査に、「マンホールの巡視は、基本的にふたを開けず、目視によりふたとその周りの状況を把握する。」とあり、設問の「マンホールの巡視」という記述は、不適切である。
(3) 同じく第 2 節管きょ 10.2.1 巡視・点検の【解説】(1) 巡視に、「管きょの巡視は、マンホールふたを開けず，埋設された地上部（主に道路面）の状況について観察し、管きょの損傷または継ぎ手の不良によって発生する**沈下の有無**について把握するものである。」、また、同表 10.2.1 管きょの点検項目の例には、地表面の状況の点検内容に「①**亀裂、沈下、陥没の有無**、②いっ水の有無、③周辺状況等の確認」とあり、設問の「地表面が隆起する場合が多い」という記述は、不適切である。
(4) 同じく第 2 節管きょ 10.2.1 巡視・点検の【解説】(2) 点検 5) 管口テレビカメラについてに、「管口テレビカメラは、伸縮可能な操作棒の先にカメラとライトを取付けたものであり、これを地上からマンホールに挿入し、**地上にいる調査員が手元のモニターを見ながら管内を点検する**もので

ある。」とあり、設問の「必ずマンホール内に作業員を配置しなければならない。」という記述は、不適切である。

【解答】(1)

出典：「下水道維持管理指針　実務編」(2014年版、P92〜94、P139)（公社）日本下水道協会

過去問題（令和元年）

次は、分流式下水道における誤接合調査について最も適切なものはどれですか。
(1) 誤接合調査の範囲は、下水道本管からます及び取付け管までが含まれる。
(2) 送煙試験は、ます等から発煙筒の煙を送り、下水道本管からの昇煙の有無により誤接合を判断する調査である。
(3) 誤接合調査は、分流式下水道及び合流式下水道における汚水、雨水系統が正しく接続されているかを確認する調査である。
(4) 音響試験は、ハンマー等による打撃音や発信機の音波の伝わり方により、管路施設が正しく接続されているかを確認する調査である。

【解説】
(1) 同1) 不明水調査②誤接合調査に、「範囲は下水道本管から**宅内排水設備**までが含まれる。」とあり、「下水道本管からます及び取付け管までが含まれる。」という設問の記述は、不適切である。
(2) 同上②誤接続調査のⅲ送煙試験に、「送煙試験は誤接合の予測される**分流式下水道管路に発煙筒を使用し、ますや雨といでの昇煙の有無**により誤接合を判断する。」とあり、「ます等から発煙筒の煙を送り、下水道本管からの昇煙の有無により誤接合を判断する」という設問の記述は、不適切である。
(3) 同上②誤接合調査に、「**分流式下水道における**汚水，雨水系統が正しく分離されているかどうかを確認する調査」とあり、「分流式下水道及び合流式下水道における」という設問の記述は、不適切である。
(4) 設問のとおり

【解答】(4)

出典：「下水道維持管理指針　実務編」(2014年版、P103)（公社）日本下水道協会

過去問題（令和元年）

次は、テレビカメラ調査の特徴について述べたものですが、適切なものはどれですか。

(1) 走行の方式には、けん引式、自走式、押し込み式があり、破損や、継手部の段差が激しい場合は、押し込み式を使用する。
(2) 内径 800 mm 未満の小中口径管を原則とするが、これ以上の大口径管でも流量が多い場合等、調査員が管路内に入れない場合に用いることがある。
(3) テレビカメラには、走行性によって陶管用、鉄筋コンクリート管用、硬質塩化ビニル管用の 3 種類がある。
(4) 撮影法には、管路内の全景を映す側視撮影と異状箇所等の局所を映す直視撮影とがある。

【解説】

(1) 走行の方式として同①テレビカメラの種類に、「けん引式」と「自走式」が、4) その他新技術等に「浮流式テレビカメラ」が紹介されているが、「押し込み式」は記載がなく、設問の記述は不適切である。
(2) 設問のとおり
(3) 同①テレビカメラの種類に「本管用テレビカメラには自走式と牽引式があり、近年は自走式テレビカメラを搭載したテレビカメラ搭載車で作業する事が主流である。」とあり、管種による区別はないので、設問の記述は不適切である。
(4) 同①テレビカメラの種類に、「撮影法には、管路内の全景を映す直視撮影と異常箇所等の局所を映す側視撮影とがある。」とあり、設問の記述は用語の定義が反対であり、不適切である。以上より、(2) が適切である。

【解答】(2)

出典：「下水道維持管理指針　実務編」(2014 年版、P9)（公社）日本下水道協会

第 2 章　管路施設の維持管理

過去問題（平成 30 年）

次は、管路施設の点検について述べたものです。最も不適切なものはどれですか。

(1) ます及び取付け管の損傷の原因には、他の事業者等の工事によることがあるので、他工事の影響にも注意して点検する。
(2) 常に土砂等が堆積する箇所は、こう配の不良、地形またはその他の条件等によって予測できるので、流下能力が一定の基準を下回った段階で点検を行う。
(3) 地下水位の高いところでは、処理場等への流入下水量の増大を防止するため、管きょ内に流入する地下水の有無を点検する。
(4) 管きょの点検は、一般にマンホールの点検と合わせて実施する。

【解説】
(1) 設問のとおり
(2) 第2節管きょ S10.2.1 巡視・点検の【解説】(2) 点検 1) 流下の状況及び沈殿物の堆積状況についての解説には、「…また、常に土砂等が堆積する箇所は、勾配不良、地形またはその他の条件等によって予測できるので、**点検を定期的に実施する。**」とされており、設問の「**流下能力が一定の基準を下回った段階で点検を行う。**」の記述は、不適切である。
(3) 設問のとおり
(4) 設問のとおり

【解答】(2)

出典：「下水道維持管理指針　実務編」(2014 年版、P92〜94、P151)（公社）日本下水道協会

過去問題(平成30年)

次は、簡易テレビカメラ(管口テレビカメラ)による管きょ内調査について述べたものです。最も適切なものはどれですか。
(1) 地上から簡易テレビカメラ(管口テレビカメラ)を挿入して作業を行う場合は、マンホール内に作業員を配置しなければならない。
(2) 水平方向のズレ、微細クラックの発見が容易である。
(3) 撮影方法には、直視撮影と側視撮影がある。
(4) 改築等を重点的に実施すべき箇所を抽出するための調査対象範囲を絞り込む調査方法として用いることができる。

【解説】
(1)「実務編 S10.2.1 巡視・点検の解説 (2)点検 5)管口カメラについて」で、「管口カメラは、伸縮可能な操作棒の先にカメラとライトを取り付けたものであり、これを地上からマンホールに挿入し、地上にいる調査員が手元のモニターを見ながら管内を点検するものである。」とされており、設問の「…マンホール内に作業員を配置しなければならない。」との記述は不適切である。
(2) 上記の方法による調査であることから、水平方向のズレ(抜け落ち)や微細クラックの発見は困難であり、設問の「…容易である。」との記述は不適切である。
(3) 実務編 10.2.2 調査の (1)視覚調査に 1)潜行目視調査と 2)テレビカメラ調査が解説されており、この内 2)テレビカメラ調査の①テレビカメラの種類に「本管用テレビカメラには自走式と牽引式があり、近年は自走式テレビカメラを搭載したテレビカメラ搭載車で作業することが主流である。撮影法には、管路内の全景を写す直視撮影と異常箇所等の局所を写す側視撮影とがある。」とされている。設問の撮影方法の解説は、このような管内移動を伴うカメラ撮影の方法であり、管口からのみ撮影する管口カメラの撮影法としては、不適切である。
(4) 設問のとおり

【解答】(4)

出典:「下水道維持管理指針 実務編」(2014年版、P92〜93、P151)(公社)日本下水道協会

オリジナル問題①

次は、管きょの点検について述べたものです。最も不適切なものはどれですか。
(1) 管きょの点検は、一般にマンホールの点検及び調査と合わせて実施する。
(2) 管きょの損傷や継ぎ手の不良によって、地表面が沈下することがあるので、地表面の沈下の有無を点検する。
(3) 地上から簡易テレビカメラを挿入して点検作業を行う場合は、必ずマンホール内に作業員を配置しなければならない。
(4) 作業にあたっては、交通安全、酸素欠乏・硫化水素等の有毒ガス中毒、転落などに十分注意して行う。

【解説】
(1) 設問のとおり
(2) 設問のとおり
(3) について、簡易テレビカメラを挿入しての点検では、調査員がマンホール内や管内に立ち入る必要はない。よって、不適切である。
(4) 設問のとおり

【解答】(3)

出典:「下水道維持管理指針　実務編」(2014年版、P92)(公社) 日本下水道協会

オリジナル問題②

次は、管路施設の点検について述べたものです。最も不適切なものはどれですか。
(1) マンホールのふたは、破損、摩耗及び路面との高さの不一致並びに側塊とふたのずれなどについて点検する。
(2) 他の地下埋設物工事等の影響による損傷の状況を点検する。
(3) 管きょ内の流下の状況及び沈殿物の堆積状況について点検する。
(4) 管きょの損傷や継ぎ手に不良があると、管路内に地下水とともに管きょ周辺の土砂が管路内に流入し、地表面が隆起する場合が多いので、隆起の有無を点検する。

【解説】
(1) 設問のとおり
(2) 設問のとおり
(3) 設問のとおり
(4) について、管路内に地下水とともに管きょ周辺の土砂が管路内に流入し、道路陥没の危険性が増す。
　　よって不適切である。

【解答】(4)

出典:「下水道維持管理指針　実務編」(2014年)(公社) 日本下水道協会

オリジナル問題③

次は、管路施設の調査等について述べたものです。最も不適切なものはどれですか。

(1) 道路上で作業を行う場合には、事前に所轄の警察署に届け出て道路使用許可を受ける。
(2) マンホールに入る前には、マンホール内の硫化水素濃度を測定し、その濃度が 20ppm より低ければ、入孔してよい。
(3) 調査は、点検の際、異常が発見された時に限らず、定期的に行うのが望ましい。
(4) 悪臭は、住民の通報等により知らされる場合が多いが、原因を究明するには、直ちに現地調査を行い、付近住民からの聞き取り調査を行う。

【解説】
(1) 設問のとおり
(2) について、硫化水素濃度が 10Pm を超える濃度では入孔してはいけない。酸素濃度測定も行い、18％未満では入孔してはいけない。
　　よって不適切である。
(3) 設問のとおり
(4) 設問のとおり

【解答】(2)

出典:「下水道維持管理指針　実務編」(2014 年版)(公社) 日本下水道協会

オリジナル問題④

次は、管路施設の調査等について述べたものです。最も不適切なものはどれですか。

(1) 揚水試験は、管路の浸入水量を測定する方法で、地下水位が管底より上部にある場合の地下水浸入水量測定には有効な方法である。
(2) 注水試験は、管路の1区間ごとの水密性を短時間に把握できる方法で、地下水位が管底より低いか、またはあまり高くない場合に用いる。
(3) 空洞化調査は、地中に発生した空洞を探査するもので、レーダー探査、赤外線探査、超音波探査などがある。
(4) 送煙試験は、誤接合の予想される合流式下水道管路において実施し、ますや雨樋での昇煙の有無によって誤接合を判断する。

【解説】
(1) 設問のとおり
(2) 設問のとおり
(3) 設問のとおり
(4) について、送煙試験は、分流式下水道における汚水、雨水系統が正しく分離されているかどうかを確認する調査方法の一つで、誤接合が予想される分流式下水道管路において実施し、ますや雨樋での昇煙の有無によって誤接合を判断する。
よって不適切である。

【解答】(4)

出典:「下水道維持管理指針 実務編」(2014年版)(公社)日本下水道協会

2−2　清掃及びしゅんせつ

👍ここがポイント！

清掃・しゅんせつからの問題は、例年３問程度出題されている。
必ず出ているので、特に以下の３項目を理解しておくこと。
　①清掃の分類（清掃着手基準と清掃実施周期）
　②土砂及び汚泥の処分（発生汚泥等の処理）
　③機械器具の保管及び整備

(1) 清掃方法の適用範囲

管きょの主な清掃方法には、高圧洗浄車清掃と吸引車清掃の２種類があり、適用範囲は下表のとおりである。

表 10.2.13　清掃方法の適用範囲

清掃方法	適用範囲
高圧洗浄車清掃	φ200mm〜800mm 未満の小・中口径管きょの清掃
吸引車清掃	φ800mm 以上で、作業員が管きょ内に入り、吸引車を用いて作業する大口径管きょの清掃

この他竹木、木根、油脂類及び不法投棄されたモルタルやコンクリート等の破壊または切断等の機能を持つ特殊機械が開発されている。

清掃に当たっては、管径のみで選定するのではなく、施設の種類、土砂等の堆積状況及び作業環境を考慮したうえで、現場の実情に最も適した清掃方法及び機械器具を選定し、施設に損傷を与えないように作業を行う必要がある。

また、効率的、効果的に行うには１つの方法のみを選定するのではなく、清掃方法及び機械器具を環境条件及び堆積物の種類または硬度等によって段階的に使い分けることも重要である。

清掃頻度については、路線の重要度や事故・苦情など問題発生状況等の維持管理実績を踏まえて設定するものとする。

1) 高圧洗浄車清掃

　小・中口径管きょの清掃は、高圧洗浄車、吸引車（強力吸引車、特殊強力吸引車）及び給水車との組み合わせを標準とする。

ⅰ) 高圧洗浄車

　自動車に高圧ポンプと水タンクを積載したもので、水タンク内の洗浄水を高圧ポンプの駆動により加圧・噴射し、その水圧及び水量の力を利用して堆積物や付着物等を除去する車両である。

　高圧洗浄車より吐出圧力が高く、木根やモルタル等の除去に有効な超高圧洗浄車もある。

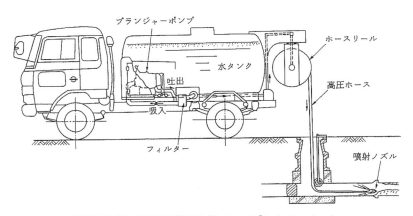

図 10.2.13　高圧洗浄車の例（ハイブレクリーナー）
出典：「下水道維持管理指針　実務編」(2014 年版、P121)（公社）日本下水道協会

ⅱ) 強力吸引車及び特殊強力吸引車

　自動車に吸引ポンプと貯留タンクを積載し、空気輸送のメカニズムを採用したもので、吸引ポンプを稼働して空気と土砂等を吸引する車両である。排気は、フィルタを通して行う。吸引ポンプはブロワタイプとスクリュータイプがある。なお、特殊強力吸引車は、原理、構造が強力吸引車と同一のものであるが、強力吸引車より吸引性能が優れているタイプである。また、自動車に補助用の水タンクとプランジャーポンプを装着し簡易な清掃が行えるタイプもある。

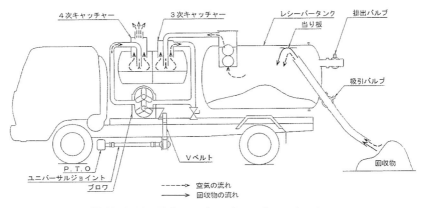

図 10.2.14　強力吸引車（ブロワ式吸引車の例）
出典：「下水道維持管理指針　実務編」（2014年版、P121）（公社）日本下水道協会

ⅲ）給水車

　自動車に水タンクを積載したもので、高圧洗浄車等に洗浄水を供給するための車両である。高圧洗浄車には水タンクが積載されているが、清掃作業では多量の洗浄水が必要とされるため、作業現場と給水場所を往復して洗浄水を運搬する。水タンクのほかに給水ポンプと送水ポンプを積載したタイプもある。

　清掃作業は、清掃する区間の下流側マンホールから上流に向かって高圧ホースを挿入し、高圧洗浄車より加圧された洗浄水を高圧ホース先端に取り付けたノズルから噴射させ、推進及び引戻しを反復して、土砂等を下流側マンホールに集め吸引車の吸引ホースで吸い上げる。この場合、管径、土砂の堆積状況及び硬度等によって洗浄水の水圧、吐出水量を調整する。

　吸引車は土砂等を吸引するマンホール深に対応できる適切な機種を選定する。

　高圧洗浄車による付着物の除去は、テレビカメラ調査及び修繕工事等を行う前にも実施する。また、土砂の堆積がない場合でも、付着した油脂類等の除去または悪臭防止対策として洗浄のみを行う場合もある。

　作業上の留意事項を次に示す。
a) 施設内の作業では、酸素欠乏・硫化水素等の有毒ガス中毒、転落及び流水により流される事等に十分注意して行う。

b) 洗浄水の補給は、ストレーナ等を通した二次処理水を資源活用するとよい。
c) ノズルの形状は、管径、継ぎ手の種類、土砂等の堆積状況及び硬度によって最も適したものを選定して使用する。

写10.2.5　ノズルの例

d) ガイドローラーを上流側管口に設置し、高圧ホースのジョイントで管口を傷めないようにする。モルタル等の除去に超高圧洗浄車を使用する場合は、管きょに損傷を与えないように作業箇所をテレビカメラで確認しながら注意して行う。
e) 土砂等がマンホールの下流側に流出することがあるので、土砂止め（土のう、止水プラグ等）を施す（写10.2.6参照）。

写10.2.6　止水プラグの例

f) 洗浄水で押された管きょ内の空気が排水設備を逆流してトイレの封水

を噴出させることがあるので、小口径管きょ、たるみのある管きょの作業ではますの蓋を開けると防止できる。
g) 高圧水を取り扱うため、事前に器具の点検を十分に行うとともに、所定の操作手順に従って実施し、危険のないように注意する。
　ア) 洗浄水を噴射するときは、ノズルを管口から管径の2倍以上挿入してから行う。管径が大きくなるとノズルがUターンすることがあるので注意する。
　イ) 下流マンホール付近にノズルが近づいたときは、高圧ホースの巻き上げ速度及び水圧を下げ、洗浄水が地上に噴き上がらないようにする。
　ウ) 高圧ホース巻き戻し中は、手や作業服等が巻き込まれないようにする。
h) 吸引車で大きなガラや空き缶等を吸引すると吸引ホースが詰まるおそれがあるので注意する。また、強力吸引車は空気とともに土砂等を吸引するが、ある程度の水も一緒に吸引しないと吸引ホース内に土砂等が残り、作業の効率が悪くなる。
i) 土砂等の運搬に当たっては、吸引車の貯留タンク内の汚水を下水管きょに返水し、あらかじめ水切りを行ってから運搬する。
j) 現場作業の終了後は、日誌・月報（表10.2.14、表10.2.15）に作業内容を記入し、酸素濃度等測定記録表（表10.2.16）、現場写真（写10.2.7）等を整理するとともに、発生した土砂等のうち産業廃棄物の汚泥の処理を委託する場合には、マニフェスト（搬入伝票）を交付する。

表10.2.14 作業日誌の例

		作業日誌		年 月 日 天候		課長 係長 係	
			作業内容	作業者 使用材料		特記事項	
	受付番号	受理年月日	町名地先地番				
苦情事故処理	1						
	2						
	3						
	4						
本管清掃	管径(mm)					清掃箇所地名(処理区名)	計 日
	直営作業員						人
	請負作業員						人
	清掃土砂量					排水区名(処理区名)	㎡
	清掃延長					系統番号	m
マンホール作業	直営作業 修繕箇所地名	排水区名(処理区名)	系統番号	請負作業	修繕箇所地名	排水区名(処理区名) 系統番号 使用材料	計 日
	作業内容			作業内容			
雨水ます及び取付管	直営作業 修繕箇所地名	排水区名(処理区名)	系統番号	請負作業	修繕箇所地名	排水区名(処理区名) 系統番号 使用材料	計 日
	作業内容			作業内容			
汚水ます及び取付管	直営作業 修繕箇所地名	排水区名(処理区名)	系統番号	請負作業	修繕箇所地名	排水区名(処理区名) 系統番号 使用材料	計 日
	作業内容			作業内容			
保全立会	① 立会依頼者 立会場所 立会文書番号 立会時間 立会担当者名		② 立会依頼者 立会場所 立会文書番号 立会時間 立会担当者名		③ 立会依頼者 立会場所 立会文書番号 立会時間 立会担当者名	翌日継続 ① ② ③	

第2章　管路施設の維持管理

表10.2.15　維持管理月報の例

苦情分類		苦情・事故処理			本管清掃				マンホール修繕					雨水ます 及び取付け管			汚水ます 及び取付け管			保立会	特記事項
		件数	管径(mm)	直営作業員	請負作業員	清掃土砂量	清掃延長	種別	ふた補充	口環修繕	側塊修繕	騒音	新設	取付け管	修繕 取付け管	新設	取付け管	修繕 取付け管	道路管理者	
維持管理	1 取付け管												直営施工分			直営施工分			ガス	
管種類	2 ます												箇所	箇所	箇所	箇所	箇所	箇所	上水道	
	3 マンホール												請負施工分			請負施工分			工業用水道	
修理月報	4 路面沈下												箇所	箇所	箇所	箇所	箇所	箇所	電力地中線	
	5 臭気								特殊				計			計			NTT地中線	
年月日	6 その他								直営 請負										その他	
課長 係長 係	計	合計				総計			合計											

表 10.2.16 酸素及び硫化水素濃度等測定記録の例

	換　　気	前・後
	圧気工事	有・無

測定年月	年　　　月　　　日	測定者	
測定場所		人孔番号	
測定器名			

測　点　1	イ	ロ	ハ
温　　度　（℃）			
酸素濃度（％）			
硫化水素濃度(ppm)			

測　点　2	イ	ロ	ハ
温　　度　（℃）			
酸素濃度（％）			
硫化水素濃度(ppm)			

測　点　3	イ	ロ	ハ
温　　度　（℃）			
酸素濃度（％）			
硫化水素濃度(ppm)			

（堆積物撹拌後）

測　点　4	イ	ロ	ハ
温　　度　（℃）			
酸素濃度（％）			
硫化水素濃度(ppm)			

（措　置）

（注）労働安全衛生法　酸素欠乏症等防止規則　第2章 一般的防止措置（第2条）に基づき，記録は3年間保管する事。

作業前　　　　　　　　　　　　　作業後

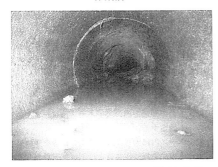

写10.2.7　清掃前後の状況

2）吸引車清掃

　大口径管きょの清掃は、吸引車（強力吸引車、特殊強力吸引車）と高圧洗浄車との組み合わせを標準とする。

　清掃作業は、作業員が管きょ内に入り、吸引車の吸引ホースの先端を操作して、堆積している土砂等を直接吸い上げるのが一般的である。吸引車はマンホール深及び管きょ内清掃延長に対応できる適切な機種を選定する。高圧洗浄車は、作業員が入るマンホールの洗浄や堆積土砂等の切り崩し等に使用するものである。

　この方法は、水位（水量）が少ない場合に効率的である。水量の多少により作業の形態が変わるため、流入系統、水位、水量及び流速等を事前に調査し、水替えの有無及び水替方法の選定を検討する必要がある。また、幹線管きょにおいては、管きょ内の流量が急激に増大した多量の土砂等が流下することがあるので、事前にポンプ場（マンホール形式ポンプ含む）、処理場等の関係職員に作業内容を連絡し、その対策を講じる必要がある。

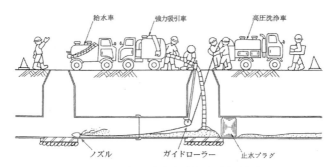

図 2.2.5 高圧洗浄車清掃作業標準図
出典：「下水道維持管理指針　実務編」（2014 年版、P122）（公社）日本下水道協会

　作業上の留意事項を次に示す。

ⅰ）施設内の作業では、酸素欠乏・硫化水素等の有毒ガス中毒、転落及び流水により流される事等に十分注意して行う。特に施設内での堆積土砂の吸引作業及び切り崩し作業は、土砂、ヘドロ及び汚水をかくはんするため高濃度の硫化水素が発生するおそれがある。

ⅱ）水替えを必要とする場合は、水位・水量に応じた水替方法を採用する。

ⅲ）上流側マンホール内の流入管口に土のう等を積み、上流側から土砂等が流れ込まないようにする。

ⅳ）土砂等を吸引する際に吸引ホースが激しく振動するので、地上部の吸引ホースはロープで固定する。また、マンホールが深い場合は足掛金物等に固定する。

ⅴ）管きょ内で吸引ホースの先を持つ作業員は、吸引ホース内に大きなガラや空き缶等を吸い込ませて詰まらせないように注意する。また、吸引ホースの先を持つ作業員とは別に作業員が先行して管きょ内のガラ等を取り除いたり、固くて吸引しにくい物を砕いたりすると作業能率が向上する。

ⅵ）清掃距離が長くなると、吸引ホース長も長くなり、管きょ内での吸引ホースの移動が難しくなるので、中間に作業員を配置し吸引ホースの移動を補助する。

ⅶ）下流側マンホールから上流側へ向かって清掃する場合は、排水ホースを使用し、清掃するスパンより下流側に返水する。

ⅷ）土砂等の運搬に当たっては、吸引車の貯留タンク内の汚水を下水管きょに返水し、あらかじめ水切りを行ってから運搬する。

ⅸ) 現場作業の終了後は、日誌・月報（表10.2.14、表10.2.15）に作業内容を記入し、酸素濃度等測定記録表（表10.2.16）、現場写真（写10.2.7）等を整理するとともに、発生した土砂等のうち産業廃棄物の汚泥の処理を委託する場合には、マニフェスト(搬入伝票)を交付する。

(2) 土砂及び汚泥の処分

清掃及びしゅんせつによって除去した土砂及び汚泥の処分については、周囲の環境等に十分留意し、法令に従い適切に行う。

下水道の施設から生じた発生汚泥は全て適切に処理されなければならない。発生汚泥等の処理を下水道管理者が自ら行う場合には法の諸規定が適用され、産業廃棄物処理業者等に委託する場合には廃棄物の処理及び清掃に関する法律が適用される。また、発生汚泥等には、下水処理汚泥、処理場、ポンプ場から発生するスクリーンかす、砂、汚泥等だけでなく、ます、管きょ等管路施設から発生する土砂、汚泥等も全て含まれており、適切に処理する必要がある。処理に当たっては、脱水、焼却、再生利用等によりその減量に努めなければならないとされている。

管路施設は、暗きょ、開きょ、汚水管きょ、雨水管きょ、合流管きょ、ます等多様な施設から構成されており、それぞれに堆積する土砂の性状も異なるので、一概に、除去した土砂類すべてが廃棄物となるわけではないが、一般的には廃棄物として扱われる。しかし、不純物を除去することによって、他者に有償売却できる性状のものになった場合には、廃棄物としては扱われなくなるので、資源の有効利用の観点から再生利用等を検討することが必要である。

(3) 機械器具の保管及び整備

清掃及びしゅんせつは、管理者自ら実施する直営と民間業者への委託とがある。直営で行う作業と委託で行う作業の区分はそれぞれの事業主体で異なり、また、規模、昼夜間別及び日祭日等により、これらを組み合わせた施工形態で実施されているのが現状である。

いずれにせよ、適切な清掃及びしゅんせつを行うためには、日頃から清掃及びしゅんせつ用資材や使用する機械器具等の適正な保管及び整備が必要である。

過去問題(平成 28 年)

管路施設における清掃の着手基準について述べたものです。最も不適切なものはどれですか。

(1) モルタルが堆積している場合は、その堆積深が管きょ内径の 30 〜 40%に達した時に清掃を行うとともに、発生源の調査・指導を行う。
(2) 油脂が付着している場合は、付着を確認した時点で清掃を行うとともに発生源の調査・指導を行う。
(3) 侵入根がある場合は、侵入を確認した時点で清掃を行うとともに、再侵入防止を計画・実施する。
(4) たるみ、沈下、下水の滞流がある場合は、汚泥等が堆積しやすいので、これらの現象を確認した時に清掃を行うとともに清掃周期の検討を行う。

【解説】

(1) モルタルが付着・堆積している場合は、モルタルの付着・堆積が確認された時点で清掃を実施する。これは管路の閉塞の原因となるためである。また清掃と別途発生源調査・指導等を行う。

設問中「…清掃をその堆積深が管きょ内径の 30 〜 40%に達した時清掃を行う」は不適正である。
よって不適切である。
(2) 設問のとおり
(3) 設問のとおり
(4) 設問のとおり

【解答】(1)

出典:「下水道維持管理指針 実務編」(2014 年版、P257)(公社)日本下水道協会

過去問題（平成 28 年）

次は、管路施設の高圧洗浄車による清掃について述べたものです。最も適切なものはどれですか。

(1) 上流のマンホールから下流に向かって高圧ホースを挿入し、推進と引き戻しを繰り返して管きょ内の土砂等を下流側のマンホールに押し流す。
(2) 汚泥吸引車とボイラー車と給水車との組合せで行うのが一般的である。
(3) 洗浄水で押された管きょ内の空気がトイレの封水を噴出させることがあるので、小口径管きょの作業では、ますのふたを開けると防止できる。
(4) 一般的に、管径 800 mm 以上の管きょの清掃に用いられる。

【解説】
(1) 高圧洗浄車清掃の清掃作業は、清掃区間の下流側マンホールから上流に向かって高圧ホースを挿入し、高圧洗浄車より加圧された洗浄水を高圧ホース先端に取り付けたノズルから噴射させ、推進及び引戻しを反復して、土砂等を下流側マンホールに集め、吸引車の吸引ホースで吸い上げる。
　設問中の「**上流側マンホールから下流側に向かって…**」は不適切である。
　よって不適切である。
(2) 高圧洗浄車清掃は、高圧洗浄車、吸引車（強力吸引車、特殊強力吸引車）及び給水車との組合せで行う。設問中の「**…ボイラー車と…**」は不適切である。
　よって不適切である。
(3) 設問のとおり
(4) 高圧洗浄車清掃は、管径 200 〜 800 未満の小・中口径管きょの清掃に適用される。設問中の「**…管径 800 mm 以上…**」は不適切である。
　よって不適切である。

【解答】（3）

出典：「下水道維持管理指針　実務編」（2014 年版、P120 〜 123）（公社）日本下水道協会

過去問題（平成 29 年）

次は、高圧洗浄車清掃作業及びその留意点について述べたものです。最も不適切なものはどれですか。

(1) 清掃作業による土砂等が、マンホールの下流側に流出することがあるので、土砂止めを施す必要がある。
(2) 上流側マンホールより下流に向かって高圧ホースを挿入し、高圧水により土砂を下流側マンホールへ押し流す。
(3) 洗浄水を噴射するときは、ノズルを管口から管径の 2 倍以上挿入してから行う。
(4) 洗浄水で押された管きょ内の空気がトイレの封水を噴出させることがあるので、小口径管きょの作業では、ますのふたを開けると防止できる。

【解説】

(1) 設問のとおり
(2) 主な使用機械の特徴の解説ⅲ）③給水車の項に「清掃作業は、清掃する区間の下流側マンホールから上流側に向かって高圧ホースを挿入し、高圧洗浄車より加圧された洗浄水を高圧ホース先端に取り付けたノズルから噴射させ、推進及び引戻しを反復して、管きょ内の土砂等を下流側のマンホールに集め、吸引車の吸引ホースで吸い上げる。」とある。設問中の「**上流側マンホールより下流側に向かって高圧ホースを挿入し**」は不適切である。
(3) 設問のとおり
(4) 設問のとおり

【解答】(2)

出典：「下水道維持管理指針　実務編」（2014 年版、P120、P122 ～ 123）
　　　（公社）日本下水道協会

第 2 章　管路施設の維持管理

過去問題（平成 30 年）

次は、管路施設における清掃の着手基準について述べたものです。最も適切なものはどれですか。
(1) 汚泥、土砂が堆積している場合は、その堆積深が管径の 50％前後に達したときに、清掃を行う。
(2) モルタルが堆積している場合は、その堆積深が管径の 30 ～ 40％に達した時に清掃を行うとともに、発生源の調査・指導を行う。
(3) 侵入根がある場合、侵入根の成長状況を定期的に観察し、下水の流下障害が発生した時点で清掃するとともに、再侵入防止を計画・実施する。
(4) たるみ、沈下、下水の滞流がある場合は、汚泥等が堆積しやすいので、これらの現象を確認した時に清掃を行うとともに、清掃周期の検討を行う。

【解説】
(1) 汚泥・土砂が堆積している場合の基準値は、「汚泥・土砂堆積深が 5 ～ 20％以上堆積している場合に実施」とされており、設問の「…堆積深が管径の 50％前後に達したときに、清掃を行う。」の記述は不適切である
(2) モルタルが堆積している場合の基準値は、閉塞の原因となることから「モルタル付着・堆積が確認された時点で実施」とされており、備考に「別途、発生源調査・指導等を行う」とされている。設問の「その堆積深が管径の 30 ～ 40％に達した時に清掃を行うとともに…」の記述は不適切である。
(3) 浸入根がある場合の基準値は、「浸入根が確認された時点で実施」、備考欄には「浸入根は成長し閉塞の原因となる、別途、再侵入防止を計画、実施する。」とされている。設問の「…侵入根の成長状況を定期的に観察し、下水の流下障害が発生した時点で清掃する。…」の記述は不適切である。
(4) 設問のとおり

【解答】(4)

出典：「下水道維持管理指針　実務編」(2014 年版、P120、P257)（公社）日本下水道協会

過去問題(平成 30 年)

次は、管路施設の高圧洗浄車作業及びその留意点について述べたものです。最も不適切なものはどれですか。

(1) 高圧洗浄車清掃の適用範囲は、内径 800 mm 未満の小・中口径管きょの清掃である。
(2) 洗浄水で押された管きょ内の空気による臭気の拡散及びトイレの封水の噴出は、ますのふたを閉めておくことで防止できる。
(3) 清掃時、土砂等がマンホールの下流側に流出することがあるので、土のうや止水プラグなどを用いて土砂止めを行う。
(4) 洗浄水を噴射するときは、噴射ノズルは管口から管径の 2 倍以上挿入する。

【解説】
(1) 設問のとおり
(2) 同解説の作業上の留意事項として f)に、「洗浄水で押された管きょ内の空気が排水設備を逆流してトイレの封水を噴出させることがあるので、小口径管きょ、たるみのある管きょの作業では**ますのふたを開ける**と防止できる。」とされており、設問の記述「…ますの**ふたを閉じておく**…」は不適切である。
(3) 設問のとおり
(4) 設問のとおり

【解答】(2)

出典:「下水道維持管理指針　実務編」(2014 年版、P120 〜 123)(公社) 日本下水道協会

過去問題(令和元年)

次は、大口径管きょにおける吸引車清掃ついて述べたものです。最も適切なものはどれですか。
(1) 土砂を吸引する際に吸引ホースが自由に動くように地上部の吸引ホースは固定しないようにする。
(2) 吸引車清掃は、水位が高い場合に適している。
(3) 吸引ホースの延長が長い場合は、吸引ホースの移動を補助する作業員を管きょ内に配置する。
(4) 清掃作業時に吸引した貯留タンク内の汚水は、下水管きょに返水すると臭気の発生原因となるので水切りしないで産業廃棄物処理場等に運搬する。

【解説】
(1) 同解説④に、「土砂等を吸引する際に吸引ホースが激しく振動するので、地上部の吸引ホースは**ロープで固定する。**」とあり、「地上部の吸引ホースは固定しない」という設問の記述は、不適切である。
(2) 同じく「この方法は、水位(水量)が**少ない場合に効率的である。**」とあり、「水位が高い場合に適している」という設問の記述は、不適切である。
(3) 設問のとおり
(4) 同解説⑧に、「土砂等の運搬に当たっては、吸引車の貯留タンク内の汚水を下水管きょに返水し、**あらかじめ水切りを行ってから運搬する。**」とあり、「水切りしないで産業廃棄物処理場等に運搬する。」という設問の記述は、不適切である。

【解答】(3)

出典:「下水道維持管理指針 実務編」(2014年版、P127〜128)(公社)日本下水道協会

オリジナル問題

　次は、管路施設の清掃について述べたものです。最も不適切なものはどれですか。
（1）高圧洗浄車清掃における洗浄水の補給は、給水車を使用すると能率的である。
（2）高圧洗浄車におけるホース先端の噴射ノズルは、管径や土砂などの堆積状況に関係なく、通常同じものを用いる。
（3）吐き口付近の放流水域には土砂が堆積することが多いので、その状況によって速やかに放流水域の管理者と浚渫について協議を行う。
（4）幹線管きょの清掃では、異常な水質負荷及び多量の土砂などが流下することがあるので、ポンプ場、処理場等の関係者に事前に連絡し、その対策を講ずる。

【解説】
(1) 設問のとおり
(2) について、高圧洗浄車のノズルには、様々な種類があり、管径、継ぎ手の種類、土砂など堆積状況及び硬度によって最も適したものを選定して使用する。
　　よって不適切である。
(3) 設問のとおり
(4) 設問のとおり

【解答】（2）

出典：「下水道維持管理指針　実務編」(2014年版)（公社）日本下水道協会

2−3　修繕及び改築

👍ここがポイント！

修繕に関する問題は、例年1問程度出題されている。
必ず出ているので、特に以下の4項目を理解しておくこと。
　①修繕の定義
　②修繕工法の分類
　③修繕の種類
　④機械器具の保管及び整備

(1) 修繕の定義

施設の損傷または老朽化等による機能低下を点検及び調査により発見したときは、その原因を的確に把握し、機能回復のため速やかに適切な措置を講じなければならない。

機能回復のための維持管理業務として、修繕と改築（長寿命化対策）があり、それぞれ以下のように定義される。

1) 修繕

「対象施設」の一部の再建設あるいは取替え等を行うこと（ただし、長寿命化対策に該当するものは除く）。

注記　対象施設とは、一体として取替える場合、他の施設や設備に影響を及ぼさない1個または一連の設備の集合で小分類（「下水道施設の改築について」（平成15年6月19日付け国都下事第77号国土交通省都市・地域整備局下水道部下水道事業課長通知に定める小分類）以上の単位をいう。

修繕・改築の選定は、対策が必要とされたスパンについて、スパン単位の対策かスパン未満の対策かの判定により行う。修繕・改築の選定による長寿命化計画の検討フローを図2.2.7に示す。

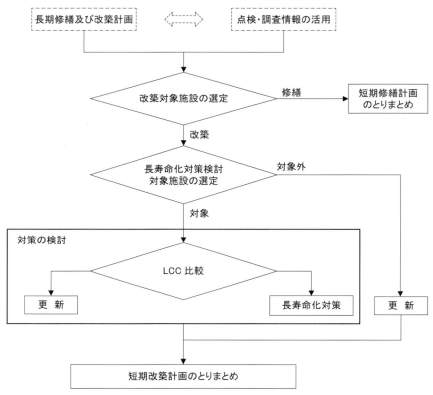

図2.2.7 改築・修繕計画の検討フロー（管路施設）
出典：「下水道維持管理指針 実務編」（2014年版、P130）（公社）日本下水道協会

(2) 修繕工法の分類

 管きょの修繕工法は、施工方法から止水工法、内面補強工法、ライニング工法、レベル修正工法及び部分布設替工法（開削工法）に区分される（図2.2.8参照）。

第 2 章　管路施設の維持管理

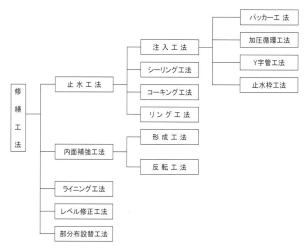

図 2.2.8　修繕工法の分類

出典：「下水道維持管理指針　実務編」（2014 年版、P131）（公社）日本下水道協会

1）止水工法

止水工法（地下水浸入防止）には、注入工法、シーリング工法、コーキング工法、リング工法があり、各工法の概要は、次のとおりである。

ⅰ）注入工法（パッカー方式）

マンホールから注入用パッカーをテレビカメラと共に導入し、補修箇所に設置した後、止水剤を充填してクラック及び継手等を固結止水するものである。中小口径管きょの継手部ゆるみ、取付け部ゆるみ、ゴムリングはずれ、クラック等に対応が可能である。

ⅱ）シーリング工法

粘着性と弾性のある止水材を、補修箇所に貼り付け止水させるものである。止水材には定形と不定形のものがある。管きょ、シールドの継手、コンクリートの打継目等に対応が可能である。

ⅲ）コーキング工法

専用ガンで補修箇所（継手、クラック、小破損箇所等）に直接止水材を充填する工法である。

ⅳ）リング工法

円形状の製品を管きょ内に搬入し、管きょ内部で組み立て加圧して欠陥箇所を覆い止水するものである。管きょ背面に止水材を注入することができる。小口径管きょ、中大口径管きょ、目地切れ、クラック箇所等に対応

が可能である。

2) **内面補強工法**

内面補強工法には、形成工法、反転工法があり、各工法の概要は、次のとおりである。

ⅰ) 形成工法

芯材に硬化性樹脂を含浸させた補修材で管きょ内面を修繕する工法で、中小口径管きょに対応できる。

ⅱ) 反転工法

反転工法は、取付け管及び本管との接合部に補修材を反転方式で設置し、取付け管を補修する工法である。また、反転工法には取付け管と本管の接合部を補修することもできる工法もある。

3) **ライニング工法**

管きょ内面に被覆材を塗付し、劣化度等の箇所を修繕する工法である。腐食による劣化等に対応可能である。

被覆材には、エポキシ系、ポリエステル系等があり、管きょ内部のクラックや欠落部をモルタル等で調整し、樹脂系塗料をハケ、スプレー、コテ、ローラまたはスプレーガン等で直接塗付被覆して修繕する工法である。塗付厚は使用材料によって異なる。

4) **レベル修正工法**

不同沈下等により生じた管きょのたるみを薬液注入工法の原理を用いて管軸変位を修正する工法である。管きょ周辺部への固結材の注入圧によって、地盤を隆起させることにより、管きょを移動させレベルを修正する。その際、周辺への影響に配慮する必要がある。

(3) **修繕の種類**

修繕工事は、施設の損傷状況等により緊急に対応しなければならないものと、時間的にある程度余裕があり、計画的に対応できるものに分類することができる。

1) **緊急的修繕工事**

ⅰ) 住民の生命財産に多大な影響が予想される場合等に緊急に施工する修繕工事

ⅱ) 交通(管路施設の損傷に起因する道路陥没等)及び公衆衛生上緊急を要する修繕工事

ⅲ）損傷負担金工事

　緊急に修繕を要するときは、あらかじめこの事態に備えて夜間及び休日における「緊急連絡体制」（一覧表）を設置しておく。

2）計画的修繕工事

　管路施設が、敷設され、供用されれば、老朽化、機能低下、異常の発生等が生じるのは避けがたいことであり、修繕についても、巡視・点検結果やこれらに基づく各種調査結果等により、修繕計画の策定及び実施を行うことが必要である。

　修繕すべき箇所についての優先度を定める場合、次の事項がその要因となる。

・異常の発生原因、要因の想定結果
・調査結果分析
・施設の構造
・環境要因
・施設の重要度
・維持管理履歴
・築造後の経過年数
・耐用年数、経済効果

　以上の要因を検討し、次のように修繕工事計画をたてて実施する。

ⅰ）長期計画

　2〜5年間を対象とする長期計画をたて、下水道布設図、管理系統図の管網図等に色別に年度計画を表示し、毎年これをローリングしながら年間実施計画をたてる。

ⅱ）年間実施計画

　年間実施計画は、長期計画に基づき、計画されたものを実施段階に至って、再度管路調査等を行い、過年度の実施もれを含めて再度ローリングし、当該年度の順位を定め実施する。

　なお、道路関連修繕工事等については、担当部所と十分調整し、二重投資を避け計画的に実施する必要がある。

(4) 機械器具の保管及び整備

　適切な修繕を行うためには、日頃から修繕用資材や使用する機械器具等の適正な保管及び整備が必要である。

1) 資材の保管
 ⅰ) 小口径管類等の使用頻度の多い資材は、計画的に一括購入し、状況に適応した修繕を行うために、余裕をもって保管しておくことが望ましい。
 ⅱ) 管路施設の不具合による路面陥没の修繕には、道路復旧が伴うため、埋戻し材、砕石、常温合材等の応急復旧材を保管しておくことが必要である。
 ⅲ) 資材置場は、資材別に整理保管し、緊急作業はもちろん日常作業にも支障のないようにしておくこと。

2) 機械器具等の整備
 ⅰ) 修繕用機械器具及び作業車は、作業体制に合わせていつでも稼働できるように整備しておくこと。
 ⅱ) ガス濃度測定器、空気呼吸器等人命に係わる機器については、特に十分な整備・点検を常に実施しておかなければならない。

👍ここがポイント!

改築（管きょ更生工法）からの問題は、例年1問程度出題されている。
必ず出ているので、特に以下の2つの項目は重点的に理解しておくこと。
　①改築の定義
　②改築工法の分類

(1) 改築の定義
1) 改築
　排水区域の拡張等に起因しない「対象施設」の全部または一部の再建設あるいは取り替えを行うこと。改築には「更新」と「長寿命化対策」がある。
　i) 更新：改築のうち、「対象施設」の全部の再建設あるいは取替えを行うこと。
　ii) 長寿命化対策：改築のうち、「対象施設」の一部の再建設あるいは取替えを行うこと。
　注記　長寿命化対策とは、更生工法あるいは部分（「改築通知」に定める小分類未満の規模）取替え等により既存ストックを活用し、耐用年数の延伸に寄与する行為である。

(2) 改築工法の分類
　改築としての工法は、更生工法と布設替工法に分類され、更生工法は更生管の構造の違い等から、自立管、複合管及び二層構造管に分類される（図2.2.9参照）。改築としての更生工法とは、部分的に補修する修繕ではなく、マンホール間の1スパン全体を対象とし、既設管きょを撤去することなく更生するものである。

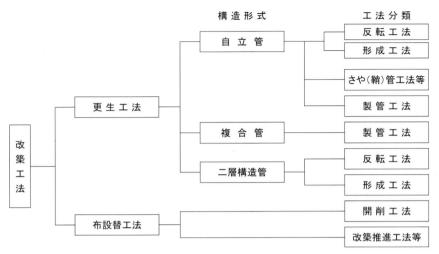

図 2.2.9　改築工法の分類
出典：「下水道維持管理指針　実務編」(2014 年版、P135)（公社）日本下水道協会

1) 更生管の分類

ⅰ) 自立管

　自立管は、管としての形状を保っているが抜き残存強度が期待できない既設管きょを対象とし、更生材単独で自立できるだけの強度を発揮させ、新設管と同等以上の耐荷能力及び耐久性を有するものである。

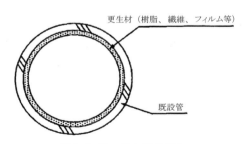

図 2.2.10　自立管の概念
出典：「下水道維持管理指針　実務編」(2014 年版、P135)（公社）日本下水道協会

ⅱ) 複合管

　複合管は、残存強度がある程度期待できる既設管きょを対象とし、既設管と更生材が構造的に一体となって、新設管と同等以上の耐荷能力及び耐久性を有するものである。

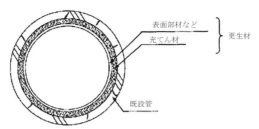

※充てん材：製管工法で既設管内面と製管された表面部材等の開きぎ部に充てんする材料。

図 2.2.11　複合管の概念
出典：「下水道維持管理指針　実務編」（2014 年版、P136）（公社）日本下水道協会

ⅲ）二層構造管

二層構造管は、残存強度を有する既設管きょを対象とし、残存強度を有する既設管とその内側の樹脂等で二層構造を構築するものである。一般的には、腐食や浸入水の対策として使用される。

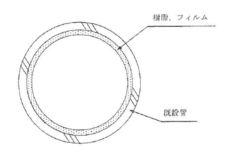

図 2.2.12　二層構造管の概念
出典：「下水道維持管理指針　実務編」（2014 年版、P136）（公社）日本下水道協会

2）更生工法の分類

自立管及び二層構造管は施工方法の違いによって反転工法、形成工法に分類され、複合管は製管工法に分類される。さらに反転・形成工法は、更生管を構築する方法の違いによって３つのタイプに分類される。

ⅰ）反転工法・形成工法（熱硬化タイプ）

含浸用基材（ガラス繊維または有機繊維等）に熱硬化性樹脂を含浸させた筒状の更生材を反転または引込方式により既設管きょ内に挿入し、更生材内部から空気圧や水圧等で既設管内面に密着した状態のまま、温水や蒸気等で樹脂を硬化させて更生管を構築する方式である。

ⅱ）形成工法（光硬化タイプ）

　含浸用基材（ガラス繊維または有機繊維等）に光硬化性樹脂を含浸させた筒状の更生材を引込方式により既設管きょ内に挿入し、更生材内部から空気圧で既設管内面に密着した状態のまま、紫外線を照射して樹脂を硬化させ更生管を構築する方式である。

ⅲ）形成工法（熱形成タイプ）

　既設管きょに挿入可能な変形断面形状にさせた熱可塑性樹脂パイプ（硬質塩化ビニル樹脂、高密度ポリエチレン）を蒸気で軟化させ引込方式により既設管きょ内に挿入し、加熱状態のまま空気圧等で拡張させ、既設管内面に密着した状態のまま冷却養生することで更生管を構築する方式である。

ⅳ）製管工法

　既設管きょ内に表面部材となる硬質塩化ビニル樹脂材やポリエチレン樹脂材等をかん合させながら製管し、製管させた樹脂パイプと既設管の間げきにモルタル等を充てんすることで複合管として一体化した更生管を構築する方式である。

　製管工法には、螺旋型ライニング、組立板材かん合、セグメントかん合による表面部材の製管及び既設管きょとの間げきに充てん材を注入する工法等がある。

　製管工法の中には、現場条件により下水を流下させながら工事が可能となる場合もある。

ⅴ）さや（鞘）管工法

　さや（鞘）管工法は、既設管きょより小さな管径で製作された管きょを牽引挿入し、間げきに充てん材を注入することで管を構築するものである。更生管が工場製品である。既設管きょの断面形状が維持されており、物理的に管きょが挿入できる程度の破損であれば、施工可能である。

3）布設替工法の分類

　布設替工法は、開削工法と改築推進工法に分類される。

ⅰ）開削工法

　地表面より土留めと支保工を施しながら溝を掘削し、その中の既設管きょを新管と入れ替えする工法である。その後、埋め戻して路面を復旧する。比較的浅い下水管きょ埋設に広く用いられる。

ⅱ）改築推進工法

　管きょの布設工事に使用される推進工法の応用で、拡径し既設管きょを破砕して新管を推進押入するか、既設管きょよりひとまわり大きい管きょを外側に抱え込む状態で推進押入し、内側の既設管きょを破砕除去する工法。当工法の場合、既設管きょの増径が可能である。ただし、取付管がある場合は、新たに開削工法または取付け推進工法等による布設替を行う必要がある。

過去問題(平成 28 年)

次は、管きょ施設の修繕工法について述べたものです。最も適切なものはどれですか。
(1) リング工法は、円形状の製品を管きょ内に搬入し、修繕箇所の内側から欠陥箇所を覆い止水する方法である。
(2) コーキング工法は、芯材に硬化性樹脂を含侵させた材料を管きょ内に反転加圧させながら挿入し、熱や光などにより硬化させ劣化箇所を修繕する方法である。
(3) ライニング工法は、管きょ外側に被覆材を塗り付け、劣化箇所を修繕する方法である。
(4) 注入工法は、既設管きょより小さな管径で製作された管きょをけん引挿入し、間げきに充てん材を注入することで管を構築し止水する方法である。

【解説】
(1) については、設問のとおりである。
(2) については、コーキング工法は、専用ガンで補修箇所に直接止水材を充填する工法である。よって不適切である。
(3) については、ライニング工法は管きょ内面に被覆材を塗布し、劣化箇所を修繕する工法である。よって不適切である。
(4) については、注入工法は、注入用パッカーを補修箇所に設置した後、止水材を充填してクラック及び継手等を固結止水する工法である。よって不適切である。
よって(1)が適切である。

【解答】(1)

出典:「下水道維持管理指針　実務編」(2014 年版、P131 〜 133)(公社)日本下水道協会

第2章　管路施設の維持管理

過去問題（令和元年）

次は、管きょ更生工法について述べたものです。最も適切なものはどれですか。
(1) 形成工法は、既設管きょよりひとまわり大きい管きょを外側に抱え込む状態で推進押入し、内側の既設管きょを破砕除去する工法である。
(2) 反転工法は、既設管きょ内に硬質塩化ビニル樹脂材等をかん合させながら製管し、既設管きょとの間隙にモルタル等を充てんすることで一体化した管を構築する工法である。
(3) さや管工法は、既設管きょより小さな管径で製作された管きょをけん引挿入し、間隙に充てん材を注入することで管を構築する工法である。
(4) 製管工法は、含浸用基材に熱硬化性樹脂を含浸させた筒状の更生材を既設管きょ内に挿入し、空気圧等で既設管内面に密着、硬化させて更生管を構築する工法である。

【解説】

(1) については、更生工法の分類によれば、形成工法には、熱形成タイプのほか、光硬化タイプのものがあるが、何れも「…引込方式により既設管きょ内に挿入し、内部から空気圧で既設管内面に密着した状態のまま樹脂を硬化させ更生管を構築する方式である。」とあり、「既設管きょよりひとまわり大きい管を外側に抱え込む状態で推進押入し、…」は改築推進工法の説明であるので、設問の記述は不適切である。
(2) については、反転工法は、「筒状の更生材を反転または引込方式により既設管きょ内に挿入し、更生材内部から空気圧や水圧等で既設管内面に密着した状態のまま、温水や蒸気等で樹脂を硬化させて更生管を構築する方式である。」とあり、「既設管きょとの間隙にモルタル等を充てんすることで一体化し…」は製管工法の説明であるので、設問の記述は不適切である。
(3) については、設問のとおりである。
(4) については、製管工法は、「既設管きょ内に表面部材となる硬質塩化ビニル樹脂材やポリエチレン樹脂材等をかん合させながら製管し、製管させた樹脂パイプと既設管との間げきにモルタル等を充てんすることで、複合管として一体化した更生管を構築するものである。」とあり、「熱硬化性樹脂

を含浸させた筒状の更生材を既設管きょ内に挿入し、空気圧等で…」は熱硬化タイプの反転・形成工法の説明であるので、設問の記述は不適切である。
よって（3）が適切である。

【解答】（3）

出典：「下水道維持管理指針　実務編」(2014年版、P134〜139)（公社）日本下水道協会

過去問題(令和2年)

次は、管きょの更生工法について述べたものです。最も不適切なものはどれですか。
(1) 改築工法は、更生工法と布設替工法に分類され、更生工法は、更生管の構造の違い等から、自立管、複合管及び二層構造管に分類される。
(2) 自立管は、更生材単独で自立できるだけの強度を発揮させ、新設管と同等以上の耐荷能力及び耐久性を有するものである。
(3) 複合管は、既設管の強度を期待しない構造の管であり、既設管と更生材との間隙に裏込め材を充填する。
(4) 二層構造管は、残存強度を有する既設管を対象とし、既設管とその内側の樹脂等で二層構造を構築するものである。

【解説】
(1) については、設問のとおりである。
(2) については、設問のとおりである。
(3) については、「複合管は、残存強度がある程度期待できる既設管きょを対象とし、既設管と更生材が構造的に一体となって、新設管と同等以上の耐荷能力及び耐久性を有する。」とあり、設問の「既設管の強度を期待しない構造」という記述は、不適切である。
(4) については、設問のとおりである。
　　よって (3) が不適切である。

【解答】(3)

出典:「下水道維持管理指針　実務編」(2014年版、P134～136)(公社)日本下水道協会

オリジナル問題①

次は、管きょの機能回復を行うための業務に関する語句の定義について述べたものです。

□□□内に当てはまる語句の組み合わせとして適切なものはどれですか。

施設の一部の再建設あるいは取替え等を行うことを　A　という。

また、排水区域の拡張等に起因しない施設の全部または一部の再建設あるいは取り替えを行うことを　B　という。　B　には　C　と　D　がある。

　C　とは施設の全部の再建設あるいは取替えることをいい、　D　とは、更生工法あるいは部分取替え等により既存ストックを活用し、耐用年数の延伸に寄与するものである。

	A	B	C	D
(1)	修繕	長寿命化対策	更新	改築
(2)	改築	更新	長寿命化対策	修繕
(3)	更新	修繕	長寿命化対策	改築
(4)	修繕	改築	更新	長寿命化対策

【解説】

施設の一部の再建設あるいは取替え等を行うことを 修繕 という。また、排水区域の拡張等に起因しない施設の全部または一部の再建設あるいは取り替えを行うことを 改築 という。

改築 には 更新 と 長寿命化対策 がある。更新とは改築のうち、施設の全部の再建設あるいは取替えを行うことをいい、長寿命化対策 とは、更生工法あるいは部分取替え等により既存ストックを活用し、耐用年数の延伸に寄与する行為である。

よって（4）が適当である。

【解答】（4）

出典：「下水道維持管理指針　実務編」(2014年版、P129～130)（公社）日本下水道協会

第 2 章　管路施設の維持管理

オリジナル問題②

　次は、管路施設の修繕に使用する資材・機械器具等の保管及び整備について述べたものです。最も不適切なものはどれですか。
(1) ガス濃度測定器、空気呼吸器等人命に係わる機器は、特に十分な整備・点検を常に実施しておく。
(2) 管路施設の不具合による路面陥没は頻繁に発生しないため、道路復旧用の埋戻し材、砕石、常温合材等は保管する必要はない。
(3) 小口径管類等の使用頻度の高い資材は、計画的に一括購入し、余裕をもって保管しておくことが望ましい。
(4) 資材置場は資材別に整理保管し、緊急作業はもちろん日常作業にも支障のないようにしておく。

【解説】
(1) については、設問のとおりである。
(2) については、道路陥没の修繕には、道路復旧が伴うため、いつでも稼働できるよう埋戻し材、砕石、常温合材等の応急復旧材は保管しておくことが必要である。よって不適切である。
(3) については、設問のとおりである。
(4) については、設問のとおりである。
　　よって (2) が不適切である。

【解答】(2)

出典：「下水道維持管理指針　実務編」(2014 年版、P134)（公社）日本下水道協会

オリジナル問題③

　次は、管渠の修繕工法について述べたものです。最も不適切なものはどれですか。

(1) コーキング工法は、専用ガンで修繕箇所に止水材を直接充填し止水する工法である。

(2) 注入工法は、管きょのクラックや継ぎ手の不良個所に止水材を注入し止水するものである。

(3) シーリング工法は、クラックや継手の不良個所をはつり、粘着性と弾力性のあるシール材を止水材として貼付け止水するものである。

(4) ライニング工法は、管きょ内に硬化性樹脂等を巻き付けた補修機を挿入し、不良個所に硬化性樹脂等を貼付し、熱や光などにより硬化させるものである。

【解説】

(1) については、設問のとおりである。

(2) については、設問のとおりである。

(3) については、設問のとおりである。

(4) について、ライニング工法は、管きょ内面に被覆材を塗りつけ、劣化度等の箇所を修繕する工法で、腐食による劣化等に対応可能な工法であり、設問の工法は形成工法の説明であり不適切である。

　よって (4) が不適切である。

【解答】(4)

出典：「下水道維持管理指針　実務編」(2014年版、P131〜133)（公社）日本下水道協会

第 2 章　管路施設の維持管理

オリジナル問題④

　次は、管きょ更生工法について述べたものです。最も不適切なものはどれですか。
(1) さや管工法は、既設管きょより小さな管径で製作された管きょをけん引挿入し、間げきに充てん材を注入することで管を構築するものである。
(2) 製管工法は、既設管きょ内に硬質塩化ビニル材等をかん合させながら製管し、既設管きょとの間げきにモルタル等を充てんすることで管を構築するものである。
(3) 反転工法は、熱硬化性樹脂を含侵させた筒状の更生材を反転または引込方式により既設管きょ内に挿入し、空気圧や水圧等で既設管内面に密着させ、温水や蒸気等で硬化させ管を構築するものである。
(4) 形成工法は既設管と同径の管きょを牽引挿入し、既設管を解体しながら更生管を形成する工法である。

【解説】
(1) については、設問のとおりである。
(2) については、設問のとおりである。
(3) については、設問のとおりである。
(4) について、形成工法は、光硬化タイプと熱形成タイプがある。
　光硬化タイプ：含浸用機材に光硬化性樹脂を含浸させた筒状の更生材を引き込み方式により既設管きょ内に挿入し、更生材内部から空気圧で既設管内面に密着した状態のまま、紫外線を照射して樹脂を硬化させ更生管を構築する方式。
　熱形成タイプ：既設管きょに挿入可能な変形断面形状にさせた熱可塑性樹脂パイプを蒸気で軟化させ引込方式により既設管きょ内に挿入し、加熱状態のまま空気圧等で拡張させ、既設管内面に密着した状態のまま冷却養生することで更生管を構築する方法。
　設問の既設管きょよりひとまわり大きい管を外側に抱え込む状態で推進押入し、内側の既設管きょを破砕除去する工法は、布設替工法の改築推進工法である。
　よって（4）が不適切である。

【解答】(4)

出典：「下水道維持管理指針　実務編」（2014 年版、P135 〜 139）（公社）日本下水道協会

3 マンホール

> **👍ここがポイント！**
>
> マンホールからの問題は例年1問程度出題されている。
> 直近5年で出題頻度が高いので、特に以下の7項目は理解しておくこと。
> 　①巡視・点検及び調査
> 　②ふたの状況
> 　③内部の状況
> 　④判定基準
> 　⑤清掃
> 　⑥修繕
> 　⑦改築

(1) 巡視・点検及び調査

　マンホールの巡視は、日常的な維持管理業務の一環であり、維持管理計画に基づいて計画的に実施する必要がある。マンホールふたに関する情報が不足している場合は、最初の巡視実施時にマンホールふたタイプや設置環境属性等の基本情報の把握を行う。

　マンホールの点検及び調査は、一般に管きょの点検及び調査と合わせて実施する。また、管きょの清掃と合わせて実施することも効率的である。

　巡視・点検及び調査頻度については、路線の重要度や腐食環境下にあるもの及び事故・苦情など問題発生状況等の維持管理実績を踏まえて設定するものとする。

　また、作業に当たっては、交通安全、酸素欠乏・硫化水素等の有毒ガス中毒、転落等に十分注意して行う。

マンホールの巡視：基本的にふたを開けず、目視によりふたとその周りの状況
　　　　　　　　　を把握する。
マンホールの点検及び調査：ふたを開けた上で、マンホールふた及び内部の状
　　　　　　　　　　　　　況を目視により把握し、必要に応じて腐食・劣化
　　　　　　　　　　　　　調査を実施する。

(2) ふたの状況

通常、マンホールは公道上に設置されているため、ふたが破損及び摩耗すると通行に危害を及ぼすことになり、また、ふた等のがたつきによる騒音・振動は、付近の住民に多大な迷惑を及ぼすので、ふたの破損及び摩耗、路面との高さの不一致並びに側塊とふたとのズレ等について点検する。また、浮上防止など機能の作動状況等についても点検する。

マンホールふたの点検及び調査は、ふたを開閉し、ふたの表面だけではなく裏面も対象に行い、1) 基本情報　2) 開閉の可否　3) マンホールふたの状態把握　4) 改築を考慮した項目の4項目について行う。

ただし、緊急的な点検及び調査を行う場合は、「開閉の可否」、「改築を考慮した項目」のみでもよい。

1) 基本情報

基本情報では、巡視の場合と同様、道路内での設置位置、道路種別／線形、エリア特性や管路の情報、マンホールふたのタイプを確認し、下水道台帳等と照合する。

基本情報は、目視により行う項目で構成されており、計測を行う項目はない。

2) 開閉の可否

マンホールふた開閉可否の判断は、基本的に人力による開閉とし、対象とするふた専用の開閉工具を用いて、以下の方法によっても開放できない場合を開閉不能とする。

マンホールふたの開閉可否の結果は、記録表に記載する。

ふたと受け枠等の損傷には十分注意して開閉操作を行う必要がある。

3) マンホールふたの状態把握

マンホールふたの状態把握は、機能不足と性能劣化に関する項目で構成される。

機能不足には、目視により行う設置基準の適合性の判定と計測で機能に支障がないか確認を行う。

設置基準の適合性判定には、耐荷重種類別、浮上・飛散防止機能の有無、転落・落下防止機能の有無を判定する。機能支障の項目には、浮上・飛散防止機能の作動、不法投棄・侵入防止機能の作動（専用工具以外の利用でのふたの開閉）及び転落落下・防止機能作動の確認があり、これらの項目の機能が正常に作動するかを確認する。

性能劣化は、ふたの表裏、受け枠の状態等を目視により確認し、模様高さやふたと受け枠の段差等の計測を行う。また、ふたの裏に腐食が確認された場合、リブの腐食部生成物を除去し、残存厚みの計測を行う。

なお、模様高さの計測は、摩耗の不均一性を考慮して、中心1箇所と4方向の合計5箇所による計測の平均により摩耗量を算定することが望ましい。

4）改築を考慮した項目

点検及び調査時には、マンホールふたの改築に必要となる情報を合わせて確認する。

改築に関係する項目は、マンホールの高さ調整部、斜壁があり異常が見られた場合、これらを含めて改築する必要性を記録する。

またマンホールふたの点検及び調査は、ふたを開閉して行うため、マンホール躯体の状態や管口部、流下状況等も合わせて確認を行う。

(3) 内部の状況

マンホールは管きょの維持管理に必要な施設であり、維持管理作業が安全かつ容易に行えるよう、足掛金物等の異常は速やかに補修する必要がある。

点検及び調査作業は、インバートの洗掘、不同沈下、側塊や側壁のクラックやズレ、土砂等の堆積及び接続管きょの管口等の状況を地上から目視により確認、もしくは必要に応じてマンホールに作業員が入孔して確認（マンホール目視調査）する。特に、地下水の高い場合または近接工事、輪荷重、地震等の影響を受けた場合、ブロック等の目地から地下水及び雨水が浸入していることがあるので注意する。また、点検及び調査時は、接続管きょ内についても鏡とライトを使用し、視認できる範囲の状況把握を合わせて行う。

マンホール目視調査では、地上部の安全対策の他、ガス発生等の可能性もある条件下で行われるので、酸素欠乏及び有毒ガス等の対策に充分配慮する必要がある。

目視による点検及び調査の結果より腐食と判定された場合は、中性化試験、圧縮強度試験、鉄筋腐食試験等のうちマンホールの種類や作業条件等に適した試験方法を選定し、腐食の程度及び範囲を把握する。この試験結果により、修繕等の対策を検討する。

なお、副管付きマンホールは、副管に異常がないかも点検する。異常等により取替えが必要となった場合、使用材料が陶管においては硬質塩化ビニル管へ

の取替えを、外副管においては今後の維持管理性を考慮して内副管とする事が望ましい。また、マンホールへの直接取付けで流入落差があり、硫化水素の発生が懸念される場合、内副管の設置を検討する。

表2.3.1　マンホール内部の点検及び調査項目の例

点検及び調査項目		点検及び調査内容
マンホール内部の状況	流下及び堆積の状況	① 滞水、滞流の有無 ② 土砂、竹木、モルタルの有無（工事の残材、不法投棄物等） ③ インバートの形状確認、洗掘、破損の有無 ④ 副管の閉塞、破損の有無
	損傷の状況	① 足掛金物の腐食、がたつきの有無、不足数の確認 ② ブロックの破損、クラック、腐食、ズレ、目地不良の有無 ③ 側壁及び床版の破損、クラック、腐食の有無 ④ 本管及び取付け管の管口不良の有無 ⑤ 不同沈下の有無
	不明水の状況	① 地下水等の浸入の有無
その他		① 悪質下水の流入の有無 ② 有害ガス、臭気の発生の有無

出典：「下水道維持管理指針　実務編」（2014年版、P143）（公社）日本下水道協会

(4) 判定基準

判定基準は、点検及び調査で発見された異常箇所を症状別に分類して施設の危険度や他に及ぼす影響度を評価し、清掃及び修繕・改築の要否並びに対策工法等の選定に使用するものである。

マンホールふたの判定基準一覧表を表2.3.2に示す。

表 2.3.2 マンホールふたの点検及び調査における判定基準

項目				判定ランク				
				A	B	C	D	E
機能不足	設置基準適合性	耐荷重種類別	車道 大型車両の通行あり	T-8	T-14	T-20	—	T-25
			車道 大型車両の通行なし	—	T-8	—	—	T-14 T-20 T-25
			歩道	—	—	—	—	T-8 T-14 T-20 T-25
		浮上・飛散防止機能		機能なし	—	—	—	機能あり
		転落・落下防止機能		機能なし	—	—	—	機能あり
	機能支障	浮上・飛散防止機能の作動		作動しない（錠、蝶番の脱落、固着、腐食減肉が顕著）	—	—	—	正常に作動する
		不法投棄・侵入防止機能の作動（専用工具以外の利用）		容易に開く	—	—	—	正常に作動する（容易に開かない）
		転落・落下防止機能の作動		作動しない	—	—	—	正常に作動する
		開閉機能の作動		人力では開閉不能	勾配面の腐食により開閉困難	食込み力増大による開閉困難	—	正常に開閉可能
性能劣化	マンホールふた	外観（ふた及び受け枠の破損・クラック）		ある	—	—	—	なし
		がたつき		がたつきがある	—	—	—	なし
		表面摩耗（模様高さH）	車道	≦2mm	—	2〜3mm	>3mmかつ鋳肌無	>3mmかつ鋳肌有
			歩道	≦2mm	—	—	2〜3mm	>3mm
		腐食（鋳出し表示の消滅）		—	見えないほど発錆	—	見えるが少し発錆	なし
		ふた・受け枠間の段差	急勾配受け構造 ふたの沈み	≧2mm	—	—	—	<2mm
			急勾配受け構造 ふたの浮き	≧10mm	—	—	—	<10mm
			平受け構造・緩勾配受け構造	≧10mm	—	—	—	<10mm
		高さ調整部の損傷（欠け・充填不良・クラック）		あり	—	—	—	なし
	周辺舗装	損傷（穴、クラック）		どちらもある状態	クラックあり、かつ穴がない	どちらもないが、受け枠と路面との間に隙間ができている	—	なし
		ふたと周辺舗装の段差		≧20mm	—	—	—	<20mm

出典：「下水道維持管理指針　実務編」(2014年版、P148)（公社）日本下水道協会

(5) 清掃

マンホールの清掃に当たっては、作業場所の実情等により最も適した作業方法で行う。

起点マンホール、会合マンホール及び急曲線部等のマンホールでは、土砂等が堆積し臭気など衛生上の問題が生じるため定期的に清掃する必要がある。また、大型ゴミが流入している場合は、いっ水事故及びふたの浮上・飛散事故等が起こるおそれがあるので早期に除去しなければならない。

マンホールの清掃は、一般に管きょの清掃と合わせて実施する。底部の土砂等は管きょの清掃に準じて作業し、側壁の汚れは高圧洗浄車で洗浄する。

清掃頻度については、路線の重要度や事故・苦情など問題発生状況等の維持管理実績を踏まえて設定するものとする。

(6) 修繕

マンホールの修繕に当たっては、損傷や機能低下の状況とその原因等を的確に把握し、適切な処置をする。

マンホールの修繕工法は、施工方法から止水工法、部分修繕工法（開削工法）に区分される。修繕にあたり、修繕目的を明確にし、施工条件等を十分検討の上、最適な工法を選定することが重要である。

次の事項に留意して効果的な修繕工事を実施する。
1) 足掛金物が腐食し、新しいものと取替える必要のあるときは、耐食性のものとし、埋込み長さを十分にとって、引き抜けないようにする。
2) マンホール内部及びインバートの破損または摩耗は、適切な方法で修繕する。
3) 水量及び水質測定用マンホールにあっては、設置してある測定用機器の整備及び調節を定期的に行い、腐食または破損等による不良部品は、その都度取替え、正常な測定ができるようにしておく。

(7) 改築

マンホールの改築に当たっては、損傷や機能低下の状況とその原因等を的確に把握し、適切な処置をする。

1) ふたの改築

マンホールふたの改築工法は開削工法と撤去設置工（機械式）の2つに大別される。マンホールふたの改築工法を選定する際には、各工法の特徴

を踏まえたうえで、経済性に加え、道路の交通量や道路工事の予定の有無等にも配慮する。

ⅰ）開削工法

　本工法は、マンホールふた周囲の舗装版をコンクリートカッタで矩形に切断し、舗装版を撤去した後、既設マンホールふたの撤去と新設マンホールふたの設置を行うものである。マンホールふたの改築前と改築後では、受け枠の設置高さが変わって受け枠と舗装の間に段差を生じることがあるため、高さ調整部の施工には注意を要する。

ⅱ）マンホールふた撤去設置工（機械式）

　本工法は、マンホールふた周囲の舗装版を専用機材で円形に切断し、既設マンホールふたと舗装版を撤去した後、新たなマンホールふたを設置するものであり、低騒音・低振動及び短期間の施工が可能である。再設置したマンホールふたと既設舗装の間は専用モルタル等で充填される。路面との段差調整と受け枠を変形させない受け枠固定のためには、受け枠変形防止用高さ調整部材と無収縮モルタルの使用による確実な施工と調整十分な調整高さが必要となる。特に、大きな高さ調整が発生する場合は、既設舗装との擦り付けが困難となること、また改築前よりも改築後の受け枠高さが高い場合は、調整高さが不足する場合があるので、事前に現地を確認し、必要に応じて斜壁または側壁で調整する等の施工設計をすることが大切である。

　なお、ふたのがたつき、摩耗または破損等が発生しているものは、早急に取替えることとし、加えて集中豪雨等によりふたの浮上・飛散の危険性の高いマンホールにおいては、浮上防止及び転落防止付きのふたに取替えるものとする。

2）躯体の改築

　これまでのマンホール改築は主に開削工法で行われてきた。しかし、市街地においては施工環境条件で開削方法が困難な地域も少なくない。また、管路は非開削の更生工法で施工するが、人孔は開削方法で施工する等の問題もある。工法選定に当たっては、施工環境条件を十分考慮する必要がある。

　マンホールの改築方法には布設替え工法、更生工法、防食工法がある。

　布設替え工法は土留めを用いて掘削し、マンホールを新設する工法である。一般的ではあるが、住宅密集地や商業地域等の環境面や地下埋設物の状況を考慮して、選定することになる。

更生工法には自立タイプと複合タイプがあり、以下の4種類がある。
- ⅰ) 工場で製作した管をマンホール内に挿入するパイプ挿入工法（自立タイプ）
- ⅱ) 既設マンホールの形状に合わせて加工したライナー材に、耐食性樹脂を含浸させ、マンホール内に挿入して膨張させて貼り付ける反転工法（複合タイプ）
- ⅲ) 工場で耐食性樹脂を板状にしたものを貼り付けグラウト材を注入する成型貼付け工法（複合タイプ）
- ⅳ) マンホール内にセラミックタイルを貼り付けるタイル貼付け工法（複合タイプ）

　防食工法はマンホール内面が硫化水素等により腐食劣化している場合に有効である。断面を修復して防食被覆する。以下の3種類の工法がある。
- ⅰ) 工場で成型した板を貼り付けて防食被覆層を形成するシートライニング工法
- ⅱ) 防食性の樹脂等により防食被覆層を形成する塗布型ライニング工法
- ⅲ) 耐硫酸モルタルを吹き付けて防食被覆層を形成する耐硫酸モルタル工法

過去問題(平成 28 年)

次は、マンホールの巡視・点検及び調査について述べたものです。最も不適切なものはどれですか。
(1) 腐食環境下にあるマンホールふたが受枠から浮き上がっているものは、ふたと受枠の腐食が進んでいる状態であり注意を払う必要がある。
(2) 維持管理作業を安全かつ容易に行えるよう、足掛金物の腐食、がたつきの有無を点検する。
(3) マンホールの巡視は、基本的にマンホールのふたを開けて行うため、一般に管きょの点検及び調査と合わせて実施する。
(4) マンホールふたの開閉可否は、基本的に人力により開放できるかどうかで判断する。

【解説】
(1) については、設問のとおりである。
(2) については、設問のとおりである。
(3) については、マンホールの巡視は、基本的にマンホールふたを開けず、目視によりふたとその周りの状況を把握する。よって不適切である。
(4) については、設問のとおりである。
　　よって (3) が不適切である。

【解答】(3)

出典:「下水道維持管理指針　実務編」(2014 年版、P139 〜 141)(公社) 日本下水道協会

過去問題（令和2年）

次は、マンホールの点検及び調査について述べたものです。最も不適切なものはどれですか。
(1) マンホールの点検及び調査は、一般的に管きょの点検及び調査とあわせて実施する。
(2) 腐食環境下にある受枠に急勾配でかん合させるタイプのマンホールふたにがたつきがある場合には、ふたの反転・飛散につながる可能性が非常に高いので、速やかに受枠から取替えを行う必要がある。
(3) マンホールふたの開閉可否の判断は、対象とするふた専用の開閉工具を用いて、人力により開閉できるかどうかで確認する。
(4) 副管を異常等により取り換える必要が生じた場合、内副管においては今後の維持管理性を考慮して外副管とすることが望ましい。

【解説】
(1) については、設問のとおりである。
(2) については、設問のとおりである。
(3) については、設問のとおりである。
(4) については、内部の状況に「（副管の）異常等により取り換える必要が生じた場合、…外副管においては今後の維持管理性を考慮して内副管とすることが望ましい。」とあり、設問の「内副管においては今後の維持管理性を考慮して外副管とすることが望ましい」という記述は、不適切である。よって(4)が不適切である。

【解答】(4)

出典：「下水道維持管理指針　実務編」（2014年版、P139～143）（公社）日本下水道協会

オリジナル問題①

次は、マンホールの修繕工事において留意すべき事項について述べたものです。最も不適切なものはどれですか。

(1) 集中豪雨等によりふたの浮上・飛散の危険性の高いマンホールにおいては、浮上防止及び転落防止付きのふたに取り替える。
(2) マンホールの修繕に当たっては、損傷や機能低下の状況とその原因等を的確に把握し、適切に処置する。
(3) 足掛金物が腐食し、新しいものと取替えるときは、強度のある材質のものとし、埋込み長さを十分にとり、引き抜けないようにする。
(4) 水量及び水質測定用マンホールにあっては、設置してある測定用機器の整備及び調節を定期的に行い、腐食または損傷等による不良部品は、その都度取り替え、正常な測定ができるようにしておく。

【解説】
(1) については、設問のとおりである。
(2) については、設問のとおりである。
(3) については、「足掛金物が腐食し新しいものに取替えるときは、耐食性のものとし、埋込み長さを十分にとって、引き抜けないようにする」となっており設問の「強度のある材質…」がという記述は不適切である。
(4) については、設問のとおりである。
よって (3) が不適切である。

【解答】(3)

出典:「下水道維持管理指針 実務編」(2014年版、P150〜151)(公社)日本下水道協会

4　ます及び取付管

> **ここがポイント！**
>
> ます及び取付管からの問題は例年1問程度出題されている。
> 直近5年で出題頻度が高いので、特に以下の6項目を理解する。
> 　①点検
> 　②調査
> 　③判定基準
> 　④清掃
> 　⑤修繕
> 　⑥改築

(1) 点検

点検頻度については、路線の重要度や事故・苦情など問題発生状況等の維持管理実績を踏まえて設定するものとする。

1) ますの状況及び土砂の堆積の有無

　ますの縁塊、ふたの破損及び亡失は、機能障害の原因となるばかりでなく、事故にもつながるので、その発見に努める。

表2.4.1 ますの点検項目の例

点検項目		点検内容
地表面及びふた等の状況	地表面の状況	① 亀裂，沈下，陥没の有無 ② いっ水の有無 ③ 周辺状況等の確認
	ますふた等の状況	① ふたの破損，摩耗，腐食，がたつき，ズレ，段差，表示，亡失の有無 ② 埋設等の確認
ます内部の状況	流下及び堆積の状況	① 滞水，滞流の有無 ② 土砂，竹木，モルタルの有無 ③ インバートの形状確認，洗掘，破損の有無 ④ 油脂類の付着 ⑤ 侵入根の有無
	損傷の状況	① ブロックの破損，クラック，腐食，ズレ，目地不良の有無 ② 側壁及び床版の破損，クラック，腐食の有無 ③ 取付け管及び排水管の管口不良の有無
	不明水の状況	① 誤接合(雨水又は汚水の流入)の有無 ② 地下水の浸入の有無
その他		① 悪質下水の流入の有無 ② 有害ガス，臭気の発生の有無

出典：「下水道維持管理指針　実務編」(2014年版、P152)（公社）日本下水道協会

2) 取付管の閉塞や損傷の有無

取付管の詰まりや損傷は、家庭や店舗からのビニールや油脂等の投入、土砂の堆積や建設現場でのモルタルの流入、接続不良、車両交通による破損及び他工事による損傷が原因となって、ますからのいっ水及び地表面の沈下となって現れるので、その発見に努める。

(2) 調査

取付管の調査は、点検等により調査が必要と判定された箇所並びに重点的に調査すべきとされた地域等についてテレビカメラ調査を実施する。この調査結果より異常と判定した取付管については、修繕、改築及び事故防止を目的に必要な対策を実施する。

1) ますの調査方法

ますの調査に当たって、形状、構造（現場打コンクリート、コンクリート二次製品）の調査を含め、以下の状況等を目視により調査する。調査の前にはます及び取付管内を洗浄、清掃しておくことが望ましい。

- ますの種類
- ますの内部の状況（側・底塊の腐食、破損、クラック、ズレ、浸入水、浸入根）
- ます、ますふたの埋没状況
- ますと取付管及び宅内排水管の管口状況
- ます内環境（異常な臭気）

2) 取付管の調査方法

　　取付管におけるテレビカメラ調査については、直視用カメラをますから本管に向けて、人力で押し込みながら行い、DVD、CD等の記録媒体に連続的に収録する。発見した異常個所では、テレビカメラの挿入を一旦停止し、異常内容とますの取付管口を始点として測定した位置を的確に文字や音声を含めて収録し、写真撮影も行う。

(3) 判定基準

目視調査等から得られたます及び取付管の状況について、適切な診断・評価ができるように調査判定基準を設ける。

1) ます調査判定基準

　　調査判定基準はます内部の異常の程度をランク付けしたものであり、清掃及び修繕・改築の要否及び対策工法等の選定に使用する。

2) 取付管調査判定基準

　　取付管は、曲管が使用され、急な勾配を持っているので異常現象が本管とは異なり、上下方向のたるみ、蛇行の判定に注意する。

(4) 清掃

ます及び取付管の清掃は、一般に揚泥車（強力吸引車）と高圧洗浄車の組合せを標準とする。清掃頻度については、路線の重要度や事故・苦情など問題発生状況等の維持管理実績を踏まえて設定するものとする。

1) 汚水ますの清掃

　　汚水ますには、ます底に泥だめがないため、清掃は付着した汚物等を高圧洗浄車やケレン棒等でくずして除去する。

2) 雨水ますの清掃

　　本管及び取付管の土砂等は雨水ますより流入することが多いので、計画的に清掃を行う必要がある。泥だめに堆積している土砂等は、高圧洗浄車

より加圧された洗浄水を高圧ホース先端に取り付けたノズルやスプレーガンから噴射させてかくはんし、揚泥車（強力吸引車）の吸引ホースで吸引する。

3) 取付管の清掃

ⅰ) 高圧洗浄車清掃

取付管は、曲り部やソケット部にごみ等が溜まったり、他企業工事による影響及び老朽化による破損や油脂類の付着等により閉塞状態となっている場合もあり、ますの清掃後に高圧洗浄車で取付管の清掃を行うものとする。ますの取付管口にノズルを挿入し高圧洗浄車より加圧された洗浄水を噴射させながら挿入し、閉塞物を貫通させて前進及び後進を繰り返しながら除去する。

ⅱ) ロッド及びワイヤー清掃

特殊鋼製のロッドまたはピアノ線をコイル状に巻いたフレキシブルワイヤーを所定の長さに接続し、その先端に管きょ内の状況に応じたヘッドを取り付け、人力または回転機によりヘッドをら（螺）旋回転させながら、管きょ内を推進及び引戻しを行って、障害物等を除去する方法である。

(5) 修繕

ます及び取付け管の修繕に当たっては、損傷や機能低下の状況とその原因等を的確に把握し、速やかに適切な処置をする。

修繕にあたり、次の事項に留意して効果的な修繕工事を実施する。

1) ますやますふたが破損または亡失しているときは、速やかに修繕または補充する。
2) 取付管周辺の舗装が落ち込んでいる箇所等については、速やかに取付管の調査を行い、損傷有無を確認し、布設替えや緊急的な補修を実施する。
3) 開削により取付管を布設替えするときは、鋭角に屈曲するような布設は避ける。また、取付管の継ぎ手は水密にするとともに、管きょ（本管）内に取付管が突き出さないよう施工する。

(6) 改築

ます及び取付け管の改築に当たっては、損傷や機能低下の状況とその原因等を的確に把握し、速やかに適切な処置をする。

第2章 管路施設の維持管理

過去問題(平成28年)

次は、ます・取付管の調査・清掃・修繕について述べたものです。最も適切なものはどれですか。

(1) ますやますのふたが破損または亡失しているときは、当該箇所を記録し、計画を立て、後日、複数箇所をまとめて修繕または補充する。
(2) 破損した取付管を取り替えるときは、鋭角に屈曲するような布設は避け、継手は水密にするとともに、管きょ内に取付管を突き出すように施工する。
(3) 浸透ますの機能確認は、接続する透水管がある場合は、エアーパッカー等で止水し、注水後定水位法または変水位法で試験する。
(4) 浸透ますの機能低下が認められた場合には、内部に堆積した土砂等を除去し、締固めを行う。

【解説】

(1) については、ますやふたが破損または亡失しているときは、機能障害の原因となるばかりでなく、事故にもつながるので、その発見に努める。破損または亡失しているときは、速やかに修繕または補充することが重要である。設問中の「…当該箇所を記録し、計画を立て、後日、複数箇所をまとめて修繕または補充する。」は不適切である。
(2) については、破損した取付管を布設替えするときは、継ぎ手は水密性にするとともに取付管が本管内に突き出すと流水を妨げたり、管きょの清掃、調査等に支障をきたす原因となるため、管きょ内に取付管を突き出さないように施工する。
また、取付管を布設替えするときは、鋭角に屈曲するような布設は避ける。設問中の「…突き出すように施工する。」は不適切である。
(3) については、設問のとおりである。
(4) については、浸透ますの機能低下が認められた場合には、堆積した土砂や落葉、侵入根等の除去を行う。また大きな機能の低下が認められた場合には、砕石の表面を吸引洗浄する、砕石部分を掘り出し洗浄する、砕石の周囲を掘り起こし砕石の充填範囲を広げる等の処置をする。
なお、浸透ますの床付け面は、浸透能力を低下させる原因となるので締め固めを行ってはならない。設問中の「…締め固めを行う。」は不適切である。

よって（3）が適切である。

【解答】（3）

出典：「下水道維持管理指針　実務編」（2014 年版、P161、P169 〜 171）
　　　（公社）日本下水道協会

過去問題（平成 30 年）

次のうち、ますの点検項目として最も不適切なものはどれですか。
(1) 流入下水の時間変動状況
(2) ふたの破損、亡失の有無
(3) 分流式下水道における誤接合の有無
(4) 油脂類の付着

【解説】
(1) については、一般的に流入下水の時間変動状況は、処理場及びポンプ場における流入量等のデータで確認する。また、上記点検項目例にも含まれず、量的変動項目よりも、その他などにある悪質下水の流入や有毒ガス、臭気の発生といった、実的状況の点検項目が示されている。よって設問の記述は不適切である。
(2) については、設問のとおりである。
(3) については、設問のとおりである。
(4) については、設問のとおりである。
　よって（1）が不適切である。

【解答】（1）

出典：「下水道維持管理指針　実務編」（2014 年版、P151 〜 152）（公社）日本下水道協会

第 2 章　管路施設の維持管理

オリジナル問題①

次は、ます・取付管の清掃について述べたものです。最も不適切なものはどれですか。

(1) 汚水ますには、ます底に泥だめがないため、付着した汚物等は高圧洗浄車やケレン棒等でくずして除去する。
(2) 清掃に使用する洗浄水は、ストレーナ等を通した二次処理水を活用することがよい。
(3) 清掃の頻度は毎年決まった場所を定期的に行うことが効果的である。
(4) 雨ますの泥だめに堆積した土砂等は、高圧洗浄車より洗浄水を高圧ホース先端に取り付けたノズルやスプレーガンから噴射かくはんし、揚泥車で吸引する。

【解説】
(1) については、設問のとおりである。
(2) については、設問のとおりである。
(3) については、清掃頻度については、「路線の重要度や事故・苦情など問題発生状況等の維持管理実績を踏まえて設定するものとする。」と示されている。設問の「毎年決まった場所を定期的に行う…」の記述は不適切である。
(4) については、設問のとおりである。
　　よって（3）が不適切である。

【解答】(3)

出典：「下水道維持管理指針　実務編」(2014 年版、P159 〜 160) (公社) 日本下水道協会

オリジナル問題②

次は、ます及び取付管の修繕について述べたものです。最も不適当なものはどれですか。

(1) 取付管の修繕工法は、開削工法と更生工法があり、施工条件等を十分検討の上、最適な工法を選定することが重要である。
(2) 取付管周辺の舗装が落ち込んでいる箇所等については、取付管の調査を行い、損傷有無を確認し、布設替えや緊急的な補修を実施する。
(3) ますやますふたが破損または亡失しているときは、速やかに修繕または補充する。
(4) 取付管を布設替えするときは、取付管の継ぎ手は水密にするとともに鋭角に屈曲するように布設することが望ましい。

【解説】

(1) については、設問のとおりである。
(2) については、設問のとおりである。
(3) については、設問のとおりである。
(4) については、取付管を布設するときは、鋭角に屈曲するような布設は避ける。また、取付管の継ぎ手は水密にするとともに、管きょ（本管）内に取付管が突き出さないよう施工する。設問の「鋭角に屈曲するよう布設することが望ましい。」は不適切である。

よって（4）が不適切である。

【解答】（4）

出典:「下水道維持管理指針　実務編」(2014年版、P161)（公社）日本下水道協会

5 伏越し

> **👍 ここがポイント!**
>
> 伏越しからの問題は例年1問程度出題されている。
> 直近5年で出題頻度が高いので、特に以下の6項目を理解する。
> ①点検
> ②調査
> ③判定基準
> ④清掃
> ⑤修繕
> ⑥改築

(1) 点検

伏越しは、その特性を把握し、次のとおり点検する。

伏越しの点検は、管きょの点検、マンホールの点検及び調査に準じて行うが、伏越しの特性を留意して行うことが重要である。

1) 水位等の状況

伏越し管きょは常に満流となっており、上流部の伏越し室は、浮遊物及び土砂等が滞留、堆積しやすい構造となっているため水位の状況(上下流の水位差)及びこれらの腐敗による施設の腐食やガス発生の危険について点検する。

2) ゲート等の状況

伏越し室は、ゲート、角落し等が設置してあるものが多いので、常に使用できるように点検する。

3) 表示板の状況

伏越しには、維持管理をしやすくするとともに、その箇所を明示するための表示板が設置してあるので、その破損、亡失について点検する。

表 2.5.1　伏越しの点検項目の例

点検項目	点検内容
流下の状況	①上下流伏越し室の水位差の確認 ②浮遊きょう雑物の滞留の有無
施設の状況	①ゲート、角落し等の動作不良の確認 ②柵、立て札の破損、亡失の有無

出典:「下水道維持管理指針　実務編」(2014年版、P162)
　　　(公社)日本下水道協会

(2) 調査

伏越しの調査は、点検等により調査が必要と判定された箇所及び一定の周期により計画された箇所等について目視調査及びテレビカメラ調査を実施する。この調査結果より異常と判定した伏越しについては、修繕及び事故防止を目的に必要な詳細調査を実施する。

1) 点検結果による視覚調査

伏越しの調査は、管きょの調査とマンホールの点検及び調査に準じて行うが、小口径管きょで、コスト削減、伏越し室の土砂、スカム等の堆積及び浮遊をなくすとういう点から採用される改良型伏越し（ベンド管を用いた伏越し）の調査には、テレビカメラ搭載車が用いられるが、使用されたベンド角（ベンド管の角度・曲率）に留意して行うものとする。

2) 腐食・劣化調査

伏越しは、流入下水の長期滞留により、管きょ内の空気の流れを止めてしまう施設であることから、自然換気が抑制され、伏越し上流マンホール部で流れの乱れにより放散された硫化水素ガスが上流管きょ気相部内で滞留し、コンクリート腐食に至ることが知られている。よって、伏越し上流マンホールに流入する自然流下管路施設も合わせて調査することが望ましい。

(3) 判定基準

点検及び調査の判定基準は異常箇所の程度をランク付けしたものであり、清掃や修繕の要否、修繕工法等の選定に使用する。

伏越しについては、管きょの判定基準に準じる。

（4）清掃

伏越しは構造上、常に下水が溜った状態にあり、土砂やスカム等も溜まりやすい。

このため、定期的な清掃を実施し、いっ水、悪臭、合流式下水道における雨天時の白色固形物（オイルボール）やスカム流出等の問題を未然に防止する必要がある。

伏越し部の作業に当たっては十分な事前調査を行い、現場状況を十分に考慮した清掃方法を選定するとともに、酸素欠乏や硫化水素による危険性が高いので安全管理に十分考慮された作業計画を作成することが重要である。

1）伏越しの水替え

伏越しの水替えで使用する水中ポンプ及び発動発電機は、流入水量と揚程等を考慮して適切な機種を選定し、余裕のある水替え計画を立てる。水替え方法は伏越し管きょの構造により次の方法がある。

ⅰ）複管形式の場合

清掃する側は角落とし等で上流からの流入水を遮断し、下流側に設置した水中ポンプで排水する。

ⅱ）単管形式の場合

上流からの流入水を角落とし等で遮断し、伏越し内への流入水を止めた後、上流からの水を水中ポンプで下流マンホールへ切り廻す。伏越し内の滞留水は、複管式と同様に排水する。なお、単管形式では、流入水量によりポンプを選定するため、事前調査時でその流入水量を把握することが重要である。

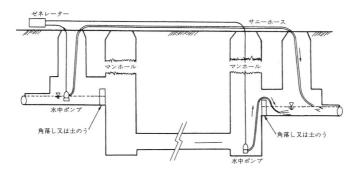

図 2.5.1　水替作業の例（単管形式の場合）

出典：「下水道維持管理指針　実務編」（2014 年版、P164）（公社）日本下水道協会

2）伏越しマンホールの清掃

表 2.5.2　清掃方法の適用範囲

清掃方法	適　用　範　囲
吸引車清掃	吸引車を用いて作業する伏越しマンホール内の清掃
人力清掃	吸引車による清掃作業が困難な場合は、作業員がマンホール内に入って、クレーン付トラックを用いて作業する伏越しマンホール内の清掃

出典：「下水道維持管理指針　実務編」（2014 年版、P165）（公社）日本下水道協会

ⅰ）吸引車清掃

　作業員が管きょに入り、吸引車を用いて作業する。

ⅱ）人力清掃

　吸引車による清掃が困難な場合、マンホールに作業員が入り、堆積している土砂等をバケット等に積込み、クレーン付トラックで地上に搬出し、ダンプトラック（有蓋車）に積込む。

ⅲ）その他

　掻き揚げ機を取付けた特殊車両で、マンホール内に堆積している土砂等をつかみ上げる作業が行われている。

3）**伏越し管きょの清掃**

　ⅰ）伏越しマンホールの清掃と合わせて実施する。

　ⅱ）人力または、機械（高圧洗浄車・吸引車）を組合わせ、作業場所の実情等により最も適した作業方法で作業を行う。

　ⅲ）揚程が 20m を超える場合は、特殊強力吸引車を使用すると効率が良い。

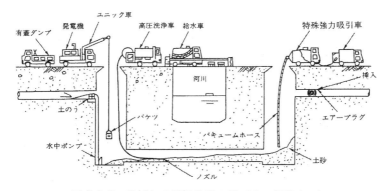

図 2.5.2　伏越しの清掃作業の例（小口径管きょ）
出典：「下水道維持管理指針　実務編」（2014年版、P165）（公社）日本下水道協会

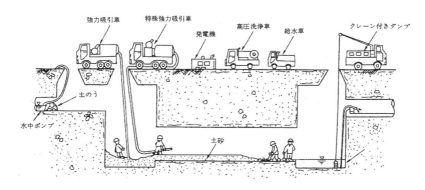

図 2.5.3　伏越しの清掃作業の例（大口径管きょ）
出典：「下水道維持管理指針　実務編」（2014年版、P166）（公社）日本下水道協会

（5）修繕

　伏越しの修繕に当たっては、損傷や機能低下の状況とその原因等を的確に把握し、速やかに適切な処置をする。

　伏越しは土砂等が堆積しやすく硫化水素ガスが発生しやすいので、適切な防食処置を講じる。

（6）改築

　伏越しの修繕に当たっては、損傷や機能低下の状況とその原因等を的確に把握し、速やかに適切な処置をする。

　伏越しの改築は、管きょの改築とマンホールの改築に準じて行うが、伏越し

は常時満流状態で点検・調査が困難な管路施設であり、改築に当たっては、維持管理性の問題や工事の実施における下水の切替え等煩雑な準備作業を有する等の施工性の問題を解消するため、バイパス管、二条管、改良型伏越しへの改造及び分配調整が可能なマンホール構造の検討も合わせて行うことが望ましい。

過去問題(令和元年)

次は、伏越しの点検、清掃について述べたものです。最も不適切なものはどれですか。
(1) 伏越しの流下能力が低下してくると、上下流の伏越し室の水位差が大きくなってくるので、その状況を点検する。
(2) 伏越しは構造上、常に下水が溜まった状態にあるため、清掃時の酸素欠乏や硫化水素による危険性は少ない。
(3) 伏越し管きょの詰りによる清掃作業は、路上作業を基本とする。
(4) 清掃頻度は、路線の重要度や事故・苦情など問題発生状況等の維持管理実績を踏まえて設定する。

【解説】
(1) については、設問のとおりである。
(2) については、「伏越しは構造上、常に下水が溜まった状態にあり、土砂やスカム等も溜まりやすい。…酸素欠乏や硫化水素による危険性が高いので…」とあり、「清掃時の酸素欠乏や硫化水素による危険性は少ない」という設問の記述は不適切である。
(3) については、設問のとおりである。
(4) については、設問のとおりである。
よって (2) が不適切である。

【解答】(2)

出典:「下水道維持管理指針 実務編」(2014年版、P162〜164)(公社)日本下水道協会

6　保護及び防護

> **ここがポイント！**
>
> 保護及び防護に関する問題は、例年1問程度出題されている。
> 特に以下の4項目を理解する。
> 　①施設の保護
> 　②施設の防護
> 　③施設の一時使用
> 　④損傷行為に対する措置

(1) 施設の保護

管路施設に影響を及ぼすおそれのある近接工事は施設に影響しないように行わせる必要がある。

1) 近接工事の把握

ⅰ) 管路施設の付近で行われる他工事については、施工通知（照会）を提出させる。

ⅱ) 工事による管路施設の構造及び機能の保全に対する支障や影響の有無を判定し、必要な場合施設の保護を図らせる。

ⅲ) 工事着工から完成に至るまで立会い・パトロールにより、管路施設への影響の有無を確認し、損傷等が生じた場合には復旧させる。

2) 無届工事への対処

ⅰ) 無届工事を把握するためには点検パトロール等を充実させる必要がある。点検パトロール中等に発見した場合は、ただちに届け出るよう指導する。

(2) 施設の防護

近接他工事による掘削工事等の施工に伴い、既に設置されている管路施設の構造及び機能の保全に支障が生じる場合、またはそのおそれがある場合は、事前に十分な協議を行い、他工事の施工者または下水道管理者がとるべき施設の防護措置を明確にするとともに立会、埋設物の種類、位置（平面・深さ）、規格、構造等を目視により確認し、現状写真等を要求し、施設に係わる事故の防止に万全を図ることが大切である。

1) **防護工事**

　防護方法は、管路施設の規模、管種、構造及び排水量等を勘案し、吊り、受け、巻立て防護を原則とし、それにより難しい場合は管種変更、仮設管布設または移設を行わせているのが一般的である。

　ⅰ）吊り、受け防護

　　掘削内及び影響範囲内の管路施設は吊りまたは受け構造により防護する。

　ⅱ）巻き立て防護

　　施設をそのまま吊り、受け防護しては不適当な場合、または土被りが浅い場合等にはコンクリート等で巻き立て防護を行う。

　ⅲ）管種変更

　　既設管路のままで吊り、受け防護が不適当な場合は、管種を変更して布設替を行い防護する。

　ⅳ）仮設管布設

　　他工事の施工中、代替施設として、鋼管、塩化ビニル管等で仮排水管を布設する。

　ⅴ）移設

　　管路施設が他工事の構造物に支障がある場合または吊り、受け防護が不適当な場合は、影響範囲外または他路線へ位置を変更して布設替する。

　管路施設に近接して推進工法等の特殊工法で行われる他工事については、施設の状況、施設と他構造物との間隔、土質の状況等を詳細に調査させ、施設に悪影響を及ぼさない施工方法を検討させるとともに、必要に応じて地盤改良等により、施設を防護させることもある。

2) **立会い及び日々の巡回点検**

　管路施設の保全を図るため、他工事の進捗状況に応じて、立会い及び巡回点検により、施設の機能をチェックし、監視と指導を行う必要がある。立会いは、次に示す時期に行う。

　ⅰ）試掘調査のとき

　ⅱ）施設に近接して杭、矢板を打ち込むときまたは引き抜くとき、せん孔等を行うとき

　ⅲ）施設が露出するとき

ⅳ）露出した施設が既に破損していたとき
ⅴ）防護措置が完了したとき
ⅵ）路盤工事が完了したとき
ⅶ）協議した事項について確認を要するとき
ⅷ）施設が損傷を受けたとき及び復旧工事の確認

(3) 施設の一時使用

管路施設を一時的に使用させる場合は、施設の維持管理に支障がないように必要な措置を講じるとともに、排水区域内においては、下水道使用料金を徴収する。なお、無届けで一時使用していないかどうか巡視する必要がある。

1) 一時使用の申請

土木、建築工事現場、現場事務所、仮設宿舎及び電話、電気、ガス等のマンホールからの排水を下水道施設に受け入れるときは、短時間であっても施設の維持管理に支障がないかを判断し、支障があるときは必要な措置をとらせる。施設の一時使用に対し、条例等に基づいて申請させ、その行為を把握して指導及び監視することが必要である。

2) 一時使用に伴う措置

ⅰ）施設に支障となる排水に対する措置

土砂を含む排水及びコンクリートやモルタルを含む排水に対しては、沈殿槽を設置させる。ベントナイト液や各種薬液注入に使用した排水に対しては、凝集沈殿し、処理させる。pH値の異常な排水はpH調整させる。浮遊物、pH等は、あらかじめ受け入れられる基準値を設定し、水質試験は適宜実施させる。

ⅱ）接続方法

工事排水、事務所及び仮設宿舎等からの雑排水等の汚水については、施設に支障のない方法で接続させる。なお、雨水を直接河川等に放流する管路施設には、接続させてはならない。

ⅲ）流域下水道管理者との協議

流域関連公共下水道の一時使用の許可に当たっては、その水量、水質等は、流域下水道の維持管理に関連するので、連絡方法、内容及び水質の基準値の設定等について、流域下水道管理者とあらかじめ協議し、定めておく。

（4）損傷行為に対する措置

施設の損傷には、他工事による物理的損傷と工事中の一時排水に起因する機能的損傷及び化学工場やメッキ工場等の強酸・強アルカリ排水等による損傷がある。施設が損傷を受けた場合には、原因を探求し、施設の損傷と機能の回復を図る。復旧費用については原因者に負担を求める。

1）原因者の確認及び措置

原因者が判明したときは、後々原因者とのトラブルをさけるため、立会いのうえ、損傷事実調査書、確認書等の作成により、損傷の事実を確認させることが大切である。

2）復旧工事の施工承認

原因者より復旧工事施工の申請があり、かつ緊急に施工する必要がある等、相当の理由が認められる場合は、施工の信頼性、迅速性、効率性を検討の上、承認することがある。

過去問題(平成 29 年)

次は、下水道施設を一時使用させる場合の措置について述べたものです。最も不適切なものはどれですか。

(1) ベントナイト液や各種薬液注入に使用した排水は、凝集沈殿し、処理させる。
(2) 土砂を含む排水やモルタルを含む排水に対しては、沈殿槽を設置させる。
(3) 水素イオン指数(pH)値の異常な排水は、pH調整して排水させる。
(4) 事務所及び仮設宿舎の雑排水については、雨水を直接河川等に放流する管路施設に接続させる。

【解説】
(1) については、設問のとおりである。
(2) については、設問のとおりである。
(3) については、設問のとおりである。
(4) については、「工事排水、事務所及び仮設宿舎等からの雑排水等の汚水については、施設に支障のない方法で接続させる。なお、雨水を直接河川等に放流する管路施設には、接続させてはならない。」とされており、設問中の「…雨水を直接河川等に放流する管路施設に接続させる。」は不適切である。

よって (4) が不適切である。

【解答】(4)

出典:「下水道維持管理指針 実務編」(2014 年版、P221、P223)(公社) 日本下水道協会

過去問題（令和元年）

次は、近接施工に対する管路施設の保護及び防護について述べたものです。最も不適切なものはどれですか。
(1) 管路施設の付近で行われる他工事については、立会い・パトロールにより、施設への影響の有無を確認する。
(2) あらかじめ施工通知のない無届工事を点検・パトロール中等に発見した場合は、直ちに届け出るように指導する。
(3) 管路施設の保全を図るため、他工事施工者の求めに従い、立会い及び巡回点検により、施設の機能をチェックする。
(4) 立会いは、試掘調査時や施設が露出するとき、防護措置が完了したとき等に行う。

【解説】
(1) については、設問のとおりである。
(2) については、設問のとおりである。
(3) について、管路施設の保全を図るため、他工事の進捗状況に応じて、立会い及び巡回点検により、施設の機能をチェックし、監視と指導を行う必要があり「他工事施工者の求めに従い、…」という設問の記述は不適切である。
(4) については、設問のとおりである。
　　よって（3）が不適切である。

【解答】(3)

出典：「下水道維持管理指針　実務編」(2014年版、P200～201、P218)
　　　（公社）日本下水道協会

7 マンホール形式ポンプ場

> **👍 ここがポイント！**
>
> マンホール形式ポンプ場からの問題は、例年1問程度出題されている。必ず出ているので、特に以下の3項目を理解する。
> ① 構造概要について
> ② 点検及び整備について
> ③ 操作について

(1) 構造概要について

1) マンホール形式ポンプ場は、ポンプ設備（2台設置で1台予備）、電気設備及び組立マンホールから構成される。また、ポンプ設備は着脱式水中汚水ポンプ等からなる。
2) ゲート設備は、次の理由により設置しない。
   ⅰ) マンホール内には水中汚水ポンプ駆動用電動機（乾式水中型誘導電動機）のほかに電気設備がなく、マンホールが冠水した場合でも機器等への支障がない。
   ⅱ) 水中汚水ポンプは着脱式を原則とするため、流入汚水を止水せずにポンプの補修・点検等が行える。
   ⅲ) 流入汚水を止水する必要が生じた場合でも、止水栓等での対応が可能である。
3) スクリーン設備は次の理由により設置しない。
   ⅰ) 閉塞しにくいタイプの水中汚水ポンプを採用している。
   ⅱ) 設置スペースがない。
4) マンホール形式ポンプ場に自動通報装置等を設置し、各マンホール形式ポンプ場の監視、警報受信、運転記録を行う。

(2) 点検及び整備について

マンホール形式ポンプ場の機能を保持するため、各設備の点検・整備を適正に行う。点検・整備として以下の項目を実施する。

1) **巡回点検**

   流入量、設置場所、設置環境、（飲食店の有無）等により巡回点検の回数

を決定するが、運転状況の状態により巡回点検の回数を見直す。

設備の状態、マンホール内の油脂、スカムの状態等を目視点検、記録する。また、状況により高圧洗浄、水位計の清掃を行う。

2) 定期点検

ポンプの引上げ等を行い設備の状態を正確に確認し、機器の性能を維持することを目的に、1年に1回潤滑油交換、水位計の校正そのほかの整備点検を行う。

3) オーバーホール

ポンプの性能維持のため、定期的、計画的にオーバーホールを実施する。また、更新との経済性も十分検討すること。（運転時間、経年劣化を考慮し、3箇年～5箇年を基準に実施する。）

4) 清掃

マンホール内の油脂分、スカムの除去のため、計画的に高圧洗浄、汚物吸引清掃を実施する。（1箇年に1回程度）

(3) 操作について

1) ポンプはマンホール内汚水が計画水位に達すると、自動運転にて始動、停止する。個々のポンプの始動頻度をできるだけ小さくするとともに、2台のポンプの総運転時間をできるだけ均等にするため、交互運転を実施する。

　一方、ポンプ計画吐出し水量より大きな汚水の流入に備え、マンホール内水位を下げる目的で、2台目のポンプを並列に運転させることが望ましい。2台目のポンプの始動水位は高水位警報に達する前に、マンホール内位が下げられるよう、マンホール深さが若干深くなっても高水位警報水位と区別することが望ましい。

　予期せぬ水位計の故障時に備えて、常時使用する水位計とは別のバックアップ用水位計を設置することが望ましい。

　なお、ポンプ計画吐出し水量をポンプ1台分で送水できるようにしているため、並列運転時においては、ポンプ2台分の水量までは確保できないので注意する。また、並列運転を実施すると契約電力が大きくなるので留意する。

2) マンホール内に滞留する汚水量が多いと、スカムの発生が多くなる。ポンプの吸込み部に吸込みノズルを取付け、残留汚水がほとんどなくなるまでポンプを運転することで、スカムの発生をできるだけ少なくし、マンホール内の清掃の負担を低減することができる。

過去問題(平成28年)

次は、マンホール形式ポンプ場の維持管理について述べたものです。最も不適切なものはどれですか。

(1) 異常時には、施設水没の可能性もあり、自動通報装置を設置し、通報を受けた運転操作員が現場に急行し対策を実施できる体制を整えておく。
(2) 巡回点検では、設備の状態、マンホール内の油脂、スカムの状態等を目視点検記録し、状況により高圧洗浄、水位計の清掃を行う。
(3) マンホール内の残留汚水がほとんどなくなるまでポンプを運転することで、スカムの発生をできるだけ少なくし、マンホール内の清掃の負担を低減することができる。
(4) 2台のポンプは、常用と予備に区別し、通常は常用ポンプのみで運転を行い、予備ポンプは常用ポンプ故障時に使用できるようにしておく。

【解説】
(1) については、設問のとおりである。
(2) については、設問のとおりである。
(3) については、設問のとおりである。
(4) について、個々のポンプの始動頻度をできるだけ小さくするとともに、2台のポンプの総運転時間をできるだけ均等にするため、交互運転を実施する。設問の「通常は常用ポンプのみで運転を行い〜」という記述は不適切である。
よって(4)が不適切である。

【解答】(4)

出典:「下水道維持管理指針 実務編」(2014年版、P460〜463)(公社)日本下水道協会

第 2 章　管路施設の維持管理

オリジナル問題①

次は、マンホール形式ポンプ場の維持管理について述べたものです。最も不適切なものはどれですか。

(1) マンホール内には、一般に、水中汚水ポンプ駆動用電動機のほかに電気設備がなく、マンホール内が冠水した場合でも機器等への支障がないため、ゲート設備は設置しない。
(2) 2台のポンプの総運転時間をできるだけ均等にするため、交互運転を実施する。
(3) マンホール形式ポンプ場の点検回数は、下水道法に年1回以上と定められているので、地域の実情や建設後の経過年数等に応じて年間の点検回数を設定する。
(4) 予期せぬ水位計の故障時に備えて、常時使用する水位計とは別のバックアップ用水位計を設置することが望ましい。

【解説】

(1) については、設問のとおりである。
(2) については、設問のとおりである。
(3) について、巡回点検は流入量、設置場所、設置環境（飲食店の有無）等により巡回点検の回数を決定するが、運転状況の状態により巡回点検の回数を見直すとあり、設問の「下水道法に年1回以上と定められている」という記述は、不適切である。
(4) については、設問のとおりである。
　　よって（3）が不適切である。

【解答】（3）

出典：「下水道維持管理指針　実務編」（2014年版、P460〜462）（公社）日本下水道協会

8　管路施設における硫化水素による腐食及び防止対策

👍ここがポイント！

管路施設における硫化水素による腐食及び防止対策についての問題は、例年1問程度出題されている。
必ず出ているので、特に以下の2項目について理解する。
　①コンクリート腐食のメカニズム
　②腐食の防止対策

　下水道施設内では、硫化水素に起因する硫酸腐食が特徴的に見られ、一般的に下水道分野で腐食と言えば、コンクリート構造物の硫酸腐食を指すことがほとんどである。したがって、腐食するおそれが大きい材質はコンクリート、腐食の種類は硫酸腐食を基本とする。

(1) コンクリート腐食のメカニズム

①嫌気性状態の下水中や汚泥中における硫酸塩還元細菌の活動により硫酸塩（SO_4^{2-}）からの溶存硫化物（H_2S、HS^-、S^{2-}）の生成（生物学的作用）
②液相から気相へ硫化水素（H_2S）ガスの放散（物理学的作用）
③密閉されたコンクリート構造物の気相部内面の結露水中における好気性の硫黄酸化細菌の活動により、硫化水素ガスから硫酸の生成（生物学的作用・化学的作用）

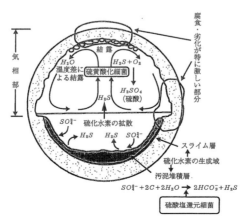

図 2.8.1　下水道施設に特有な硫酸によるコンクリート腐食の概念図
出典：「下水道維持管理指針　実務編」(2014 年版、参考 3　P266)（公社）日本下水道協会

④硫酸とコンクリート中の成分との反応により、コンクリートが劣化（化学的作用・物理学的作用）
⑤管路施設において、流れの乱れによる激しい気液混合が生じる場所はコンクリート腐食が生じやすいため、重点的に巡視・点検する必要がある。
　ⅰ）段差・落差の大きい箇所の気相部
　ⅱ）伏越し管の上流部・下流吐き出し部の気相部
　ⅲ）ビルピット排水管の接合部の気相部
　ⅳ）圧送管の吐き出し部の気相部
　ⅴ）圧送管の空気弁付近

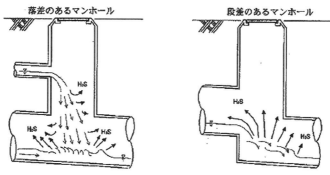

図　硫化水素の気相への放散が発生しやすい箇所
出典：「下水道維持管理指針　実務編」（2014年版、参考3　P267）（公社）日本下水道協会

（2）腐食の防止対策
1）腐食環境条件の設定
　硫化水素ガスは、人体への毒性が強く、金属やコンクリートを腐食する性質があり、実際の臭気発生現場では、周辺環境・住民への臭気対策、作業空間の快適性のほかに、作業者及び近隣住民の健康への影響、施設・機器への腐食等においても問題になりやすい。
2）管路施設の場合の腐食環境条件
　鉄筋コンクリート管は硫化水素ガスの発生状況や管きょの埋設状況、メーカーや管径により鉄筋被りが異なるため、現地で検出された硫化水素ガス濃度測定結果を尺度として、腐食環境条件を設定できるような定義もなされている。さらに、施設の立地条件と環境条件を考慮した分類方法も提案されている。

表 2.8.1　管路施設の場合の腐食環境条件

分類	腐食環境条件	摘要
Ⅰ種	硫化水素の発生要因近傍で、硫化水素ガスの滞留が多く、腐食が厳しい環境（維持管理上、発生源対策を必要とする）。	放置した場合、供用年数10年未満で劣化度Aランクに達する腐食環境を想定。
Ⅱ種	硫化水素の発生要因に近傍し、硫化水素ガスの滞留があり、腐食速度が緩やかな環境（発生源対策を必要とする場合としない場合がある）。	放置した場合、供用年数10年未満で劣化度Bランクに達する腐食環境を想定。
Ⅲ種	硫化水素の発生要因に近傍しているが、硫化水素ガスの滞留が少なく、腐食速度が小さい環境。	放置した場合、供用年数10年未満で劣化度Cランクに達する腐食環境を想定。

出典：「下水道維持管理指針　実務編」（2014年版、参考3　P268）（公社）日本下水道協会

表 2.8.2　劣化度と腐食状況の程度

劣化度	腐食状況の程度
Aランク	鉄筋が露出している状態
Bランク	骨材が露出している状態
Cランク	コンクリート表面が荒れた状態

出典：「下水道維持管理指針　実務編」（2014年版、参考3　P269）
　　　（公社）日本下水道協会

3）腐食対策の基本方針

　管路施設において、対策の基本方針としては、発生源対策から防食まで、対応可能なあらゆる方法が盛り込まれており、最も厳しいⅠ種に対しては、発生源対策と強酸性の管材の併用が必要となっている。また、Ⅱ種より緩和な環境においては、内面ライニング材等の対策も可能であることが示されている。

表 2.8.3　管路施設の腐食箇所における対策の基本方針

分類	要因	圧送管吐出し先	ビルピット	多量の溶存硫化物を含む排水	長大伏越し
Ⅰ種	環境	耐強酸性の管材等の採用のみでは対応が困難で空気注入や酸素注入、薬品添加等の発生源対策の併用が不可欠な環境			
	対策	発生源対策と耐強酸性の管材等を併用する。			
Ⅱ種	環境	維持管理面や周辺地域環境条件等により発生源対策を併用する必要がある場合と、発生源対策を必要とせず耐強酸性の管材のみで対策が十分な環境。			
	対策	・耐強酸性を有する管材を使用する。 　（樹脂あるいはセラミック材料等により管材が構成されている材料） ・耐強酸性を有する材料をコンクリート管の内面に被覆し一体化する。 　（樹脂やセラミック材料あるいはシートをコンクリート内面にライニングしたもの）			
Ⅲ種	環境	防菌・抗菌コンクリート等の防食材料が使用可能な環境。			
	対策	耐強酸性の管材や硫黄酸化細菌の増殖抑制効果を有する防食材料を使用する。 （樹脂やセラミックの管材等や防菌・抗菌コンクリート）			

出典：「下水道維持管理指針　実務編」（2014 年版、参考 3　P270）（公社）日本下水道協会

4）腐食対策の基本的な分類

ⅰ）発生源対策

　管内の下水が嫌気性となり、硫酸塩還元細菌の活動が活発となって、硫化水素ガスが発生しやすい環境になるため、硫酸塩還元細菌の活動を抑制する技術として、空気注入や酸素注入等の対策が実用化されている。

ⅱ）腐食抑制技術

　硫酸を生成する硫黄酸化細菌の活性抑制技術として、換気・脱臭等による気相中の発生硫化水素ガスの低減、コンクリートやモルタルへの硫黄酸化細菌の活動を阻害する防菌材・抗菌剤の添加等の技術がある。さらに、防食としては、管材自体に耐酸性の高い素材を用いるほか、コンクリート表面への被覆工法技術が実用化されている。

表 2.8.4 腐食対策の分類と対策技術

腐食対策の分類	対策の主眼	原理と対策
(1) 発生源対策	下水中の硫酸イオン濃度の低下	硫化水素生成ポテンシャルの低下： ・工場排水・温泉排水等の規制、海水侵入の防止
	下水あるいは汚泥中の硫化物生成の抑制・固定	嫌気性化防止： ・圧送管への空気注入、酸素注入、硫酸塩注入等 ・伏越し管の構造変更 ・ビルピット対策 ・自然流下管きょでの再曝気、沈殿物の排除、コンクリート表面の洗浄、フラッシング 液相中の硫化物の酸化・固定化： ・塩化第二鉄注入、ポリ硫酸第二鉄注入
(2) 腐食抑制	硫化水素の気相中への放散防止	硫化水素の放散を抑制する構造： ・合流部の攪乱防止 ・段差、落差の解消
	硫酸を生成する硫黄酸化細菌の活動抑制	気相中の硫化水素ガスの希釈・除去： ・換気・脱臭 コンクリート表面の乾燥： ・換気 硫黄酸化細菌の代謝抑制： ・コンクリートへの防菌剤、抗菌剤混入
(3) 防食	耐硫酸性材料	耐硫酸性材料による製品 ・FRPM 管、塩ビ管、セラミックパイプ ・レジンコンクリート製品 ・塩ビ製小型マンホール
	コンクリートの耐硫酸性向上及び表面被覆	コンクリート自体の耐硫酸性向上 ・耐硫酸性コンクリート コンクリート表面の被覆 ・塗布型樹脂ライニング工法 ・シートライニング工法 ・埋設型枠工法

出典：「下水道維持管理指針 実務編」(2014 年版、参考 3 P271)（公社）日本下水道協会

第 2 章　管路施設の維持管理

> ### 過去問題（令和 2 年）
>
> 　次のうち、鉄筋コンクリートの腐食が起こりやすい管路施設の箇所として最も不適切なものはどれですか。
> (1) ポンプ圧送管の吐出し部の気相部
> (2) 伏越し管上下流部の気相部
> (3) ビルピット排水の放出先管きょの気相部
> (4) 上下流間で落差のないマンホール内部の気相部

【解説】

　本問は、鉄筋コンクリートの腐食が起こりやすい管路施設の箇所に関する設問である。

　硫酸によるコンクリートの腐食機構の「管路施設において、流れの乱れによる激しい気液混合が生じる場所」に具体的に記載されている。

(1) については、記載のとおりである。
(2) については、記載のとおりである。
(3) については、記載のとおりである。
(4) については、「段差・落差の大きい箇所の気相部」とあり、設問の「上下流間で落差のない」という記述は不適切である。
　　よって、(4) が不適切である。

【解答】（4）

出典：「下水道維持管理指針　実務編」(2014 年版、P267)（公社）日本下水道協会

過去問題（平成 30 年）

次は、鉄筋コンクリート管の腐食について述べたものです。最も適切なものはどれですか。
(1) 管路施設においては、段差・落差の大きい箇所やビルピット排水管などの接合部等の液相部において特に腐食が生じやすい。
(2) コンクリートの中性化を判断する際の調査には、フェノールフタレインが用いられる。
(3) 鉄筋コンクリート管の腐食の程度を調査する方法には注水試験がある。
(4) 腐食防止対策として、過酸化水素、硝酸塩等の薬品注入により、下水を嫌気状態に保持し、硫化水素の発生を防止する方法がある。

【解説】
本問は、管路施設で事例の多い硫化水素を原因とする腐食に関する設問である。
(1) については、管路施設において、流れの乱れによる激しい気液混合が生じる場所は、「①段差・落差の大きい箇所の気相部、②ビルピット排水管の接合部の気相部、③圧送管の吐き出し部の気相部、④圧送管の空気弁付近等があり、上下流部へ影響を及ぼすことがある。」とされており、液相中の硫化水素が硫化水素ガスとして気相中へ放散され、硫黄酸化細菌の働きにより硫酸が生成し、コンクリート腐食を起こしやすい。管きょ断面での腐食・劣化が特に激しい部分として、気相部天頂と気液界面付近の気相部が示されている。よって設問中の「…の液相部において…」の記述は、不適切である。
(2) については、設問のとおりである。
(3) については、水密性調査に、「水密性調査は，浸入水や漏水の原因となる管路施設の水密性を調べるのに有効な手段である。水密性調査には次の方法がある。」として、i 注水試験、ii 水圧・圧気試験等の解説が示されている。よって、設問の記述「…腐食の程度を調査する方法には注水試験がある。」は、注水試験は腐食の程度を調査するものではないことから不適切である。
(4) については、腐食対策の基本の中で、「発生源対策」の「下水あるいは汚泥中の硫化物生成の抑制・固定」として「嫌気化防止」の例として①圧送

管への空気注入、酸素注入、硝酸塩注入等、②伏越し管の構造変更、③ビルピット対策、④自然流下管きょでの再曝気、沈殿物の排除、コンクリート表面の洗浄、フラッシングと「液相中の硫化物の酸化・固定化」の例として、①塩化第二鉄注入、②ポリ塩化第二鉄注入が示されている。いずれも嫌気化防止を原理とするものであり、設問の「…薬品注入により、下水を嫌気状態に保持し…。」の記述は不適切である。

よって（2）が適切である。

【解答】（2）

出典：「下水道維持管理指針　実務編」（2014年版、P140、P156、P162、P172、P177）
　　　（公社）日本下水道協会

過去問題(令和元年)

次のうち、鉄筋コンクリート管の腐食・劣化調査方法として、最も不適切なものはどれですか。
(1) 潜行目視調査またはテレビカメラ調査による壁面状況調査
(2) 中性化試験
(3) 圧縮強度試験
(4) 水圧・圧気試験

【解説】
　腐食・劣化調査に、「なお現状では、潜行目視調査またはテレビカメラ調査による判断を主体としている場合が多いが、調査方法には次の種類がある。」とし「潜行目視調査またはテレビカメラ調査による壁面状況調査、ひびわれ調査、中性化試験、鉄筋腐食調査、圧縮強度試験、粗度係数調査、管材質調査」の7つの調査方法が列記されている。
(1) については、設問のとおりである。
(2) については、設問のとおりである。
(3) については、設問のとおりである。
(4) については、「水圧・圧気試験」は不明水調査、水密性調査の方法であり、該当しないので不適切である。
　　よって (4) が不適切である。

【解答】(4)

出典:「下水道維持管理指針　実務編」(2014年版、P106～107)(公社)日本下水道協会

下水道管理技術認定試験(管路施設)テキスト

第3章　臭気、騒音、振動の防止対策

1　臭気対策

> **ここがポイント！**
>
> 臭気に関する出題は、毎年1問必ず出題されている。
> 特に以下の4項目を理解する。
> 　①臭気
> 　②臭気測定
> 　③臭気対策
> 　④更生工法に用いるスチレン臭

(1) 臭気

臭気対策は、以下の項目を考慮して有効に行う。維持管理情報等を踏まえ、適切な臭気対策を行うことが望ましい。

1) **悪臭防止法の遵守**
   ⅰ) 悪臭防止法では、都道府県知事(市の区域内の地域については市長。特別区の区域内の地域については区長)が悪臭に関する規制地域の指定及び規制基準を定めることとされている。
   ⅱ) 指定された地域内においては、工場その他の事業場における事業活動に伴って発生する悪臭原因物質の排出規制をすることになっており、ポンプ場及び処理場は事業場に該当する場合は、規制の対象となるが、管路施設は一般的に事業場の通念に含まれないので、規制の対象にはならない。

2) **臭気の発生防止設備の設置**
   ⅰ) 悪臭物質の種類や量、発生場所及び周辺の環境を把握し、必要に応じて臭気の発生防止の目的に合った経済的な設備を設ける。

3) **脱臭時の臭気の捕集**
   ⅰ) 脱臭に当たっては、施設の覆がい設置による密閉化を進め、可能な限り少風量で高濃度の臭気を捕集する。

規制基準は、特定悪臭物質の濃度または臭気指数のいずれかで設定される。臭気指数は，悪臭防止法施行規則に基づき，臭気を感じなくなるまで試料を無臭空気で希釈したときの希釈倍数（臭気濃度）を求め、その常用対数値に 10 を乗じて求める。

$$臭気指数 = 10 \times \log（臭気濃度）$$

また、規制基準の範囲は、臭いの強さを 6 段階に分けた 6 段階臭気強度表示法（表 3.1.1）に基づき、臭気強度 2.5 から 3.5 に相当する特定悪臭物質の濃度または臭気指数により定めている。

表 3.1.1　6 段階臭気強度表示法

臭気強度	内　容
0	無臭
1	やっと感知できる臭い（検知いき（閾）値濃度）
2	何の臭いかが分かる弱い臭い（認知いき値濃度）
2.5	（2 と 3 の中間）
3	楽に感知できる臭い
3.5	（2 と 3 の中間）感知
4	強い臭い
5	強烈な臭い

出典：「下水道維持管理指針　後編」（2019 年版、P919）
　　　（公社）日本下水道協会

悪臭防止法で定める規制基準には以下のものがある。

①敷地境界線の規制基準（1 号規制）
②煙突等の気体排出口の規制基準（2 号規制）
③排出水の規制基準（3 号規制）

表 3.1.2　特定悪臭 5 物質の規制基準と特徴

特定悪臭物質	規制基準の範囲（ppm）	特徴
アンモニア　NH_3	1 以上 5 以下	塩基性、し尿の匂い
メチルメルカプタン　CH_3SH	0.002 以上 0.01 以下	酸性、腐ったたまねぎの臭い
硫化水素　H_2S	0.02 以上 0.2 以下	酸性、腐った卵の臭い
硫化メチル　$(CH_3)_2S$	0.01 以上 0.2 以下	中性、腐ったキャベツの臭い
二硫化メチル　CH_3SSCH_3	0.009 以上 0.1 以下	中性、腐った野菜の臭い

出典：「下水道施設計画・設計指針と解説　後編」（P921）（公社）日本下水道協会

(2) 臭気測定

悪臭の測定は、悪臭防止法施行規則 2019 年版の規定に基づき定められている「臭気指数及び臭気排出強度の算定の方法」平成 7 年環境庁告示第 63 号)及び「特定悪臭物質の測定の方法」(昭和 47 年環境庁告示第 9 号)によるものとする。

- アンモニア＝吸光光度法
- メチルメルカプタン、硫化水素、硫化メチル、二硫化メチル、トルエン、ノルマル酪酸、アセドアルデヒドなど＝ガスクロマトグラフ法またはガスクロマトグラフ質量分析法

臭気指数等の算定は、三点比較式臭袋法等の嗅覚測定法による。

(3) 臭気対策

臭気対策には防臭、換気、脱臭、マスキングがある。一般的に下水道施設から発生する臭気の主なものは、硫化水素、メチルメルカプタン、硫化メチル、二硫化メチル及びアンモニアの悪臭 5 物質によるものと言われている。

臭気の発生場所はさまざまであるが、それぞれの場所からどのような臭気が発生するかは、施設の方式、規模、構造、運転の方法、気温等によって異なるので十分に調査をするのが望ましい。

臭気の防除方法について

1) 防臭

臭気の発生場所及び発生量を少なくすることを図るもので、次の方法がある。

ⅰ) 経路遮断

覆がい、密閉ぶた、気密扉、水封トラップまたはエアカーテンなどを用い、臭気を封じ込める方法。

ⅱ) 腐敗防止

嫌気性細菌による有機物の分解に伴う臭気の発生を防止する方法であり、殺菌を行う方法と空気やオゾンの散気によって好気的環境に保つ方法とがある。

ⅲ) 清掃洗浄

沈砂池のスクリーン、除砂設備、洗浄装置等の周辺はゴミ等が溜まりやすいので床面等の清掃・洗浄によって臭気の発生の防止を図る。清掃や洗浄の容易な構造及び設備にする必要がある。

2） 換気

発生した臭気を換気し、希釈及び拡散することによって臭気を低減させる方法である。ただし、排出口における悪臭の規制基準を遵守しなければならない。

3） 脱臭

脱臭には種々の方法があるが、その選定に当たっては、脱臭の風量、悪臭物質の種類と量、脱臭の目標、周辺環境、維持管理の容易性と経済性を十分に検討し、最も適した方法を定めるのが良い。

ⅰ） 洗浄法

a） 水洗浄法

アンモニア、アミン類等の水に溶解しやすい悪臭物質を水に接触及び溶解させて除去する方法。

b） 薬液（酸及びアルカリ）洗浄法

酸洗浄は、硫酸または塩酸によってアンモニア、アミン類等のアルカリ性の悪臭物質を除去する方法。アルカリ洗浄は、反応塔内で水酸化ナトリウム溶液と臭気とを接触させ、主に硫化水素、メチルメルカプタンなどの酸性の悪臭物質を捕捉して除去する方法。

ⅱ） 燃焼法

a） 直接燃焼法

臭気をボイラや焼却炉に送って、800℃程度で燃焼し分解する方法。

b） 触媒燃焼法

臭気を予熱機で350℃前後に加熱したうえ、白金等の金属触媒に通して低温焼却させる方法。

ⅲ） 酸化法

a） オゾン酸化法

オゾン発生装置で生成させたオゾンを、悪臭と接触させて、オゾンの酸化作用により脱臭する方法。

b） 塩素酸化法

反応塔上部から塩素水または次亜塩素酸ソーダ溶液を散水し、臭気を含む排気を気液接触させ、塩素の酸化作用によって脱臭する方法。

c） 生物酸化法

微生物の酸化及び分解作用によって悪臭物質を除去する方法。

ⅳ）吸着法
　ａ）イオン交換樹脂吸着法
　　イオン交換樹脂を充填した吸収塔に臭気を通して、酸性及びアルカリ性の臭気物質に対しては、化学的作用によって、また、中性の臭気物質については、物理的吸着作用によって、それぞれ脱臭させる方法。
　ｂ）活性炭吸着法
　　活性炭を充填した吸着塔に臭気を通し、物理的吸着によって脱臭する方法。
4）マスキング
　強い芳香で悪臭を包み隠して、悪臭の知覚を紛らわせるもの。臭気が量的に多くない場合や突発的な事故に対処するときに有効である。
　但し、都道府県により規制基準として臭気指数を採用している場合は、マスキング剤の使用には注意が必要である。

（4）更生工法に用いるスチレン臭

　スチレンは、更生工法に用いる不飽和ポリエステル樹脂の中に硬化重合剤としての目的と樹脂がガラス繊維等の補強心材に含侵しやすくする目的で使われている。更生工法施工時に発生するスチレン臭は、硬化重合時の反応に関与しなかったスチレンモノマーが硬化時の反応温度で気化して発生し、労働安全衛生法では安全基準値（管理濃度 20 PPM）以内の濃度とする。また、都道府県知事が指定する規制地域については、悪臭防止法でそれぞれ定められている。なお、スチレン等の有機溶剤が含まれている場合は、その運搬、保管及び施工時の取扱いに当たり、臭気対策を実施するとともに関係法令を遵守し、作業の安全に努めることが必要である。

> **過去問題(平成 30 年)**
>
> 次は、臭気対策について述べたものです。最も適切なものはどれですか。
> (1) 臭気対策には、防臭、換気、脱臭及びマスキングがあり、マスキングには、経路遮断と腐敗防止法がある。
> (2) 経路遮断は、発生した臭気を希釈及び拡散することによって臭気を低減させる方法である。
> (3) 腐敗防止は、好気性細菌による無機物の分解に伴う臭気の発生を防止する方法である。
> (4) 脱臭方法には生物学的方法と物理化学的方法があり、一般には複数の方法を組み合わせることが多い。

【解説】

本問は、臭気対策に関する設問である。
「下水道維持管理指針　実務編」(2014 年版)「第 17 章環境保全の試験及び対策第 2 節臭気 S17.2.3 臭気対策」に、設問に関して、それぞれ以下のとおり解説されている。

(1) マスキングの解説には、「臭気がある作業に付随して発生し量的に多くない場合や、突発的な事故に対処する場合に有効。原理的には強い芳香で悪臭を包み隠して、悪臭の知覚を紛らわせるもの。同時に知覚上の錯覚を利用し、悪臭を不快でない別の臭気に替える効果等がある。」とされており、設問の記述「マスキングには…経路遮断と腐敗防止…」の記述は不適切である。
(2) 経路遮断は、「覆がい、密閉ぶた、気密扉、水封トラップまたはエアカーテンなどを用い、臭気を封じ込める方法」とされており、設問の「発生した臭気を希釈及び拡散…」の記述は、換気の解説であり不適切である。
(3) 腐敗防止は、「嫌気性細菌による有機物の分解に伴う臭気の発生を防止する方法であり、殺菌を行う方法と空気やオゾンの散気によって好気的環境に保つ方法」とされており、設問の「好気性菌による無機物の分解に伴う…」の記述は、不適切である。
(4) については、設問のとおり

【解答】(4)

出典：「下水道維持管理指針　実務編」(2014 年版、P1224 〜 1245) (公社) 日本下水道協会

第3章　臭気、騒音、振動の防止対策

オリジナル問題

次は更生工法に用いるスチレンの特徴について述べたものです。
　　　　　内にあてはまる語句の組合せとして最も適切なものはどれですか。

更生工法施工時に発生する　A　臭は、硬化重合時の反応に関与しなかった　A　モノマーが硬化時の　B　で気化して発生する。
　C　が定める管理濃度　D　を安全基準として、この値以内の濃度とする。

	A	B	C	D
(1)	硫化水素	反応温度	悪臭防止法	0 PPM
(2)	スチレン	反応温度	労働安全衛生法	20 PPM
(3)	硫化水素	反応速度	労働安全衛生法	10 PPM
(4)	スチレン	反応速度	悪臭防止法	10 PPM

【解説】

本設問は更生工法に用いるスチレンの特徴についての設問である。「下水道維持管理指針　総論編・マネジメント編」（2014年版）「第3章　安全衛生管理　第3節　管理方法§3.3.4作業環境確保【解説】(6)スチレン等」に、以下の通り解説されている。

「更生工法施工時に発生するスチレン臭は、硬化重合時の反応に関与しなかったスチレンモノマーが硬化時の反応温度で気化して発生し、労働安全衛生法では安全基準値（管理濃度20 PPM）以内の濃度とする。」

よって、(2) が適切である。

【解答】(2)

出典：「下水道維持管理指針　総論編　マネジメント編」（2014年版、P108）
　　　（公社）日本下水道協会

2 騒音・振動対策

> **ここがポイント！**
>
> 騒音及び振動対策に関する出題は、毎年1問必ず出題されている。特に以下の3項目を理解する。
> ① 騒音及び振動
> ② 騒音及び振動の測定
> ③ 騒音及び振動防止対策

(1) 騒音及び振動

1) 騒音及び振動については、次の事項を考慮する。

ⅰ) 騒音規制法、振動規制法等の遵守

騒音規制法及び振動規制法では、都道府県知事（政令指定都市，中核市及び特例市では市長）が、住居が集合している地域や学校または病院の周辺地域等の，騒音及び振動を防止する必要があると認める地域を規制地域に指定し，環境大臣の定める範囲内で規制基準を定めることとされている。なお、規制地域または規制基準を定めたり変更したときは、その旨が公示される。また、下水処理場において特定施設を設置している揚合は、特定工場等となる。

ⅱ) 下水道施設における発生源を特定

下水道施設に設置される主な特定施設（著しい騒音または振動を発生する施設）は次の施設がある。

表 3.2.1　下水道施設に設置される主な特定施設

	特定施設	規模要件
騒音	空気圧縮機 送風機	原動機の定格出力が 7.5kw 以上
振動	圧縮機	原動機の定格出力が 7.5kw 以上

出典：「下水道施設計画・設計指針と解説　後編」（2019年版、P937）
　　　（公社）日本下水道協会

2) 騒音規制基準

騒音規制基準を以下の表に示す。

表 3.2.2　騒音規制基準

区域の区分＼時間の区分	昼間 (dB)	朝夕 (dB)	夜間 (dB)
第 1 種区域	45 以上 50 以下	40 以上 50 以下	40 以上 45 以下
第 2 種区域	50 以上 60 以下	45 以上 50 以下	40 以上 50 以下
第 3 種区域	60 以上 65 以下	55 以上 65 以下	50 以上 55 以下
第 4 種区域	65 以上 70 以下	60 以上 70 以下	55 以上 65 以下

注　昼間とは、午前 7 時または 8 時から午後 6 時、7 時または 8 時まで。
　　朝　とは、午前 5 時または 6 時から午前 7 時または 8 時まで。
　　夕　とは、午後 6 時、7 時または 8 時から午後 9 時、10 時または 11 時まで。
　　夜間とは、午後 9 時、10 時または 11 時から翌日の午前 5 時または 6 時まで。

　　第 1 種区域
　　　良好な住居の環境を保全するため、特に静穏の保持を必要とする区域。
　　第 2 種区域
　　　住居の用に供されているため、静穏の保持を必要とする区域。
　　第 3 種区域
　　　住居の用にあわせて商業、工業等の用に供されている区域であって、その区域内の住民の生活環境を保全するため、騒音の発生を防止する必要のある区域。
　　第 4 種区域
　　　主に工業等の用に供されている区域であって、その区域内の住民の生活環境を悪化させないため、著しい騒音の発生を防止する必要がある区域。

出典：「下水道施設計画・設計指針と解説　後編」(2019 年版、P937)
　　　（公社）日本下水道協会

3) 振動規制基準

振動規制基準を以下の表に示す。

表 3.2.3　振動規制基準

区域の区分 \ 時間の区分	昼間 (dB)	夜間 (dB)
第 1 種区域	60 以上 65 以下	55 以上 60 以下
第 2 種区域	65 以上 70 以下	60 以上 65 以下

注　1. 昼間とは、午前 5 時、6 時、7 時または 8 時から午後 7 時、8 時、9 時または 10 時まで。夜間とは、午後 7 時、8 時、9 時または 10 時から翌日の午前 5 時、6 時、7 時または 8 時まで。
　　2. 第 1 種区域及び第 2 種区域とは、それぞれ次に掲げる区域をいう。ただし、必要があると認める場合は、それぞれの区域を、さらに 2 区分することができる。
　　　第 1 種区域
　　　　良好な住居の環境を保全するため、特に静穏の保持を必要とする区域及び住居の用に供されているため、静穏の保持を必要とする区域。
　　　第 2 種区域
　　　　住居の用に併せて商業、工業等の用に供されている区域であって、その区域内の住民の生活環境を保全するため、振動の発生を防止する必要のある区域及び主に工業等の用に供されている区域であって、その区域内の住民の生活環境を悪化させないため、著しい振動の発生を防止する必要がある区域。

出典：「下水道施設計画・設計指針と解説　後編」(2019 年版、P938)（公社）日本下水道協会

4) 下水道施設における発生源の特定

　ⅰ) 騒音…送風機、真空ポンプ、ベルトコンベヤ、内燃機関等の施設
　ⅱ) 振動…内燃機関、圧縮機等の施設

　騒音及び振動は高周波域か低周波域か、断続的か連続的か、また発生時間帯やその継続時間等によって被害の程度が異なり、同じ騒音・振動に対しても受ける人の状態によって影響に差があるので留意する。

(2) 騒音及び振動の測定

騒音及び振動の測定は定められた方法により行う。

1) 騒音測定は JIS に定める普通騒音計，精密騒音計を用いて JIS に定める測定方法で行う。
2) 振動は JIS に定める振動レベル計または同程度以上の性能を有する測定器を用いて行う。

(3) 騒音及び振動防止対策

騒音及び振動の防止対策として次の方法がある。

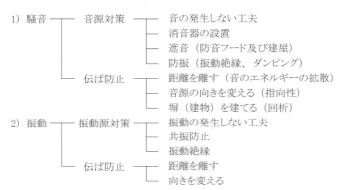

出典：「下水道維持管理指針　実務編」(2014年版、P1259)
　　　（公社）日本下水道協会

過去問題(平成 28 年)

次は、騒音および振動について述べたものです。最も適切なものはどれですか。
(1) 騒音規制基準の第4種区域とは、良好な住居の環境を保全するため、特に静穏の保持を必要とする区域である。
(2) 振動防止対策には、振動源対策と遮音対策がある。
(3) 騒音防止対策には、音源対策、伝ぱ防止がある。
(4) 下水道施設では、すべての圧縮機及び送風機が振動規制法の規制を受ける。

【解説】
本問は、下水道施設における騒音及び振動に関する設問である。
(1) については、騒音規制基準の第4種地域とは、主に工業用の用に供されている区域であって、その区域内の住民の生活環境を悪化させないため、著しい騒音の発生を防止する必要がある区域である。よって不適切である。
(2) については、振動防止対策には振動源対策と伝ぱ防止等がある。よって不適切である。
(3) については、設問のとおり
(4) については、下水道施設に設置される圧縮機で、振動規制法の対象となる特定施設とされるものは、原動機の定格出力が 7.5 kW 以上と定められている。送風機は原動機の定格出力が 7.5 kW 以上の場合に騒音規制法の対象となる特定施設とされる。よって不適切である。

【解答】(3)

出典:「下水道維持管理指針 実務編」(2014 年版、P1256 〜 1260)(公社)日本下水道協会

第3章 臭気、騒音、振動の防止対策

オリジナル問題

次は騒音・振動について述べたものです。最も適切なものはどれですか。
(1) 音源からの伝ぱ防止において、音が強く放射されている方向を問題となる方向と反対にすることは、低周波音に対して有効な対策である。
(2) 騒音及び振動は、これらが発生する時間帯やその継続時間によって被害の程度は一定である。
(3) 騒音防止対策には、音源対策、伝ぱ防止等がある。
(4) 騒音規正法では市町村長が、規制地域を指定し、規制基準を定める。

【解説】
　下水道処理施設より発生する騒音・振動は法令に基づきその対策に努めなければならない（本編、騒音・振動規制基準及び防止対策参照）。
(1) については、音源から伝ぱ防止において、音が強く放射されている方向を問題となる方向と反対にすることは、高周波音に対して有効な対策である。よって不適切である。
(2) については、下水道施設における発生源の記述の中では「…なお、騒音及び振動はそれぞれが高周波か低周波か、断続的か連続的か、また発生する時間帯やその継続時間等によって被害の程度が異なり、…影響に差があるので留意すること。」とある。よって不適切である。
(3) については、設問のとおり
(4) については、騒音規制法では、都道府県知事（政令指定都市、中核都市及び特例市では市長）が、住居が集合している地域や学校または病院の周辺地域などの、騒音を防止する必要があると認める地域を規制地域に指定し環境大臣の定める範囲で規制基準を定める。よって不適切である。

【解答】(3)

出典：「下水道維持管理指針　実務編」（2014年版、P1256〜1259）（公社）日本下水道協会

下水道管理技術認定試験（管路施設）テキスト

第4章　管路施設の安全管理

1　総説（安全衛生管理）

(1) 労働安全管理体制の役割

労働安全衛生法第1条では、「職場における労働者の安全と健康を確保するとともに、快適な職場環境の形成を促進することを目的とする。」とし、第3条及び4条で事業者、労働者それぞれの責務を定めている。

1) 事業者等の責務

事業者は、単にこの法律で定める労働災害の防止のための最低基準を守るだけでなく、快適な職場環境の実現と労働条件の改善を通じて職場における労働者の安全と健康を確保するようにしなければならない。また、事業者は、国が実施する労働災害の防止に関する施策に協力するようにしなければならない。

2) 労働者の責務

労働者は、労働災害を防止するため必要な事項を守るほか、事業者その他の関係者が実施する労働災害の防止に関する措置に協力するように努めなければならない。

2　管理体制

(1) 事業場を単位とした労働安全衛生管理組織

事業活動における労働災害を防止するため、労働安全衛生法では次のように事業場における管理者等の選任及び委員会の設置が定められている。

1) 総括安全衛生管理者の選任
2) 安全管理者の選任
3) 衛生管理者の選任
4) 安全衛生推進者または衛生推進者の選任
5) 産業医の選任
6) 安全委員会、衛生委員会の設置
　　ⅰ) 下水道事業は、建設業、清掃業、水道業にあたるため、常時100人以上の事業場に該当する。

(2) 作業資格要件等

事業場における労働安全衛生管理組織の確立とともに、実際に現場で作業する作業員に、作業方法の基本を指示・教育する各種作業主任者・免許等保持者の役割は最も大切な要素である。

3　管理方法

> **ここがポイント！**
>
> 安全衛生管理の管理方法に関する出題は、例年1～2問程度出題されている。
> 特に以下の2項目を理解する。
> 　①作業環境確保
> 　②健康診断

(1) 労働安全衛生管理方法

「事業場に潜在する危険または有害要因を特定し、それを除去または低減する手順を定め実施するしくみ」を作り、「計画」を「実施」し、結果を「点検改善」し、「監視」、「見直し」をすることにより、現場における労働安全衛生管理に努める事が大切である。

これを実施するために、厚生労働省では「労働安全衛生マネジメントシステムに関する指針」（平成11年4月30日　厚生労働省告示第53号、平成18年3月10日改定）を策定し、自主的活動により、事業場における労働安全衛生の向上を図ることが望ましいとしている。

次に、「労働安全衛生マネジメントシステム」の概要を記す。
1) 労働安全衛生方針の表明
2) 労働安全衛生目標の設定
3) 労働安全衛生計画の作成
4) 労働安全衛生計画の実施
5) 日常的な点検・改善
6) システム監査
7) システムの見直し
8) 現場単位における労働安全衛生体制

(2) 労働安全衛生教育

労働安全衛生教育を効果的に推進するには、安全管理者、衛生管理者等や担当者が職務遂行上生じる安全衛生に必要な知識を得るための教育が重要である。

1) 教育の充実
2) 教育の実施対象
3) 労働安全衛生教育

(3) 作業中の危険防止

労働安全衛生法では、労働者の危険を防止するための必要な措置を講じることとされており、手順等を定めた作業計画書を作成し、次に示す各作業での危険防止に努める必要がある。

1) 正しい作業服装等
2) 整理・整頓
3) 安全点検の徹底
4) 作業標準の作成・励行
5) 災害時の避難訓練等

(4) 作業環境確保

労働安全衛生法では、有害な作業環境による健康障害を防止するために作業環境の改善等の措置を講じる必要があり、その主なものは次のとおりである。

1) 作業環境
2) 硫化水素及び酸素欠乏
3) 一酸化炭素
4) シアン化水素
5) ダイオキシン類
6) スチレン等

なお、下水道施設内で発生する主なガスの（性状等）は表4.3.1のとおりである。

表 4.3.1 下水道施設内で発生する主なガスの性状等

ガス名 (化学式)	比重 (空気=1)	一般的性質	人体への影響	最も一般的な原因
硫化水素 (H_2S)	1.2	無色。濃度が低い時は腐敗臭。臭覚は直ちに損なわれる。濃度が高い時は臭気は顕著でない。可燃性、爆発性、有害。	0.035％以上で生命に危険。0.07％以上で急速に激しい中毒を起こし、死に至る。0.5％以上では即死する。	石油、管きょ内発生ガス、汚泥ガス。
シアン化水素 (HCN)	0.9	無色。特異臭気。点火するとすみれ色の炎をあげる。	0.0011～0.0125％では、30～60分後に致死、または、生命が危険となる。0.0181％では10分で死に至る。	金属メッキ、化学薬品、プラスチック等の工場からの排水。
一酸化炭素 (CO)	1.0	無色、無臭、無味、無刺激性、可燃性、爆発性。発火点609℃	血液中のヘモグロビンが一酸化炭素に対して強い親和力を有し、酸素運搬の作用を失い、死を招く。0.1％以上では1時間で生命が危険となる。	製造工場の燃料ガス、都市ガスの成分。不完全燃焼のガス。
炭酸ガス (CO_2)	1.5	無色、無臭、不燃性。既に酸素欠乏の状態にあるのでなければ、大体において危険量で存在することはない。	1～2％では、不快感が起きる。多い時は、酸素欠乏状態になることが多い。	管きょ内発生ガス。
ガソリン (C_5H_{12}～C_9H_{20})	3.0～4.0	無色(加鉛ガソリンはオレンジ色に着色する。)石油臭(0.03％で感じる)、可燃性、爆発性。引火点-43～-20℃。	吸引すれば、まひ作用を呈し、2.4％で直ちに死亡する。1.1～2.2％では短時間でも危険である。	ガソリン貯蔵タンクからの漏れ、ガソリンスタンドや車庫からの排水、営業用のドライクリーニングまたは家庭からの排水。
メタン (CH_4)	0.6	無色、無臭、無味、無毒、可燃性、爆発性。発火点537℃	酸素を機械的に追い出す働きがあり、生命を持続させない。	天然ガス、湖沼ガス、製造工場の燃料ガス、管きょ内発生ガス、消化ガスの主成分。
エタン (C_2H_6)	1.0	無色、無臭、無味、無毒、可燃性、爆発性。	酸素を機械的に追い出す働きがあり、生命を持続させない。	天然ガス。
塩素 (Cl_2)	2.5	黄緑色、刺激臭、低濃度でもわかる臭気。	気管を刺激する。0.1％で死亡する。また、0.02％で30～60分作業すると、生命が危険となる。	塩素注入装置、注入管からの漏洩。
窒素 (N_2)	1.0	無色、無臭、無味、不燃性があり、生命を持続させない。	酸素を機械的に追い出す働きがある。	管きょ内発生ガス。
水素 (H_2)	0.07	無色、無臭、無味、無害、可燃性、爆発性。火炎波及び速度が大きく、非常に危険である。発火点585℃	酸素を機械的に追い出す働きがあり、生命を持続させない。	製造工場の燃料ガス。
酸素 (O_2)	1.1	無色、無臭、無味、無害、燃焼を支える。	普通、空気は21％の酸素を含有する。16％以下で、人体に危険である。10％以下では生命に危険である。	換気の不完全及び汚水や汚泥の腐敗による有効酸素の吸収または化学的消費によって、酸素欠乏を招く。

出典:「下水道維持管理指針 総論編」(2014年版、P109)(公社)日本下水道協会

(5) 衛生対策（衛生設備）

労働安全衛生法では、健康障害を防止するための衛生に係る改善等の衛生対策を講じる必要がある。

下水中には、大腸菌群、種々の雑菌、寄生虫卵等が多数生息しているが、ときには、腸チフス、パラチフス及び赤痢のような消化器系伝染病、黄だん、出血性スピロヘータ、破傷風、ワイル、丹毒等の病原菌、スピロヘータ、ウィルス等も存在する。そのため、各自が衛生管理に十分に努めることが重要である。

(6) 健康診断

労働安全衛生法では、事業者は、労働者に対し、厚生労働省令で定めるところにより、医師による健康診断を行わなければならない。労働者は、前各項の規定により事業者が行う健康診断を受けなければならないとしている。健康診断には以下のものがある。

1）一般健康診断

ⅰ）雇入用時の健康診断

ⅱ）定期健康診断

1年以内毎に1回、定期的に行う。

ⅲ）特定業務従事者の健康診断

深夜業等の特定業務に従事する労働者及び配置替えする労働者に対して6ヶ月以内毎に1回定期的に行う。

なお、既に定期健康診断において診断項目を実施しており、かつ医師が必要でないと認めるときは同一の検査項目を省略することができるが、健康診断個人票を作成して、これを5年間保存しなければならない。

2）業務別特殊健康診断

労働安全衛生法の有機溶剤等、放射線に係わる業務等、及びじん肺法に係わるもので各条項に基づき診断を行う。

3）健康診断実施後の措置

健康診断の結果、労働者の健康を保持するため必要があると認められるときは、事業者は当該労働者の実績を考慮して、就業場所の変更、作業の転換、労働時間の短縮等の措置を講じるほか、作業環境測定の実施、施設または設備の設置もしくは整備、その他は適切に措置を講じる。

過去問題(令和2年)

次は、管路施設内における有害な作業環境及びこれに関連するガスの特徴等について述べたものです。最も不適切なものはどれですか。

(1) 管路では、下水や汚泥の腐敗、工場排水の流入等のため、酸素欠乏や有毒ガスが発生しやすい。
(2) 流速の小さい管路では、固形物が掃流されないため有機物が嫌気性分解し、硫化水素が発生して危険な濃度になりやすい。
(3) 一酸化炭素は、可燃性であるとともに毒作用を及ぼす代表的なガスである。
(4) シアン化水素のガスや蒸気は、無臭で硫化水素よりも危険度が低い。

【解説】

本問は、管路施設内作業環境及び有毒ガスの特徴等に関する設問である。「下水道維持管理指針　総論編　マネジメント編」(2014年版)「第3章　安全衛生管理　第3節　管理方法　§3.3.4作業環境確保【解説】」に、具体的に記載されている。

(1)については、設問のとおりである。
(2)については、設問のとおりである。
(3)については、設問のとおりである。
(4) シアン化水素に、「**シアン化水素のガスや蒸気は、…。管路内において、このアーモンド臭を持つ猛毒なガスや蒸気は硫化水素よりも危険度は高**く、低濃度のシアン化水素にさらされると、呼吸困難や目まいが起こり、高濃度であれば失神する。」とあり、設問の「**無臭で硫化水素よりも危険度が低い。**」という記述は、不適切である。

よって、(4)が不適切である。

【解答】(4)

出典:「下水道維持管理指針　総論編　マネジメント編」(2014年版、P107～108)
　　　(公社)日本下水道協会

第4章 管路施設の安全管理

過去問題（令和元年）

次は、下水道施設内で発生するガスの性質について述べたものです。最も不適切なものはどれですか。
(1) 塩素は、黄緑色で、低濃度でもわかる臭気があり、気管を刺激する。
(2) シアン化水素は、無色・無臭で、点火するとすみれ色の炎を上げる。
(3) メタンは、無色・無臭で、可燃性や爆発性がある。
(4) ガソリンは、無色（無鉛ガソリンはオレンジ色に着色）で、石油臭があり、吸収するとまひ作用を呈する。

【解説】

本問は、下水道施設内で発生するガスの性質についての設問である。「下水道維持管理指針　総論編　マネジメント編」（2014年版）「第3章　安全衛生管理　第3節　管理方法　§3.3.4 作業環境確保【解説】表3.3.1 下水道施設内で発生する主なガスの性状等」に、設問に関した事項が示されている。
(1) については、設問のとおりである。
(2) については、上記表3.3.1「シアン化水素」の一般的性質に「無色、特異臭気。点火するとすみれ色の炎を上げる。」とあり、「無色・無臭」という設問の記述は、不適切である。
(3) については、設問のとおりである。
(4) については、設問のとおりである。
　　よって、(2) が不適切である。

【解答】(2)

出典：「下水道維持管理指針　総論編　マネジメント編」（2014年版、P107～109）
　　　（公社）日本下水道協会

過去問題（令和２年）

次は、労働安全衛生法に規定する健康診断について述べたものです。最も不適切なものはどれですか。

(1) 事業者は、深夜業等の特定業務に常時従事する労働者に対し、当該業務への配置替えの際及び６ヶ月以内ごとに１回、定期的に医師による健康診断を行わなければならない。

(2) 事業者は、常時使用する労働者を雇い入れるときは、原則として医師による健康診断を行わなければならない。

(3) 事業者は、常時使用する労働者に対し１年以内ごとに１回、定期的に医師による健康診断を行わなければならない。

(4) 事業者は、健康診断の結果に基づき、健康診断個人票を作成して、これを３年間保存しなければならない。

【解説】

本問は、労働安全衛生法に規定する健康診断に関する設問である。「下水道維持管理指針　総論編　マネジメント編」（2014年版）「第３章　安全衛生管理　第３節　管理方法§3.3.6健康診断」に、具体的に記載されている。

(1) については、設問のとおりである。
(2) については、設問のとおりである。
(3) については、設問のとおりである。
(4) については、上記【解説】(1) 文末に、「…健康診断個人票を**５年間**は保存しなければならない。」とあり、設問の「**３年間**」という記述は、不適切である。よって、(4) が不適切である。

【解答】（4）

出典：「下水道維持管理指針　総論編　マネジメント編」（2014年版、P110〜111）
　　　（公社）日本下水道協会

第4章　管路施設の安全管理

オリジナル問題①

　次は、管路施設内における有害な作業環境及びこれに関連するガスの特徴等について述べたものです。最も不適切なものはどれですか。
(1)　硫化水素は、下水中の有機物（たん白質等）や硫黄酸化物の嫌気性分解によって生成される。
(2)　下水が滞留しやすい管路や伏越し、段差や落差のある管路、マンホール間の間隔が長い箇所では酸素欠乏や有毒ガスが発生しやすい。
(3)　一酸化炭素の中毒の徴候は0.5％のガスを含む空気を呼吸すると、頭痛、衰弱、失神等が起こり、1時間で生命が危険となる。
(4)　低濃度のシアン化水素にさらされると、呼吸困難や目まいが起こり、高濃度であれば失神する。

【解説】
　本問は、管路施設内作業環境及び有毒ガスの特徴等に関する設問である。「下水道維持管理指針　総論編　マネジメント編」（2014年版）「第3章　安全衛生管理　第3節　管理方法　§3.3.4作業環境確保【解説】」に、具体的に記載されている。
(1) については、設問のとおりである。
(2) については、設問のとおりである。
(3) については、下水道維持管理指針には一酸化炭素について、「中毒の徴候は、**0.1％**のガスを含む空気を呼吸すると、頭痛、衰弱、失神等が起こり、1時間で生命が危険となる。」とあり、設問の「0.5％」という記述は、不適切である。
(4) については、設問のとおりである。
　　よって、(3) が不適切である。

【解答】(3)

出典：「下水道維持管理指針　総論編　マネジメント編」（2014年版、P107〜109）
　　　（公社）日本下水道協会

オリジナル問題②

　次は、下水道施設内で発生するガスの性質について述べたものです。最も不適切なものはどれですか。
(1) 硫化水素は、無色で濃度が低い時は腐敗卵臭であり、空気より重い。
(2) 塩素は、緑黄色で刺激臭、低濃度でもわかる臭気で空気より軽い。
(3) シアン化水素は、無色、特異臭気で点火するとすみれ色の炎を上げ、空気より軽い。
(4) メタンは、無色、無臭で可燃性であり、空気より軽い。

【解説】

　本問は、下水道施設内で発生するガスの性質についての設問である。「下水道維持管理指針　総論編　マネジメント編」(2014年版)「第3章　安全衛生管理　第3節　管理方法　§3.3.4 作業環境確保【解説】表3.3.1 下水道施設内で発生する主なガスの性状等」に、設問に関した事項が示されている。
(1) については、設問のとおりである。
(2) については、塩素は、緑黄色で刺激臭、低濃度でもわかる臭気であり**比重は2.5と空気より重い**。とあり、設問の「空気より軽い」という記述は、不適切である。
(3) については、設問のとおりである。
(4) については、設問のとおりである。
　　よって、(2) が不適切である。

【解答】(2)

出典:「下水道維持管理指針　総論編　マネジメント編」(2014年版、P107～109)
　　　(公社) 日本下水道協会

4 管路施設の労働安全衛生対策

> **ここがポイント！**
>
> 安全衛生管理の管理方法に関する出題は、例年1～2問程度出題されているので、以下の項目を理解する。
> ①危険防止
> ②安全基準・作業基準

(1) 危険防止

管路施設の維持管理は、道路上での作業または管路（マンホール・管きょ）内の作業が主なものである。こうした作業は種々の危険が伴うため、以下の各項目についての労働安全衛生対策に十分心掛ける必要がある。

1) 道路交通

道路にて作業する場合は、作業に先立ち現地の状況把握をするとともに、適切な安全対策を立案し、所定の申請書により管轄の警察署長の許可を受けなければならない。道路上での作業は、道路交通による危険を避けるため、必ず現場の状況に応じた適切な保安柵、注意灯及び標識を設ける。また、必要に応じて監視員や誘導員を配置する。

2) 局地的豪雨

管路内で作業するときは、上流での降雨、高潮等による逆流、多量の下水の急激な流入等の原因による増水などの不測の事態に備える。事前にポンプ場、処理場と作業日程について綿密な調整を行い、管路内作業員と監視員とが常に連絡を取れるようにする。また、注意報・警報の内容や局地的な大雨に関する気象予測の現状について事前に理解するとともに、入手可能な気象情報の確認をしておく必要がある。降雨情報及び気象予測情報の活用等については、「局地的な大雨に対する下水道管渠内工事等安全対策の手引き（案）」を参照のこと。

管路内での作業時では、局地的な大雨により流される等して、人命が失われることのないよう、日頃から危機管理意識の徹底、現場特性を把握した適切な対策を講じることで危機回避を図って、作業員の安全性を確保する。

3) 墜落等

マンホール内での作業に当たっては、作業員が足掛金物（はしごを含む。）

から落ちたり、誤って地上の道具等が落下することがあるので、作業に適した服装で、必ず保護具を着用し、深さが2m以上ある場合は安全帯を使用する等、危機管理を徹底する。また、作業のためのマンホールの足掛金物を利用して入るときは、あらかじめ足掛金物が腐食していないか確認する。

4) 酸素欠乏

下水や汚泥の中に生息する微生物は、周囲の有機物を吸着し分解するときに多量の酸素を消費し、二酸化炭素等のガスを発生する。一方、嫌気的な状態になると、硫酸塩還元細菌等の働きにより、硫化水素が発生する。換気が不十分な場所でこのような状況が起こると、空気中の酸素濃度が低下して酸素欠乏状態となり、また、硫化水素中毒を発生させるような危険な環境となる。このような環境で発生する酸素欠乏症または硫化水素中毒を総称して「酸素欠乏症等」と定義づけている。酸素欠乏症または硫化水素中毒防止については、酸素欠乏症等防止規則（厚生労働省令第18号、昭和57.5.20）に定められている。

ⅰ）酸素欠乏危険場所には、主に以下の場所がある。

a）次の地層に接し、または通ずる井戸等（井戸、井筒、たて坑、ずい道、潜函、ピットその他これに類するものをいう）の内部。
（次号に掲げる場所を除く。）

ア）上層に不透水層がある砂れき層のうち含水もしくは湧水がなく、または少ない部分

イ）第1鉄塩類または第1マンガン塩類を含有している地層

ウ）メタン、エタンまたはブタンを含有する地層

エ）炭酸水を湧出しており、または湧出するおそれのある地層

オ）腐泥層

b）長期間使用されていない井戸等の内部

c）ケーブル、ガス管その他地下に敷設される物を収容するための暗きょ、マンホールまたはピット内部

d）雨水、河川の流水または湧水が滞留しており、また滞留したことのある槽、暗きょ、マンホールまたはピット内部。

e）海水が滞留しており、もしくは滞留したことのある熱交換器、管、暗きょ、マンホール、溝もしくはピット（以下この号において「熱交換器等」という）または海水を相当期間入れてあり、もしくは入れたことのある熱交換器等の内部。

f）し尿、腐泥、汚水、パルプ液その他腐敗し、または分解しやすい物質を入れてあり、または入れたことのあるタンク、船倉、槽、暗きょ、マンホール、溝またはピットの内部。

上記は、労働安全衛生法施行令　別表第六　酸素欠乏危険場所（第六条、第二十一条関係）の抜粋（一、二、三、三の二、三の三、九）

ⅱ）酸素欠乏等による事故原因には以下のものがある。
a）換気しなかったり、換気が不十分であったとき。
b）酸素濃度や硫化水素ガス濃度の測定を行わずに立ち入ったとき。
c）事故が発生し、救助者が保護具等を着用せずに救助しようとしたとき。
d）酸素欠乏等についての知識が不足していたとき。
ⅲ）防止措置

　事業場内において、酸素欠乏が心配される場所、設備をあらかじめ調査選定し、酸欠危険個所と指定しておく必要がある。酸素欠乏危険作業時における留意事項は下記のとおりである。

　酸素欠乏危険作業を行う場合には、酸素欠乏危険作業主任者を選任しなければならない。酸素欠乏危険作業主任者は、作業員が酸素欠乏等の空気を吸入しないような作業の方法を決定し、指揮すること。
a）測定

　作業を開始する前に、作業を行う場所の空気中の酸素濃度及び硫化水素ガス濃度を測定すること。測定の結果は、記録して３年間保存しなければならない。濃度測定を行う場合は、原則として垂直、水平方向にそれぞれ３点以上測定点をもうけること。また、作業場所に下水や汚泥が溜っている場合は、外部から攪拌して水中の硫化水素を空気中に放散してから濃度測定を行う必要がある。なお、外部から攪拌できない場合は、濃度測定の結果が基準値以下であっても、適切な呼吸用保護具を着用させてから作業員を入らせるようにする。
b）換気

　作業を行う場所の空気中の酸素濃度を18％以上、硫化水素ガス濃度を10PPM以下に保つように換気しなければならない。また、換気するときは、純酸素を使用してはならない。
c）保護具の使用・安全帯等及び点検

同時に、就業する労働者の人数と同数以上の空気呼吸器等を備え、労働者にこれを使用させなければならない。

労働者が酸素欠乏症等にかかって転落するおそれがあるときは、労働者に要求性能墜落制止用器具その他の命綱を使用させなければならない。

その日の作業を開始する前に、当該空気呼吸器等または当該要求性能墜落制止用器具等及び取り付けるための設備等を点検し、異常を認めたときは、直ちに補修し、または取り替えなければならない。

d) 人員の点検

酸素欠乏危険作業に労働者を従事させるときは、労働者を当該作業を行う場所に入場させ、及び退場させるときに、人員を点検しなければならない。

e) 立入禁止

酸素欠乏危険場所またはこれに隣接する場所で作業を行うときは、酸素欠乏危険作業に従事する労働者以外の労働者が当該酸素欠乏危険場所に立ち入ることを禁止し、かつ、その旨を見やすい個所に表示しなければならない。

f) 連絡

酸素欠乏危険作業に労働者を従事させる場合で、近接する作業場で行われる作業による酸素欠乏等のおそれがあるときは、当該作業場との間の連絡を保たなければならない。

g) 作業主任者・特別の教育

酸素欠乏危険作業については、第一種酸素欠乏危険作業にあっては酸素欠乏危険作業主任者技能講習または酸素欠乏・硫化水素危険作業主任者技能講習を修了した者のうちから、第二種酸素欠乏危険作業にあっては酸素欠乏・硫化水素危険作業主任者技能講習を修了した者のうちから、酸素欠乏危険作業主任者を選任しなければならない。

第一種酸素欠乏危険作業に係る業務に労働者を就かせるときは、当該労働者に対し、1. 酸素欠乏の発生の原因　2. 酸素欠乏症の症状　3. 空気呼吸器等の使用の方法　4. 事故の場合の退避及び救急そ生の方法などの特別の教育を行わなければならない。

※ a)～g)は「安全衛生法令要覧　令和2年版　酸素欠乏症等防止規則」(P874～876) からの抜粋

第4章　管路施設の安全管理

図 4.4.1　酸素濃度と人体反応との関係
出典：「下水道維持管理指針　総論編　マネジメント編」（2014年版、P115）
　　　（公社）日本下水道協会

5) 硫化水素中毒

　硫化水素は極めて毒性が強く、下水道施設内には、直ちに死に至るような高濃度の硫化水素を発生する箇所も多いため、下水道の維持管理業務に係る人身事故のなかでは最も注意を要するものの1つである。

ⅰ) 硫化水素の毒作用

　空気中に硫化水素ガスが存在すると、硫化水素は外気に露出している眼や呼吸器の粘膜を通して体内に侵入し各種の障害を引き起こす。肺では、細胞の毛細血管から血液が浸み出して肺水腫を引き起こし、呼吸困難となって窒息死にいたる。

　空気中の硫化水素ガスが高濃度の場合には、血液中に溶解した硫化水素が酸化されて無害な物質に変わらないうちに脳神経系に達し、呼吸麻痺等による即死的な毒作用を発揮する。

ⅱ）硫化水素の特性

硫化水素は下水や汚泥中において溶存酸素がない条件下で硫酸イオン（SO_4^{2-}）が硫酸塩還元細菌によって還元されることにより発生するほか、タンパク質中の硫黄還元によっても発生する。管路施設では、酸素供給のない圧送管内や、汚泥の堆積しやすい伏越し等で発生することが多く、また、処理場等の施設では、沈砂池、ポンプ井、最初沈殿池、汚泥濃縮タンク等で発生することが多いと考えられる。

下水中や堆積した汚泥内で発生した硫化水素は、静置状態では内部に封

表4.4.1　硫化水素ガスの濃度と毒作用の関係

濃度（ppm）	部位別作用・反応			
0.0081	臭覚 鋭敏な人は特有の臭気の臭気を感知できる（臭覚の限界）			
0.3	誰でも臭気を感知できる			
3～5	不快に感じる中程度の強さの臭気			
10		許容濃度（眼の粘膜の刺激下限界）		
20～30	耐えられるが臭気の慣れ（臭覚疲労）で、それ以上の濃度にその強さを感じなくなる	呼吸器 肺を刺激する最低限界		
50				眼 結膜炎（ガス眼）、眼のかゆみ、痛み、砂が眼に入った感じ、まぶしい、充血と腫脹、角膜の混濁、角膜破壊と剥離、視野のゆがみとかすみ、光による痛みの増強
100～300	2～15分で臭覚神経麻痺で、かえって不快臭気は減少したと感じるようになる	8～48時間連続ばく露で気管支炎、肺炎、肺水腫による窒息死		
170～300		気道粘膜の灼熱的な痛み1時間以内のばく露ならば、重篤症状に至らない限界		
350～400		1時間のばく露で生命の危険		
600		30分のばく露で生命の危険		
700	脳神経 短時間過度の呼吸出現後直ちに呼吸麻痺			
800～900	意識喪失、呼吸停止、死亡			
1000	昏倒、呼吸停止、死亡			
5000	即死			

出典：「下水道維持管理指針　総論編　マネジメント編」（2014年版、P116）
　　　（公社）日本下水道協会

じこめられて大気中には拡散しにくいが、外部から攪拌等の衝撃を受けると一気に大気中に拡散される。

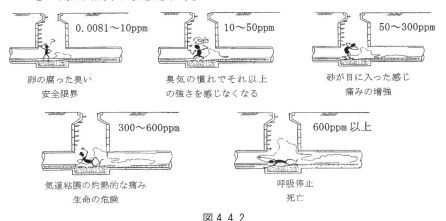

図 4.4.2
出典：「下水道維持管理指針　総論編　マネジメント編」(2014年版、P117)
　　　（公社）日本下水道協会

6）可燃性ガス

可燃性ガスは、都市ガス・メタン・ガソリン・シンナー等があり、これらのガスは管路内等で爆発性の混合物となる。ガソリンスタンドや自動車修理工場等の密集地区、塗装業やドライクリーニング店のある地区、そのほか下水が滞留する箇所等の管路内には、有毒性または爆発性のガスや蒸気が発生するおそれがあるので、作業前に上下流のマンホールふたを開放し、十分に換気するとともに酸素濃度測定器、可燃性ガス測定器等で安全性を確認し、必要に応じて強制換気を行う。なお、作業中は管路内での喫煙禁止及び裸火の無断使用禁止等を厳守することが重要である。

7）掘削等

地山の崩壊・埋設物等の損壊等のおそれがあるときは、あらかじめ作業箇所及び周辺の地山について十分に調査し、これに基づき掘削の時期及び土留め工法や補助工法など適切な方法を定める。

8）スチレン等

管きょ更生工事では、可燃物やスチレン等の有機溶剤等、危険物として貯蔵や取扱いの基準が定められているものに対しては確実な対応を行うことが重要である。なお、不飽和ポリエステル樹脂を現場において含侵させるときは、その量によっては消防法の適用を受ける場合があるので注意する。

以上述べてきた管きょ更生工法の安全・衛生管理について詳しくは、「管きょ更生工法における設計・施工管理ガイドライン（案）」（平成23年12月、（公社）日本下水道協会発行）を参照すること。

(2) 安全基準・作業基準

労働災害を防止するために、その適切な措置とそれを遵守することが大切であり、管路施設についての主なものは以下の項目がある。

1）道路上での作業

道路上での作業については、関係法令等を遵守するとともに、「建設工事公衆災害防止対策要綱」に従わなければならない。

そして、公衆の生命・身体及び財産に関する危害及び迷惑を防止するために十分な安全・作業基準に基づき安全作業に努めなければならない。

2）可燃性（有害）ガス等による危険防止

可燃性ガスについては、その爆発限界濃度（空気との混合気体となりその混合割合）範囲にあるときは、火源を近づけると爆発現象が起こるため、消防署、地下埋設物管理者の立ち会いを求めると同時に、作業員の退避、点火源の使用禁止をする必要がある。

3）降雨状況による危険防止

局地的な大雨に対する安全対策には、下水管きょ内水位が急激に上昇するような降雨時には下水管きょ内での工事等を行わないとする安全対策と、下水管きょ内水位が上昇した場合に作業員が迅速に退避する緊急避難の2つがある。

局地的な大雨は事前の予測が難しく、既往事故事例を見ても短時間に水位が上昇することを考慮すると、水位の上昇を確認してから下水管きょ内作業員が退避する緊急避難では手遅れになることが想定される。したがって、安全対策をして工事に入る前に中止の判断を下すことが最も重要であり、そのため、中止基準をあらかじめ設定することが必要である。

発注者が局地的な大雨に対する工事等の中止基準として、あらかじめ定めておくべき標準的な中止基準の基本的な考え方及び請負者が現場特性に応じて作業箇所ごとに定める中止基準の設定方法については、「**局地的な大雨に対する下水道管渠内工事等安全対策の手引き（案）**」を参照すること。

4）管きょの更生工事・修繕工事での危険防止
 ⅰ）施工前の安全対策の確認
  a）施工路線及び上流部に位置するビルピット、ポンプ所等の排水施設の有無や排水時間帯、排水に伴う現場水位の変動を把握させる。また、ポンプ所については、管理者の協力を得て排水時の事前連絡体制を整えさせる。さらに、生活排水流入量の調査資料等を確認する。
  b）施工路線上流部において近接するほかの流下系統路線の有無（流域系統図）を確認し、溢水のおそれがある場合に流入水を他系統に仮排水できるマンホールの位置を確認する。
  c）当日の気象情報を天気予報等より把握し、流域降雨の予想と流入量の予想を立て、対策を講じさせる。
  d）管路内で発生が予想される有毒ガス、酸欠空気、可燃性ガス等の有無を調査させる。
  e）潮位、高潮等の影響を確認させる。
 ⅱ）施工時の安全対策の確認
  a）安全に作業が行える水位及び流速を超えた場合は、直ちに作業を中断し、地上に避難させる。
  b）管内連絡体制は、上下流のマンホール地上部及びマンホール内に各1名監視員を配置させ緊急時に備える。
  c）ビルピット及びポンプ所等からの排水時間帯は作業を中断して地上で待機させ、安全に作業できる水位を確認した後、作業を再開させる。
  d）ビルピット管理者への事前対応は、更生工事時間帯に稼働しないように空にするか、手動への切替え等の協力を求める。
  e）特にポンプ所の運転開始は危険を伴うので、ポンプ所と現場の作業時間帯を定めるとともに、連絡体制は責任者を定めさせる。
  f）地上監視人と管きょ内作業員との連絡は重要であるため、現場状況に応じた連絡体制をとらせる。
  g）管きょ内作業員を明確にするために、作業員名板を地上のマンホール（搬入口）箇所に設置させる。個人ごとに退出を確認し、全作業員が退出したことを確認した後に、送風機、ガス検知器等を撤収させる。
  h）燃焼、爆発の原因となる着火源を作業帯に置かない。また、静電気によるスパークにも十分注意させる。
  i）反転・形成工法の場合、更生管材のMSDS（製品安全データシート）

により、各工法の製造過程、材料の成分構成等が**労働安全衛生法、毒物及び劇物取締法**を遵守していることを確認する。

　以上述べてきた管きょの更生工事・修繕工事での危険防止についての詳細は、「管きょ更生工法における設計・施工管理ガイドライン 2017 年版」(平成 29 年 7 月 28 日発行)(公社)日本下水道協会を参照すること。

第4章 管路施設の安全管理

過去問題（令和元年）

次は、酸素欠乏危険作業について述べたものです。最も適切なものはどれですか。

(1) 酸素濃度及び硫化水素濃度の測定を行う場合は、原則として垂直または水平方向に3点以上測定点をもうける。

(2) 作業場所では、酸素濃度を18％以上、かつ硫化水素濃度を20 PPM以下に保つように換気する。

(3) 酸素欠乏危険作業に従事する作業員には、特別教育等を受けさせなければならない。

(4) 酸素濃度及び硫化水素濃度の測定の結果は、記録して5年間保存しなければならない。

【解説】

本設問は、酸素欠乏危険作業についての設問である。

「下水道維持管理指針　総論編　マネジメント編」（2014年版）、「第3章　安全衛生管理　第4節　管路施設の労働安全衛生対策 §3.4.1 危険防止」に、設問に関した事項が示されている。

(1) については、「【解説】(4) 酸素欠乏 3) 防止措置」に、「…これらの濃度測定を行う場合は、原則として垂直、水平方向にそれぞれ3点以上測定点をもうけること。」とあり、「垂直または水平方向に」という設問の記述は不適切である。

(2) については、「【解説】3) 防止措置③」に、「作業場所では、酸素濃度を18％以上、かつ硫化水素ガス濃度を10 PPM以下に保つように換気しなければならない。」とあり、「硫化水素ガス濃度を20 PPM以下に保つ」という設問の記述は不適切である。

(3) については、設問のとおりである。

(4) については、【解説】「3) 防止措置②」に、「…測定の結果は、記録して3年間保存しなければならない。」とあり、「…5年間保存しなければならない。」という設問の記述は不適切である。

よって、(3) が適切である。

【解答】(3)

出典：「下水道維持管理指針　総論編　マネジメント編」（2014年版、P112～114）
　　　（公社）日本下水道協会

過去問題(令和2年)

次は、建設工事公衆災害防止対策要綱（土木工事編）に定められている交通対策について述べたものです。最も不適切なものはどれですか。

(1) 工事のために一般の交通の用に供する部分の通行を制限する必要のある場合、特に歩行者の多い箇所においては幅0.75m以上の通路を確保しなければならない。

(2) 工事を予告する道路標識、標示板等は、工事個所の前方50mから500mの間の路側または中央帯のうち視認しやすい箇所に設置しなければならない。

(3) やむを得ず通行を制限する必要があり、制限した後の道路の車線が1車線となる場合にあっては、その車道幅員は3m以上を標準とする。

(4) 夜間施工する場合には、道路上または道路に接する部分に設置したさく等に沿って、高さ1m程度のもので夜間150m前方から視認できる光度を有する保安灯を設置しなければならない。

【解説】

本問は、「建設工事公衆災害防止対策要綱（土木工事編）」に定められている交通対策に関する設問である。

「建設工事公衆災害防止対策要綱（土木工事編）」、「第3章交通対策」に、具体的に記載されている。

(1) については、「第24歩行者対策」に、「第23（車道幅員）に規定する（工事のために一般の交通の用に供する部分の通行を制限する必要のある）場合」において、歩行者が安全に通行し得るために歩行者用として別に幅0.75m以上、**特に歩行者の多い箇所においては幅1.5m以上の通路を確保しなければならない。**」とあり、設問の「**幅0.75m以上**」という記述は、不適切である。

(2) については、設問のとおりである。
(3) については、設問のとおりである。
(4) については、設問のとおりである。
　　よって、(1) が不適切である。

【解答】(1)

出典：「建設工事公衆災害防止対策要綱（土木工事編）」国土交通省

第4章 管路施設の安全管理

過去問題（令和2年）

次は、管きょの更生工事・修繕工事での危険防止における注意事項について述べたものです。最も不適切なものはどれですか。

(1) 管きょ内作業時に使用した送風機やガス検知器等の撤収は、全作業員が退出したことを確認した後に行う。

(2) 不飽和ポリエステル樹脂を現場で含侵させる時は、その量によっては消防法の適用を受ける場合がある。

(3) 作業中に安全に作業が行える水位及び流速を超えた場合は、流下阻害となる機械器具等の流出防止措置を行ってから作業員を地上に退避させる。

(4) 地上監視人と管きょ内作業員との連絡は重要であるため、現場状況に応じた連絡体制をとらせる必要がある。

【解説】

本問は、管きょの更生工事・修繕工事での危険防止における注意事項に関する設問である。「下水道維持管理指針　総論編　マネジメント編」(2014年版)「第3章　安全衛生管理　第4節　管路施設の労働安全衛生対策　§3.4.2　安全基準・作業基準【解説】(4) 管きょの更生工事・修繕工事の危険防止 2) 施工時の安全対策の確認」に、具体的に記載されている。

(1) については、設問のとおりである。

(2) については、設問のとおりである。

(3) については、同「①」に「安全に作業が行える水位及び流速を超えた場合は、直ちに作業を中断し、地上に避難させる。」とあり、設問の「流下阻害となる機械器具等の流出防止措置を行ってから」という記述は、不適切である。

(4) については、設問のとおりである。

よって、(3) が不適切である。

【解答】(3)

出典：「下水道維持管理指針　総論編　マネジメント編」(2014年版、P119～121)
　　　（公社）日本下水道協会

オリジナル問題①

次は、管路施設の作業における危険防止対策について述べたものです。最も不適切なものはどれですか。

(1) 呼吸用保護具を使用しなくてもよい場合であっても、作業中は警報機付き測定器具によるガス検知を行い、異常を感知したら直ちに退避できる体制を整えておく。
(2) 管路内で作業するときは、上流での降雨、高潮等による逆流、多量の下水の急激な流入等の原因による増水など不測の事態に備える。
(3) 道路にて作業する場合は、作業に先立ち現地の状況把握をするとともに、適切な安全対策を立案し、所定の申請書により管轄の警察署長の許可を受けなければならない。
(4) 作業場所に下水や汚泥が溜まっている場合は、外部から攪拌して水中の硫化水素を空気中に放散する前に濃度測定を行う必要がある。

【解説】

本問は、管路施設の作業における危険防止対策に関する設問である。「下水道維持管理指針　総論編　マネジメント編」(2014年版)「第3章　安全衛生管理　第4節　管路施設の労働安全衛生対策　§3.4.1　危険防止【解説】」に具体的に記載されている。
(1) については、設問のとおりである。
(2) については、設問のとおりである。
(3) については、設問のとおりである。
(4) について、同「§3.4.1危険防止（4）酸素欠乏3）防止措置」に「作業場所に下水や汚泥が溜まっている場合は、外部から攪拌して水中の硫化水素を空気中に**放散してから**濃度測定を行う必要がある。」とあり、設問の「…空気中に**放散する前に**濃度測定を行う必要がある。」という記述は、不適切である。

【解答】（4）

出典：「下水道維持管理指針　総論編　マネジメント編」(2014年版、P112～119)
　　　（公社）日本下水道協会

第4章 管路施設の安全管理

オリジナル問題②

次は、建設工事公衆災害防止対策要綱（土木工事編）に定められている交通対策について述べたものです。最も不適切なものはどれですか。

(1) 道路上において土木工事を施工する場合には、交通量の少ない道路にあっては簡易な自動信号機によって交通の誘導を行うことができる。
(2) 一般の交通を迂（う）回させる必要がある場合においては、道路管理者及び所轄警察署長の指示するところに従い、まわり道の入口及び要所に運転者または通行者に見やすい案内用標示板等を設置し、運転者または通行者が容易にまわり道を通過し得るようにしなければならない。
(3) やむを得ず通行を制限する必要があり、制限した後の道路の車線が1車線となる場合で、それを往復の交互通行の用に供する場合においては車線、その制限区間はできるだけ長くし、その前後で交通が渋滞することのないように措置するとともに、必要に応じて交通誘導員等を配置する。
(4) 交通量の特に多い道路上においては、必要に応じて夜間200m前方から視認できる光度を有する回転式か点滅式の黄色または赤色注意灯を、当該標示板に近接した位置に設置しなければならない。

【解説】

本問は、「建設工事公衆災害防止対策要綱（土木工事編）」に定められている交通対策に関する設問である。「建設工事公衆災害防止対策要綱（土木工事編）」第3章交通対策に、具体的に記載されている。

(1) については、設問のとおりである。
(2) については、設問のとおりである。
(3) については、上記「第23 車道幅員　二」に「その制限区間はできるだけ**短く**し、その前後で交通が渋滞することのないように」とあり、設問の「その制限区間はできるだけ**長く**し、」という記述は、不適切である。
(4) については、設問のとおりである。
　　よって、(3) が不適切である。

【解答】(3)

出典：「建設工事公衆災害防止対策要綱（土木工事編）」国土交通省

5　救急措置

> **ここがポイント！**
>
> 救急措置に関する出題は、2年に1問程度出題されている。特に「救急措置」について理解する。
> 　①連絡系統
> 　②救急措置
> 　③救急用具及び薬品等

(1) 連絡系統

緊急時の場合、その状況を正確かつ迅速に把握し的確に対応するため、緊急連絡体制を整備し、連絡の範囲・連絡責任者等を適切に定めておくこと。

また、「下水道維持管理指針」2014年版では「放射能確認時の連絡」が追加されており、「地震、火災その他の災害が起こったことにより、放射線障害のおそれがある場合または放射線障害の事態を発見した者は、直ちに、その旨を警察官または海上保安官に通報しなければならない。」とされている。

(2) 救急措置

管路施設、ポンプ場及び処理場では、危険な作業に携わったり、危険な薬品を取扱ったりする機会が多い。また、日常取扱うものが下水であること等から、救急措置については、日頃から十分理解しておき、万一の場合には、その場に応じた適切な措置が施せるようにしておく必要がある。なお、全国の消防署等において救命講習会を開催し、講習内容により各救命講習修了証を交付し、救命措置活動の普及を図っているので活用することをすすめる。

　1) 傷の手当
　2) 止血法
　3) 電気傷の手当
　4) ガス中毒
　5) 心肺蘇生法

(3) 救急用具及び薬品等

災害等により負傷した場合、その応急措置を早急に行えるようにしておくこ

とは、傷害を最小限にすることに大変有効である。現地で必要と思われる救急用具及び薬品等を、密閉性・防水性の高い容器等にまとめ、容易に携帯できるようにしておく。また、常に整備・補充し、必要なときに迅速に活用できることを考え、設置位置の決定並びに存在を周知することが大切である。

> **過去問題（令和元年）**
>
> 次は、事故発生時における救急措置について述べたものです。最も不適切なものはどれですか。
> (1) 人事不省及び耳、目や鼻に出血があるときは、頭がい（蓋）のなかが傷ついているおそれがあるので、頭を低くして寝かせ、直ちに医師に連絡する。
> (2) 直接圧迫止血法は、きれいなガーゼ等を傷口に当て、直接手で圧迫して止血する。
> (3) 内臓破裂のおそれがあるときは、その場で腹の皮をたるませるように、ひざを曲げて寝かせる。
> (4) 心肺停止状態になっているときは、救急通報と自動体外式除細動器（AED）手配の協力を求め、胸骨圧迫30回と人工呼吸2回を交互に繰り返し行う。

【解説】

本問は、事故発生時における救急措置についての設問である。「下水道維持管理指針　総論編　マネジメント編」（2014年版）「第3章　安全衛生管理　第7節　救急措置　§3.7.2 救急措置【解説】」に、設問に関した事項が示されている。

(1) については、【解説】(1)「傷の手当　2) 皮膚が破れていないときの手当②頭部」に、「人事不省及び耳、目や鼻に出血があったり、興奮しているときは、頭がい（ふた）のなかが傷ついているおそれがあるので頭を高くして寝かせる等し、直ちに医師に連絡する。」とあり、「頭を低く寝かせ」という設問の記述は不適切である。

(2) については、設問のとおりである。
(3) については、設問のとおりである。
(4) については、設問のとおりである。
　　よって、(1) が不適切である。

【解答】(1)

出典：「下水道維持管理指針　総論編　マネジメント編」（2014年版、P137～140）
　　　（公社）日本下水道協会

オリジナル問題①

次は、事故発生時における救急措置について述べたものです。最も不適切なものはどれですか。

(1) 傷のなかの汚れは、過酸化水素水で除く。油類で汚れているときは、揮発油、ベンジン等で傷の周囲から外に向かってふき取ったのち、アルコールで消毒する。
(2) 負傷者は原則として水平に寝かせ、ショック予防として身体を冷やし、周囲の群衆等を管理して負傷者の安静を確保すること。
(3) 傷の面を拭いたり、洗ったりしない、軽い出血は、細菌を流す作用をするので、無理に止血しない。
(4) 救急隊が到着するまで時間がかかる場合は、30分から1時間に1回傷口から血がにじむ程度ゆるめ、血が通うようにし1～2分したらまた緩める。

【解説】

本設問は救急処置に関するものである、日頃から十分理解しておき、万一の場合には、その場に応じた適切な処置が施せるようにしておく必要がある。「下水道維持管理指針　総論編　マネジメント編」(2014年版)「第3章　安全衛生管理　第7節　救急措置　§3.7.2救急措置【解説】」に、設問に関した事項が示されている。

(1) については、設問のとおりである。
(2) については、救急措置の心得に「負傷者は原則として水平に寝かせ、ショック予防として**身体を保温**し、周囲の群衆等を管理して負傷者の安静を確保すること。」とあり、「**身体を冷やし**」という設問の記述は、不適切である。
(3) については、設問のとおりである。
(4) については、設問のとおりである。
　よって、(2) が不適切である。

【解答】(2)

出典：「下水道維持管理指針　総論編　マネジメント編」(2014年版、P138～140)
　　　(公社) 日本下水道協会

6　安全器具及び保護具

👍ここがポイント！

安全器具及び保護具に関する出題は、例年1～2問程度出題されている。必ず出るので、特に以下の項目を理解する。
①安全器具及び保護具の種類
②ガス検知器具

(1) 安全器具及び保護具の種類

作業の実施に当たっては、適切な安全器具及び保護具を装着し、身の安全を確保する必要がある。このため、安全器具及び保護具は、関係文献等を参考に適切に選定し、作業に従事する職員の人数と同等以上の有効数を備えるとともに、常時、清潔に保つように注意する。

1) 安全器具

ⅰ) 安全帯等

高さ2m以上の高所作業では、墜落防止のために使用することが義務付けられているが、それ以下の深さの汚泥槽やマンホール等で酸素欠乏等の可能性がある場合も、着用が義務付けられている。

安全帯には胴ベルト型とハーネス型がある。胴ベルト型は安全帯を着用した者の胴部がベルトにより支持される構造のもので、ハーネス型は着用者の身体が荷重を肩、腿など複数個所において支持するベルト（ハーネス）により支持される構造のものである。

ⅱ) 換気装置

送排風機（換気ファン）及び送排風ダクト（スパイラル風管）によって、酸素欠乏危険場所の空気を新鮮な空気と入替えるもので、換気には排気による方法もあるが、一般には送気による方法のほうが効果的である。

2) 保護具

ⅰ) 呼吸用保護具

呼吸用保護具には、給気式とろ過式とがある。

給気式には送気マスク（ホースマスク、エアラインマスク）と自給式呼吸器（空気呼吸器、酸素呼吸器）があり、ろ過式には防毒マスクや防じんマスクがある。

a）呼吸用保護具の選定時の注意点
- 空気中の酸素濃度が18％未満の場合は、ろ過式の呼吸用保護具を使用してはならない。硫化水素と酸素欠乏空気が共存する恐れのある時も同様である。
- 防毒マスクを使用する場合は、ガスの種類に応じて吸収缶を選択する必要がある。防毒マスクを使用できる作業環境については、「防毒マスクの取扱説明書等に記載することが望ましい事項」を参照すること。
- 給気式の呼吸用保護具には、空気中の酸素濃度が18％未満から14％以上の場合に使用可能のものと、18％未満で使用可能（14％未満でも使用可能）のものとがある。14％未満の場合は、全面形面体をもつ複合式エアラインマスクまたは全面形面体をもつ緊急時給気切替警報装置付きエアラインマスクを使用する。
- 給気式の自給式呼吸器は使用時間が短いので、救急用以外は使用しない。

b）酸素欠乏危険作業で使用する呼吸用保護具

呼吸用保護具は、定期点検・整備を行って正しく使用できる状態に保つとともに、常日頃から装着・使用方法の訓練を行い、使用前は必ず動作確認を行う。

ⅰ）送気マスク

送気マスクは、ホース延長に制限があるが、有効使用時間が長いため長時間作業に適している。

a）ホースマスク

ホースマスクには、肺力吸引形と送風機形がある。肺力吸引形は、面体に接続された吸引用ホースを通して、自分の呼吸力で離れた場所の清浄空気を吸気するもので、動力を必要とせず、取扱も簡単であるが、ホースの長さは10m位が限度である。送風機形は、ホース及び吸気管を通して、送風機により清浄空気を面体に送気するもので、ホースの長さが10m以上でも使用できる。

b）エアラインマスク

エアラインマスクは圧縮空気配管、大型空気ボンベ、コンプレッサー等からの圧縮空気をエアライン（高圧ホース）吸気管を通して面体内に送気する構造のものであり、中間に送気量の調整バルブとろ過装置を設けてある。

ⅱ) 自給式呼吸器

　自給式呼吸器は、行動範囲に制約を受けず任意の場所で一定時間使用できるが、有効使用時間が短いため救急用に適している。
　a) 空気呼吸器

　　空気呼吸器は、空気ボンベの圧縮空気を減圧弁等の調整器を通して面体内に送気するもので、呼気は呼気弁を通して面体の外へ排出される。
　・酸素呼吸器

　　　酸素呼吸器は、酸素ボンベの圧縮酸素を減圧弁やデマンド弁等を通して送気するもので、呼気は清浄剤で二酸化炭素を吸収し再使用する。このため、空気呼吸器に比べると長時間使用することができる。現在使用されているものは、圧縮酸素形がほとんどである。

(2) ガス検知器具

　ガス検知器具には、検知管式ガス検知器、可燃性ガス測定器、酸素濃度測定器、硫化水素濃度測定器等がある。なお、ガス検知器具には、定期点検を必要とするものが多いので注意する。

1) ガス検知器具
　ⅰ) 検知管式ガス検知器

　　検知管式ガス検知器は取扱いが簡単であり、その場で測定結果が得られるため便利である。検知管の交換によって、約100種類のガス濃度を測定することができ、精度も高い。
　ⅱ) 可燃ガス測定器

　　可燃ガス測定器は、可燃性のガスまたは蒸気の爆発下限界の濃度を100％として表すようにしたもので、都市ガス、ガソリン蒸気等の混合ガスや混合蒸気を、その種類及び化学的組成に関係なく測定できるものである。
　ⅲ) 酸素濃度測定

　　酸素濃度測定には、次の投込み式と吸引式とがあり、このほかに小型軽量でポケットに入るような酸素濃度測定器もある。
　　a) 投込み式

　　　検知部と指示部をコードでつないだもので、使用する場所に応じて延長コードが使える。投込み式であるため、検知部を測定箇所に入れるだけで測定でき、しかも小型軽量で携帯に便利である。

b）吸引式

　　5m位のガス採取用チューブを通して、測定器に内蔵したエアポンプでガスを吸引する方式の測定器である。

ⅳ）硫化水素濃度測定器

　硫化水素濃度測定器は、ガス採取用のチューブ及びフィルターを通して、測定器に内蔵したエアポンプでガスを吸引し、硫化水素の電気化学反応によって流れる電流を測定することにより、濃度を知るものである。

2) 検知器具の取扱い

　測定機器は多くの種類があるが、それぞれの特色を十分に理解し適切に使用する必要がある。

ⅰ）現地に適切な機器を選ぶ。

ⅱ）常に正しい保守管理を行って正確さを保持する。

ⅲ）測定箇所・測定時期を正しく決める。

ⅳ）機器に合致した正しい測定操作を行う。

ⅴ）測定結果を正しく評価する。

過去問題(令和2年)

次は、酸素欠乏危険作業で使用する呼吸用保護具の送気マスクについて述べたものです。 ☐ 内にあてはまる語句の組み合わせとして最も適切なものはどれですか。

送気マスクのひとつである A マスクには、肺力吸引形と B 形がある。肺力吸引形は、取扱いが簡単な反面、送気のための A の長さは10m位が限界である。一方、 B 形は、 B により C 空気を面体に送気するために、 A の長さが10m以上でも使用できる。

	A	B	C
(1)	ホース	空気ボンベ	圧縮
(2)	エアライン	空気ボンベ	清浄
(3)	ホース	送風機	清浄
(4)	エアライン	送風機	圧縮

【解説】

本問は、酸素欠乏危険作業で使用する呼吸用保護具の送気マスクに関する設問である。「下水道維持管理指針　総論編　マネジメント編」(2014年版)の「第3章　安全衛生管理　第8節　安全器具及び保護具　§3.8.1安全器具及び保護具の種類【解説】(2)　保護具②酸素欠乏危険作業で使用する呼吸用保護具 ⅰ送気マスク・ホースマスク」に、以下のとおり解説されている。

「(送気マスクのひとつである) ホース マスクには、肺力吸引形と 送風機 形がある。肺力吸引形は、面体に接続された吸引用ホースを通して、自分の呼吸力で離れた場所の清浄空気を吸気するもので、動力を必要とせず、取り扱いが簡単であるが、 ホース の長さは10m位が限度である。(一方) 送風機 形は、ホース及び吸気管を通して、 送風機 により 清浄 空気を面体に送気するもので、 ホース の長さが10m以上でも使用できる。」

よって、(3)が適切である。

【解答】(3)

出典：「下水道維持管理指針　総論編　マネジメント編」(2014年版、P141～144)
　　　(公社)日本下水道協会

過去問題（令和2年）

次は、ガス検知器の特徴についてのべたものです。最も不適当なものはどれですか。
(1) 可燃性ガス測定器は、可燃性のガスまたは蒸気の爆発下限界の濃度を100％として表すようにしたものである。
(2) 検知管式ガス検知器は、取扱いが比較的容易で検知管を交換することなく約100種類のガス濃度を測定できるものである。
(3) 吸引式の酸素濃度測定器は、5m位のガス採取用チューブを通して、測定器に内蔵したエアポンプでガスを吸引する方式の測定器である。
(4) 硫化水素濃度測定器は、測定器に内蔵したエアポンプでガスを吸引し、電気化学反応により流れる電流を測定することにより濃度を知るものである。

【解説】

本問は、ガス検知器に関する設問である。「下水道維持管理指針　総論編　マネジメント編」（2014年版）の第3章　安全衛生管理　第8節　安全器具及び保護具　§3.8.2 ガス検知器具【解説】(1) ガス検知器具」に、具体的に記載されている。
(1) については、設問のとおりである。
(2) については、「【解説】1) 検知管式ガス検知器」に、「検知管式ガス検知器は取扱いが簡単であり、…。**検知管の交換**によって、約100種類のガス濃度を測定することができ、精度も高い。」とあり、設問の「**検知管を交換することなく**」という記述は、不適切である。
(3) については、設問のとおりである。
(4) については、設問のとおりである。
よって、(2) が不適切である。

【解答】(2)

出典:「下水道維持管理指針　総論編　マネジメント編」（2014年版、P144～146）
　　　（公社）日本下水道協会

オリジナル問題①

次は、安全器具と保護具についてのべたものです。最も不適当なものはどれですか。

(1) 呼吸用保護具には、給気式とろ過式がある。給気式には送気マスクと自給式呼吸器があり、ろ過式には防毒マスクや防じんマスクがある。
(2) 空気呼吸器は、空気ボンベの圧縮空気を減圧弁等の調整器を通して面体内に送気するもので、呼気は呼気弁を通して面体の外へ排出される。
(3) 安全帯は、高さ2m以上の高所作業では、墜落防止のために使用することが義務付けられているが、それ以下の深さの汚泥層やマンホール等で酸素欠乏等の可能性がある場合は、着用が義務付けられている。
(4) 自給式呼吸器は、行動範囲に制約を受けず有効使用時間が長いため長時間作業に適している。

【解説】

本問は、安全器具と保護具に関する設問である。「下水道維持管理指針　総論編　マネジメント編」」(2014年版)の「第3章　安全衛生管理　第8節　安全器具及び保護具　§3.8.1安全器具及び保護具の種類【解説】(1) 安全器具及び (2) 保護具」に、具体的に記載されている。
(1) については、設問のとおりである。
(2) については、設問のとおりである。
(3) については、設問のとおりである。
(4) 同「(2) 保護具 1) 呼吸用保護具　ⅱ自給式呼吸器」に「自給式呼吸器は、行動範囲に制約を受けず任意の場所で一定時間使用できるが、**有効使用時間が短いため救急用に適している。**」とあり、設問の「**有効使用時間が長いため長時間作業に適している。**」という記述は、不適切である。

【解答】(4)

出典:「下水道維持管理指針　総論編　マネジメント編」(2014年版、P140～144)
　　　(公社) 日本下水道協会

下水道管理技術認定試験（管路施設）テキスト

第5章　下水道処理施設の基礎知識

1　汚水処理施設

👍ここがポイント！

汚水処理施設に関する問題は、例年1問程度、必ず出題されている。
以下の3項目を重点的に理解する。また、この節の最後の「各処理方式の特徴一覧表」は必ず覚える。
　①汚水処理施設の概要
　②生物処理法の基本原理
　③各処理方式の原理と特徴

汚水処理施設の役割は、下水を処理し、法令等の基準に適合する処理水質を確保することである。下水を処理する段階によって、一次処理、二次処理及び高度処理に大別できる。

一次処理：下水中の固形物や浮遊物を物理的に沈殿、浮上させ分離除去を行う。
二次処理：微生物反応を利用して、生物学的に有機物の除去を行う（生物処理）。
高度処理：一次処理及び二次処理では十分に除去できない有機物、浮遊物、窒素、りんなどの除去を行う。

(1) 汚水処理施設の概要

汚水処理施設とは、下水を処理する処理施設またはこれを補完する施設を含むものであり、汚水調整池、最初沈殿地、反応タンク、最終沈殿池、ろ過施設、消毒設備及びその他施設のうち各々の処理方式が必要とする施設で構成されている。

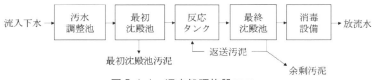

図5.1.1　汚水処理施設フロー

出典：「下水道施設計画・設計指針と解説　後編」（2019年版、P1～2）、
　　　「下水道維持管理指針　実務編」（2014年版、P487）（公社）日本下水道協会

1) 汚水調整池

　汚水調整池は流入下水の水量及び水質の変動を吸収し、均一化することによって処理効率を高め、処理水の水質の向上を図るための施設である。

2) 沈殿池

　重力沈殿可能なSS（浮遊物質）を沈殿除去する施設である。沈殿した汚泥は腐敗しやすいので、沈殿汚泥を速やかに除去するための設備（汚泥かき寄せ機、汚泥引抜き）がある。

- 最初沈殿池は、沈砂池で除去されなかった微細な砂及び下水中の有機物を主体とする比重の大きいSSを緩やかな流速によって沈殿分離させる。続く生物処理施設の有機物負荷を軽減させ、良好な生物処理を行うための施設である。
- 最終沈殿池は、生物処理によって発生する汚泥と処理水を分離し、沈殿した汚泥を反応タンクに返送したり余剰汚泥として系外に除去する施設である。微生物フロックを主体とする比重の小さいSSを沈殿分離させる。

3) 反応タンク

　反応タンクは、下水中の有機物などを生物学的に処理する施設である。下水中の有機物を栄養源とする微生物が主体となる活性汚泥と下水との混合液に、空気中の酸素を供給することにより、微生物は溶存酸素を消費しながら下水中の有機物を分解する。

4) 消毒設備

　消毒は放流水の衛生的な安全性を高める目的で行うもので、その効果を確認する場合には一般的に大腸菌群が指標として用いられている。消毒方法は、次亜塩素酸ナトリウム及び固形塩素などの塩素消毒、紫外線照射による紫外線消毒、オゾンを用いたオゾン消毒などがある。なお、下水道法で処理場から公共用水域に排出される放流水中の大腸菌群数は、3,000個／cm^3以下と定められている。

(2) 生物処理法の基本原理

　生物処理法は、色々な方法があるが、基本原理は浮遊生物を利用した処理法と生物膜を利用した処理法に分けられる。

1) **浮遊生物を利用した処理法⇒活性汚泥法**

- 標準活性汚泥法
- 酸素活性汚泥法

- 長時間エアレーション法
- オキシデーションディッチ法
- 回分式活性汚泥法
- 嫌気 - 無酸素 - 好気法（高度処理）
- ステップ流入式多段硝化脱窒法（高度処理）

2）生物膜を利用した処理法⇒生物膜法

- 好気性ろ床法
- 接触酸化法

(3) 各処理方式の原理と特徴

1）標準活性汚泥法

　標準活性汚泥法は、矩形水路方式の最初沈殿池、反応タンク及び最終沈殿池で構成され、中規模以上の比較的規模の大きな下水処理場で採用されている。MLSS（※1）濃度1,500～2,000mg/L、水理学的滞留時間（HRT）6～8時間を標準として処理する方法である。

※1 MLSS（活性汚泥浮遊物質）：活性汚泥法において、反応タンク内の活性汚泥の濃度を表すもので、流入下水を安定して処理するための重要な管理指標である。

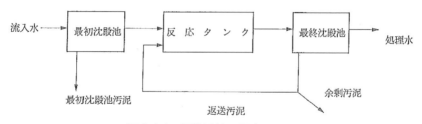

図5.1.2　標準活性汚泥法フロー

出典：「下水道施設計画・設計指針と解説　後編」（2019年版、P46、P63～64）
　　　（公社）日本下水道協会

2) 長時間エアレーション法

長時間エアレーション法は、最初沈殿池を設けず、低負荷で運転される。MLSS濃度は比較的高く(3,000〜4,000mg/L)、滞留時間も長く(16〜24時間)設定されるため、流入負荷の変動に対して比較的安定した処理を期待できる。

図5.1.3　長時間エアレーション法処理フロー
出典：「下水道施設計画・設計指針と解説　後編」(2019年版、P109、P111)
　　　(公社)日本下水道協会

3) オキシデーションディッチ法 (OD法) Oxidation (酸化) Ditch (溝)

オキシデーションディッチ法は、無終端水路を反応タンクとして低負荷量で活性汚泥処理を行い、最終沈殿池で固液分離を行う処理方式である。最初沈殿池は原則として設置しない。滞留時間24〜36(48)時間と長いため、流量変動、水質変動及び水温の変化に対して処理水への影響が少なく安定した処理が期待できる処理方式である。

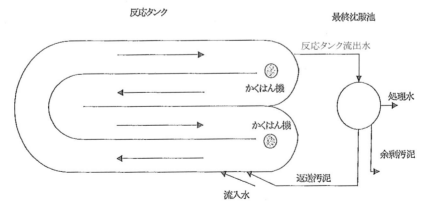

図5.1.4　オキシデーションディッチ法処理フロー
出典：「下水道施設計画・設計指針と解説　後編」(2019年版、P102〜103)
　　　(公社)日本下水道協会

4) 回分式活性汚泥法

　回分式活性汚泥法は、単一の反応タンク（回分槽）に最終沈殿池の機能を持たせ、活性汚泥による流入下水の処理と混合液の沈殿、上澄水の排出、沈殿汚泥の排泥工程を繰り返し行う方式である。最初沈殿池は原則として設置しない。また、他の処理方式に比較し流入水量変動の影響を受けやすいので、汚水調整池を設置することが多い。

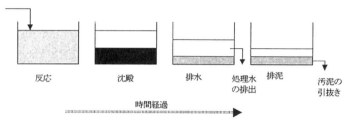

図 5.1.5　回分式活性汚泥法の処理工程図

出典：「下水道施設計画・設計指針と解説　後編」（2019 年版、P113 ～ 114）
　　　（公社）日本下水道協会

5) 嫌気－無酸素－好気法（A2O 法）Anaerobic（嫌気）Anoxic（無酸素）Oxic（好気）

　嫌気－無酸素－好気法は、嫌気タンクでりんの放出、無酸素タンクで脱窒、好気タンクで硝化・りん摂取を行う高度処理であり、窒素とりんを同時に除去するものである。

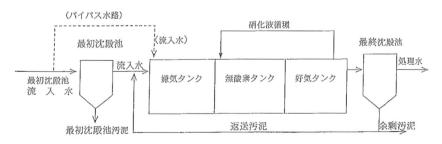

図 5.1.6　嫌気－無酸素－好気法の基本フローシート

出典：「下水道施設計画・設計指針と解説　後編」（2019 年版、P214）
　　　（公社）日本下水道協会

6) 好気性ろ床法

　好気性ろ床法は接触材を充てんした反応タンクの上部から最初沈殿池流出水を流入させ、ろ材間を通過する間に、ろ材の表面に付着した好気性生物による有機物の分解とSSの捕捉を同時に行う下水処理方式である。

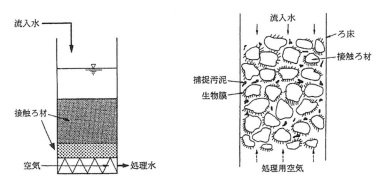

図5.1.7　好気性ろ床法の模式図

出典：「下水道施設計画・設計指針と解説　後編」（2019年版、P128）
　　　（公社）日本下水道協会

7) 各処理方式の特徴一覧表

表 5.1.1　各処理方式の特徴一覧表

処理方式		最初沈殿池	反応タンク滞留時間（HRT）	最終沈殿池	特　徴
活性汚泥法	標準活性汚泥法	設置	6～8時間	設置	**最初沈殿池、反応タンク及び最終沈殿池で構成され、中規模以上の比較的規模の大きな下水処理場で採用。**
	長時間エアレーション法	なし	16～24時間	設置	最初沈殿池を設けず、低負荷で運転される。滞留時間も長く設定されるため、流入負荷変動に対し、安定した処理が可能。
	オキシデーションディッチ法	なし	24～36(48)時間	設置	**最初沈殿池を設けず、無終端水路を反応タンクとして低負荷量で活性汚泥処理を行う。**
	回分式活性汚泥法	なし	高負荷 12～24時間 低負荷 24～48時間	なし	単一の回分槽に反応タンクと最終沈殿池の機能をもたせる。流入水量の変動に対し、汚水調整池を設置。
	酸素活性汚泥法	設置	1.5～3時間	設置	空気の代わりに高濃度の酸素を用いるので高い有機物負荷、高いMLSS濃度で処理ができる。
	嫌気―無酸素―好気法	設置	16～17時間	設置	高度処理。窒素とりんを同時に除去できる。
	嫌気―好気活性汚泥法	設置	7～10時間	設置	高度処理。りんを除去できる。
生物膜法	好気性ろ床法	設置	―	なし	ろ材の表面に付着した生物により、有機物の分解を行う。逆洗浄が必要。
	接触酸化法	設置	―	設置	ろ材の表面に付着した生物により、有機物の分解を行う。汚泥の引き抜きが必要。

出典：「下水道施設計画・設計指針と解説　後編」（2019年版、P44～45）
　　　（公社）日本下水道協会
　　　「下水道維持管理指針　実務編」（2014年版、P629～630）（公社）日本下水道協会

> ### 過去問題(令和2年)
>
> 次は、下水処理について述べたものです。最も不適切なものはどれですか。
> (1) 下水の生物処理は、主として自然界に存在する好気性微生物等を利用して下水中の有機物等の除去を行うものである。
> (2) 標準活性汚泥法は、生物膜を利用した処理法である。
> (3) オキシデーションディッチ法は、浮遊生物を利用した処理法である。
> (4) 最終沈殿池は、活性汚泥を沈殿分離して清澄な処理水を得るための施設である。

【解説】
標準活性汚泥法は、浮遊生物を利用した代表的な処理法である。この他の浮遊生物を利用した活性汚泥法には、オキシデーションディッチ法、回分式活性汚泥法、嫌気-好気活性汚泥法、嫌気-無酸素-好気活性汚泥法、長時間エアレーション法などがある。よって、(2) が不適切である。

【解答】(2)

出典:「下水道施設計画・設計指針と解説 後編」(2019年版、P46、P269)
　　　(公社) 日本下水道協会

第 5 章　下水道処理施設の基礎知識

過去問題（令和元年）

次は、各種の下水処理方式を示したものです。最初沈殿池を有しない下水処理方式として最も適切なものはどれですか。
(1) 標準活性汚泥法
(2) ステップ流入式多段硝化脱窒法
(3) 酸素活性汚泥法
(4) 回分式活性汚泥法

【解説】

回分式活性汚泥法は、１つの反応タンク（回分槽）で流入、反応、沈殿、排出の各機能を持たせる処理方法である。流入量変動に対して汚水調整池は設けるが、最初沈殿池は、設置しない。よって、(4) が適切である。最初沈殿池を設置しない処理方式には、他に長時間エアレーション法、オキシデーションディッチ法等がある。

【解答】(4)

出典：「下水道施設計画・設計指針と解説　後編」（2019 年版、P44 〜 45）
　　　（公社）日本下水道協会

過去問題(平成 30 年)

次は、下水処理について述べたものです。最も不適切なものはどれですか。
(1) 標準活性汚泥法は、浮遊生物を利用した処理法である。
(2) 下水の生物処理は、主として自然界に存在する好気性微生物等を利用して下水中の有機物等の除去を行うものである。
(3) 最終沈殿池は、生物処理によって発生する汚泥と処理水を分離するものである。
(4) オキシデーションディッチ法は、生物膜を利用した処理法である。

【解説】

オキシデーションディッチ法は、浮遊生物を利用した処理法である。生物膜を利用した処理法には、好気性ろ床法、接触酸化法などがある。よって、(4)が不適切である。

【解答】(4)

出典:「下水道施設計画・設計指針と解説 後編」(2019 年版、P269 ～ 270)
(公社)日本下水道協会

過去問題(平成29年)

次は、最初沈殿池と最終沈殿池について述べたものです。 ◯◯◯内にあてはまる語句の組み合わせとして最も適切なものはどれですか。

最初沈殿池では、下水中の [A] を主体とする比重の [B] 浮遊物質(SS)を沈殿分離するのに対して、最終沈殿池では、[C] を主体とする比重の [D] SSを沈降分離させるものである。

	A	B	C	D
(1)	有機物	小さい	微生物フロック	大きい
(2)	有機物	大きい	微生物フロック	小さい
(3)	微生物フロック	小さい	有機物	大きい
(4)	微生物フロック	大きい	有機物	小さい

【解説】

最初沈殿池では、下水中の有機物を主体とする比重の大きい浮遊物質(SS)を沈殿分離(固液分離ともいう)するのに対して、最終沈殿池では、微生物フロックを主体とする比重の小さいSSを沈降分離させるものである。よって(2)が適切である。

【解答】(2)

出典:「下水道維持管理指針 実務編」(2014年版、P494)(公社)日本下水道協会

オリジナル問題①

　次は、下水処理について述べたものです。最も不適切なものはどれですか。
(1) 高度処理の処理対象物質は、主にカリウム、有機物である。
(2) 沈殿池は、下水中の浮遊物質を重力沈降によって分離除去する施設である。
(3) 消毒は、放流水の衛生的な安全性を高めるために行うもので、塩素消毒、紫外線消毒、オゾン消毒がある。
(4) 生物処理のうち浮遊生物を利用する方法には、標準活性汚泥法、オキシデーションディッチ法などがある。

【解説】
　沈殿池は、沈殿可能なSS（浮遊物質）を重力沈降によって分離除去する施設である。また、消毒は、放流水の衛生的な安全性を高めるために行うもので、塩素消毒、紫外線消毒、オゾン消毒がある。高度処理は、主に、一次処理及び二次処理では十分に除去できない有機物、浮遊物、窒素、りんなどの除去を行う。よって、(1)が不適切である。

【解答】(1)

出典：「下水道施設計画・設計指針と解説　後編」(2019年版、P20、P46、P233、P269)
　　　（公社）日本下水道協会

2　汚泥処理施設

> **ここがポイント！**
>
> 汚泥処理施設に関する問題は、例年2問程度出題されている。
> 必ず出題されるので、特に以下の3項目を重点的に理解する。
> ①汚泥処理の概要
> ②汚泥処理のプロセス（濃縮、消化、脱水、焼却）
> ③汚泥の有効利用

(1) 汚泥処理の概要

汚泥処理の目的は、次の2つである。
・水処理で発生した汚泥中の水分を減らして、減量する。
・汚泥性状の安定化を図る（有機分を分解する）。

汚泥処理は、濃縮、消化、脱水、焼却のプロセスを経て、汚泥を資源化、処分する。なお、消化、焼却のプロセスを除いて処理することもある。汚泥処理施設のフローを下記に示す（図5.2.1）。

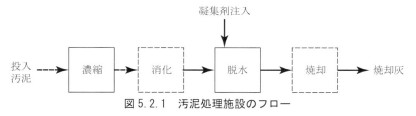

図 5.2.1　汚泥処理施設のフロー

1）最初沈殿池で発生する最初沈殿池汚泥（生汚泥）

最初沈殿池汚泥は沈降しやすく濃縮しやすいが、汚泥発生量の変動が大きい（合流式の雨天時には、汚泥発生量が多くなる）。

2）最終沈殿池で発生する余剰汚泥

最初沈殿池汚泥と比較して、比重が小さいため重力濃縮しにくい。そのため、機械濃縮が必要となる。しかし、汚泥発生量は安定している。

各汚泥処理プロセスでの汚泥容積の変化を図5.2.2に示す。

(2) 汚泥処理のプロセス
1) 汚泥濃縮の役割

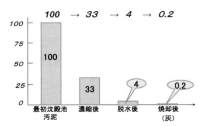

図5.2.2　汚泥容積の変化図

汚泥濃縮の役割は、水処理施設で発生した低濃度の汚泥を濃縮し、その後に続く消化や脱水を効果的に機能させることにある。汚泥を濃縮すると、含水率は低下し、減量される。汚泥の濃縮が不十分なときは、あとの汚泥処理の効率低下を招くばかりでなく、懸濁物を多量に含んだ分離液が水処理施設に戻り、処理水の水質悪化の原因となることがある。一般に、余剰汚泥は最初沈殿池汚泥に比べて、沈降性や濃縮性が悪い。

2) 濃縮方式の種類

　ⅰ) 重力濃縮

　　タンク内に汚泥を滞留させ自然の重力を利用して濃縮を行い底部に堆積した濃縮汚泥を汚泥かき寄せ機で集める。夏季の水温の高い時期には、汚泥が腐敗して十分に濃縮できないことに注意する。タンクの上部より、清澄域、沈降域、圧密域（下部2層が汚泥層）の3層からなる。

　　投入汚泥（最初沈殿池汚泥）の含水率99%、一般的に濃縮汚泥の含水率は96〜98%程度である。

　ⅱ) 遠心濃縮

　　高遠心力の場において固液分離を行い、汚泥の濃縮を行うもので、重力濃縮しにくい余剰汚泥でも固形物の濃度を4%程度までに濃縮することが可能である。設置面積は、重力濃縮に比べて小さいが、消費電力は他の濃縮法に比べて最も大きい。一般に含水率は96%程度、固形物回収率85〜95%を標準とする。

　ⅲ) 浮上濃縮

　　汚泥の粒子に微細気泡を付着させ、汚泥の水に対する見掛け比重を小さくして浮上分離させる。圧力を加えて微細気泡を生成する加圧浮上濃縮法、圧力を加えずに薬品等で微細気泡を生成する常圧浮上濃縮法がある。

3) 嫌気性消化

　ⅰ) 微生物によって汚泥中の有機物を分解・安定化させることを主目的としている。

ⅱ）嫌気性消化は、嫌気的状態に保たれた汚泥消化タンク内で有機物を嫌気性微生物の働きで低分子化、液化及びガス化（メタンを主成分とした消化ガス）する処理法である。この結果、汚泥量の減少と質の安定化及び衛生面の安全化が図れる。また、汚泥量が減少することにより、脱水、焼却等の後続の処理設備の容量の縮小化が可能となる。消化日数は、中温（35℃程度）消化で20～30日、高温（50～55℃）消化で10～15日を要する。

4）脱水

汚泥脱水とは、含水率96～98％の液状の濃縮汚泥あるいは消化汚泥を含水率80％程度に脱水し、ケーキ状態にすること。汚泥容量は1/5～1/10程度（濃縮汚泥に対し）に減少し、取扱いが容易になる。汚泥脱水は、機械的に固液分離して汚泥を減容化するものであり、脱水方式には、ろ過式と遠心分離式がある。脱水する前の汚泥に薬品（凝集剤）を注入して凝集力の増大、粒子の粗粒化を図り、汚泥の固液分離等、脱水性を改善させる（調質）。

ⅰ）ろ過式（高分子凝集剤）（高分子・無機凝集剤併用）：圧入式スクリュープレス脱水機、回転加圧脱水機、ベルトプレス脱水機、多重板型スクリュープレス脱水機、多重円板型脱水機

ⅱ）遠心分離式（高分子凝集剤）（高分子・無機凝集剤併用）：遠心脱水機⇒高い遠心力を得るため、ベルトプレス脱水機より消費電力が高い。

【無機系凝集剤を使用すると脱水汚泥量が増加するが、有機凝集剤は、注入率が非常に少ないため、脱水汚泥量の増加は殆どない。】

5）焼却

汚泥焼却は、汚泥の減量化、安定化、資源化が図れる。

ⅰ）汚泥の減量化：脱水汚泥は、焼却により1/10～1/20に減量化され、焼却灰になる。

ⅱ）汚泥の安定化：汚泥を焼却することにより無機化し、処分する汚泥の安定化が図れる。

ⅲ）汚泥の資源化：焼却灰は無加工でセメント原料やアスファルトフィラーとして利用されるほか、造粒焼成や加圧形成して軽量骨材、焼成レンガ等の原料として有効利用しており資源化が図れる。汚泥焼却炉の種類は、流動焼却炉、立形多段炉、階段式ストーカ炉等がある。

(3) 汚泥の有効利用

1) 建設資材・熱エネルギー

（処理工程）	（生成物質）	（利用用途）
脱水	脱水汚泥	セメント原料
焼却	焼却灰	セメント原料
		アスファルトフィラー、軽量骨材
溶融	溶融スラグ	路盤材、骨材、ブロック
消化	消化ガス（メタン）	加温、発電等

2) 緑農地利用

（処理工程）	（生成物質）	（利用用途）
脱水	コンポスト	コンポスト（たい肥）
乾燥	乾燥汚泥	肥料

3) コンポスト化（たい肥化）

汚泥中の易分解性有機物を微生物によって、好気性分解（または発酵という）させて、緑農地に利用可能な形態・性状にまで安定化すること。

4) コンポスト化の工程

ⅰ）前調整工程

良好なコンポスト化を進めるために、通気性の改善、含水率の調整、pH調整（中和）を行う。

ⅱ）発酵工程

有機物の分解と水分の蒸発が進行する。一次発酵では温度の上昇や、水分の蒸発が急激に進行し、二次発酵では緩慢なものとなる。発酵期間中には、発酵に必要な酸素の供給（通気）と発酵途中の混合物を適当な頻度で混合（切返し）し、反応を促進させる。また、野積み式は、機械式に比べて、一般に建設費、維持管理費が安価である利点を有する反面、用地面積が大きくなる欠点がある。

発酵が順調なときは、湯気や二酸化炭素の他に悪臭物質のアンモニア、メチルメルカプタン等の発生が活発であるので、臭気対策が必要になる。

第 5 章　下水道処理施設の基礎知識

過去問題（令和 2 年）

次は、汚泥濃縮について述べたものです。最も不適切なものはどれですか。
(1) 水処理施設で発生した低濃度の汚泥は、濃縮することで減量でき、後に続く汚泥処理施設を効果的に機能させることができる。
(2) 最初沈殿池汚泥は余剰汚泥に比べ重力濃縮がしにくいため、機械濃縮するケースが多い。
(3) 汚泥濃縮の前処理設備として、除砂・除じん設備や破砕設備を設けることが望ましい。
(4) 汚泥の濃縮が不十分な場合、懸濁物を多量に含んだ分離液が水処理施設に返送され、処理水質が悪化することがある。

【解説】
(1) 汚泥濃縮の果たす役割は、水処理で発生した低濃度の汚泥を濃縮し、その後に続く消化や脱水を効果的に機能させるものであり、汚泥の減容化が目的である。よって、適切である。
(2) 最初沈殿池汚泥は、生物処理前の沈殿処理によって発生する汚泥をいう。余剰汚泥に比べて無機質を多く含み、比重が大きいので重力濃縮に適している。
　　よって、不適切である。機械濃縮するケースが多いのは余剰汚泥である。
(3) 濃縮に先立ち前処理として、除砂及び除塵設備を設けることが望ましい。よって、適切である。
(4) 汚泥の濃縮が不十分なときは、あとの汚泥処理の効率低下を招くばかりでなく、懸濁物を多量に含んだ分離液が水処理施設にもどり、処理水の水質悪化の原因となることがある。よって、適切である。

【解答】（2）

出典：「下水道施設計画・設計指針と解説　後編」（2019 年版、P451 〜 452）
　　　（公社）日本下水道協会

過去問題（令和元年）

次は、汚泥消化について述べたものです。最も適切なものはどれですか。
(1) 好気性消化は、空気をばっ気した消化タンクで汚泥の有機物質を分解するプロセスである。
(2) 高温域で消化を行う高温消化（50〜55℃）では、中温消化（30〜35℃）より消化日数が長くなる。
(3) 嫌気性消化により生成するガスは、二酸化炭素が最も多い。
(4) 嫌気性消化は、付帯設備が少なく、投入汚泥の固形物濃度や汚泥量の管理も容易である。

【解説】
(1) 好気性消化は、汚泥を長時間エアレーションし、好気性微生物の働きで汚泥の減容化と安定化を行うものである。よって、適切である。
(2) 消化日数は、中温消化（30〜35℃）で20〜30日、高温消化（50〜55℃）で10〜15日を要する。よって、不適切である。
(3) 嫌気性消化は、有機物を嫌気性微生物の働きで低分子化、液化及びガス化（メタンを主成分とした消化ガス）する処理法である。よって、不適切である。
(4) 嫌気性消化は、付帯設備の多く、投入汚泥の固形物濃度や汚泥量の管理が難しい施設である。よって、不適切である。

【解答】（1）

出典：「下水道維持管理指針　実務編」（2014年版、P817、P1014）（公社）日本下水道協会

第5章　下水道処理施設の基礎知識

> **過去問題（平成30年）**
>
> 次は、下水汚泥の有効利用について、加工工程とそこからの生成物及び利用用途の組合せを示したものです。最も不適切なものはどれですか。
>
> | | 加工工程 | 生成物 | 利用用途 |
> |---|---|---|---|
> | (1) | 乾燥 | 乾燥汚泥 | 肥料 |
> | (2) | 溶融 | スラグ | 燃料 |
> | (3) | 焼却 | 焼却灰 | 路盤材 |
> | (4) | 消化 | メタンガス | 燃料電池 |

【解説】
(1) 乾燥は、設問のとおりである。よって、適切である。
(2) 脱水ケーキを溶融炉で溶解すると、珪酸（けいさん）を主成分とした混合物が得られ、これを溶融スラグという。溶融スラグは、建設資材などとして利用されている。しかし、エネルギーとしての利用はできない。
   よって、不適切である。
(3) 焼却灰は、セメント原料、軽量骨材、路盤材などに利用されており、適切である。
(4) 嫌気性消化は、副産物としてメタンを主成分とした消化ガスを生成する。その消化ガスは、脱硫後に汚泥消化タンクの加温、発電、燃料電池に利用する。よって、適切である。

【解答】（2）

出典：「下水道施設計画・設計指針と解説　後編」（2019年版、P406、P476、P602、P607）
　　　（公社）日本下水道協会

過去問題(平成 29 年)

次は、下水汚泥の緑農地利用について述べたものです。｜　　　｜にあてはまる語句の組合せとして最も適切なものはどれですか。

下水汚泥は、｜ A ｜や｜ B ｜などの肥料成分のほか、各種有用な無機物で構成されており、｜ C ｜や炭化汚泥等の形態で緑農地利用を行う。

	A	B	C
(1)	窒素	りん	溶融スラグ
(2)	砂分	カリウム	コンポスト
(3)	窒素	りん	コンポスト
(4)	砂分	カリウム	溶融スラグ

【解説】

下水汚泥には窒素やりんだけでなく、植物の生育に欠かせない複数の無機物も含まれている。また緑地利用される形態としては、最も多いコンポストに加えて、炭化汚泥も肥料として活用されている。

したがって、下水汚泥は、｜窒素｜や｜りん｜などの肥料成分のほか、各種有用な無機物で構成されており、｜コンポスト｜や炭化汚泥等の形態で緑農地利用を行う。

【解答】(3)

出典:「下水道施設計画・設計指針と解説　後編」(2019 年版、P411 ～ 412)
　　　(公社) 日本下水道協会

過去問題（平成 28 年）

次は、汚泥の嫌気性消化について述べたものです。　　　　内にあてはまる語句の組合せとして最も適切なものはどれですか。

汚泥の嫌気性消化とは、嫌気性細菌の働きによって汚泥中の　A　を分解し、最終的に液化及び　B　して汚泥が　C　する過程をいう。

	A	B	C
(1)	有機物	濃縮	肥料
(2)	無機物	ガス化	安定化
(3)	有機物	ガス化	安定化
(4)	無機物	ガス化	肥料化

【解説】

　嫌気性汚泥消化は、微生物によって汚泥中の有機物を分解・安定化させることを主目的としている。嫌気性汚泥消化は、嫌気的状態に保たれた汚泥消化タンク内で有機物を嫌気性微生物の働きで低分子化、液化及びガス化（メタンを主成分とした消化ガス）する処理法である。したがって、汚泥の嫌気性消化とは、嫌気性細菌の働きによって汚泥中の 有機物 を分解し、最終的に液化及び ガス化 して汚泥が 安定化 する過程をいう。

【解答】（3）

出典：「下水道施設計画・設計指針と解説　後編」（2019 年版、P476）
　　　（公社）日本下水道協会

オリジナル問題①

次は、汚泥処理について述べたものです。最も不適切なものはどれですか。

(1) 最初沈澱池や汚泥濃縮タンクなどは硫化水素が発生しやすい。
(2) 濃縮汚泥は、最終沈殿池で濃縮した汚泥をいう。
(3) 嫌気性消化により生成するガスは、メタンが主成分である。
(4) 脱水する汚泥に薬品を注入して汚泥粒子間の反発を弱めて、凝集力の増大、粒子の粗大化、汚泥の固液分離等、脱水性を改善する。

【解説】

(1) 最初沈殿池や汚泥濃縮タンクなどで滞留時間が長くなった場合、汚泥が嫌気化、腐敗し、硫化水素が発生する。よって適切である。
(2) 濃縮汚泥は、重力濃縮や機械濃縮（遠心濃縮、浮上濃縮等）によって発生した汚泥のことである。最終沈殿池で発生した汚泥は、返送汚泥あるいは余剰汚泥となる。よって不適切である。
(3) 消化ガスの主成分はメタン（60～65%）で、残りのガスはほぼ炭酸ガスになっており、約3～15倍量の空気が混入すると爆発する危険がある。よって適切である。
(4) 脱水設備の脱水方式にはろ過式、遠心分離式がある。両方とも汚泥脱水のろ過効率を高めるために、適切な薬品（凝集剤）を選択することが重要である。よって適切である。

【解答】(2)

出典：「下水道施設計画・設計指針と解説　後編」(2019年版、P451、P476、P509、P949～950)
　　　（公社）日本下水道協会
　　　「下水道維持管理指針　実務編」(2014年版、P826、P836、P848)
　　　（公社）日本下水道協会

下水道管理技術認定試験（管路施設）テキスト

第6章　工場排水の規制

1　排水規制の目的

> 👍 **ここがポイント！**
>
> 排水規制の目的に関する出題は、近年、出題されることは少ないが、出題範囲が限られるため、以下の2項目を確実に理解する。
> ①規制の対象となる水質項目
> ②特定施設の種類と特定事業場

排水規制の目的

下水道の施設には、家庭や事業場からの下水が下水管に流入し、下水処理場に運ばれ、微生物の働きで処理している。

事業場からの排水の中には、そのままの状態で下水道に排除されると、管路・ポンプ場・処理場の施設を損傷させたり、生物処理の機能を低下させたりするものがあることから、除害施設等で、下水道に受け入れ可能な水質まで処理した上で、下水道に排除させることが、法律で定められている。

（1）規制の対象となる水質項目

下水の排除の制限に係る水質項目は、下水道施設の機能保全と損傷防止に関する項目、処理困難物質、処理可能項目に分かれている（表6.1.1参照）。

（2）特定施設の種類と特定事業場

人の健康を害する恐れのあるもの、または生活環境に害をもたらす物質を含んだ水を排出する施設で、水質規制が必要な施設は、特定施設として法律で具体的に定められている。

特定施設を設置する工場や事業場は第一〜三次産業まで幅広い事業場があり、特定事業場とされている。

特定事業場以外でも、下水排除基準に適合しない水を流すことは禁じられている。

265

ダイオキシン類対策特別措置法に規定する水質基準対象施設の設置者にはダイオキシン類も規制対象となる。

表 6.1.1　水質規制項目の分類

下水道施設の機能保全と損傷防止	温度、　水素イオン濃度、　ノルマルヘキサン抽出物質含有量、　よう素消費量
処理困難物質 （有害）	カドミウム、シアン化合物、有機りん化合物、鉛、六価クロム、ひ素、総水銀、アルキル水銀化合物、ポリ塩化ビフェニル（PCB）、トリクロロエチレン、テトラクロロエチレン、ジクロロメタン、四塩化炭素、1,2-ジクロロエタン、1,1-ジクロロエチレン、シス-1,2-ジクロロエチレン、1,1,1-トリクロロエタン、1,1,2-トリクロロエタン、1,3-ジクロロプロペン、チウラム、シマジン、チオベンカルブ、ベンゼン、ダイオキシン類、セレン及びその化合物、ほう素及びその化合物、ふっ素及びその化合物、1,4-ジオキサン
処理困難物質 （環境6項目）	フェノール類、銅、亜鉛、鉄（溶解性）、マンガン（溶解性）、全クロム
処理可能項目	アンモニア性窒素等含有量、水素イオン濃度、生物化学的酸素要求量、浮遊物質量、ノルマルヘキサン抽出物質含有量、窒素含有量、りん含有量

出典：「下水道維持管理指針　実務編」（2014年版、P72～76）（公社）日本下水道協会

過去問題(平成 28 年)

次は、各種の水質項目を示したものです。下水道法に規定する特定事業場から下水の排除の制限に係る水質項目として最も不適当なものはどれですか。
(1) ナトリウム及びその化合物
(2) 四塩化炭素
(3) 水銀及びアルキル水銀その他の水銀化合物
(4) セレン及びその化合物

【解説】
　四塩化炭素、水銀及びアルキル水銀その他の水銀化合物、セレン及びその化合物は処理困難物質（有害）であり、下水排除の制限に係る水質項目である。
　ナトリウム及びその化合物は特定事業場からの下水排除の制限対象ではない。よって、不適当である。

【解答】(1)

出典：「下水道維持管理指針　実務編」(2014 年版、P72 ～ 76)（公社）日本下水道協会

過去問題（平成 25 年）

次は、下水道法に規定する特定事業場からの下水の排除の制限に係る水質項目を示したものです。最も不適当なものはどれですか。

(1) ひ素及びその化合物
(2) 1,4-ジオキサン
(3) アルミニウム及びその化合物
(4) ベンゼン

【解説】

1,4-ジオキサンは、下水道の終末処理場では処理することが困難な物質であることから、平成 24 年 5 月に追加された。（特定事業場から排出される水質の基準値は 0.5 mg/l 以下である。）1,4-ジオキサンは、常温では液体の有機化合物で、人への急性毒性、発がん性や生体毒性が報告されている。主な用途は有機合成反応用溶媒の他、種々の溶剤として用いられる。

ひ素及びその化合物、ベンゼンは処理困難物質（有害）であり、下水排除の制限に係る水質項目である。

アルミニウム及びその化合物は特定事業場からの下水排除の制限対象ではない。よって、不適当である。

【解答】(3)

出典：「下水道維持管理指針　実務編」（2014 年版、P72 ～ 76、P1236）（公社）日本下水道協会

2　事業場別の排水の特徴

> 👍 **ここがポイント！**
>
> 業種別の排水の特徴に関する問題は、毎年2～3題程度出題されている。特に近年は多く出題される傾向がある。排水の水質に特徴のある業種を重点に理解しておくと良い。基本的な水質項目の知識については、1～3節すべてに共通するのでよく理解する。
> ①基本的な水質項目
> ②事業場別排水の特徴

(1) 基本的な水質項目

事業場からの排水のうち、管路・ポンプ場・処理場の施設の損傷や、生物処理の機能を低下させる水質項目である、pH・BOD・SS・重金属・有機塩素化合物・よう素消費量・ベンゼンについては確実に理解しておく。

1) pH

pHは、0～14の簡単な数値で、酸性・アルカリ性の程度を表すものである。下記のように7が中性で7より数値が低いほど酸性が強くなる（pHが低い…酸性）また7より数値が高いほどアルカリ性が強くなる（pHが高い…アルカリ性）

```
                    pH
  0  1  2  3  4  5  6  7  8  9  10  11  12  13  14
  強くなる←酸性        中性     アルカリ性→強くなる
```

2) BOD (Biochemical Oxygen Demand：生物化学的酸素要求量)

生物化学的酸素要求量といい、水中の有機物が好気性微生物により分解されるときに消費される酸素量のことである。

たとえば砂糖・しょうゆ・味噌汁・アルコール・牛乳などは、微生物の食べ物になる。これらを食べる際、微生物は水中の酸素を消費する。このときの酸素消費量がBODである。BODが高いほど有機物（微生物の食べ物）の汚れが多いと言える。

3）SS（Suspended Solids：浮遊物質）

浮遊物質といい水中に懸濁している物質をいう。

水中に浮遊して懸濁している小さなごみの総称でSSの量が多いほど、濁っていると言える。味噌汁を例にとると、静置しておくと上澄みと沈殿物に分かれる。この沈殿物がSSと考えればよい。

4）重金属

比重の重い金属のことで、クロム・銅・亜鉛・カドミウムなどがある。これらの金属は水に溶けたイオンの状態でめっきに利用される。

5）有機塩素化合物

塩素を含む炭化水素の総称で、性状として、常温では無色透明の液体で、揮発性・不燃性であり、水よりも比重が重いという特徴がある。溶剤や農薬として広く使用されている。

6）よう素消費量

亜硫酸塩等の硫黄化合物・不安定な有機物などの還元性（酸素を消費する）物質によって消費されるよう素の量である。よう素消費量は還元性物質の指標となっている。

数値が高いほど、還元性が強い。よう素消費量は、排水中のたんぱく質等の腐敗により硫化水素が生成すると高くなる。

7）ベンゼン

水より比重が軽く、特有の芳香を有する無色の液体で、疎水性であり、水には溶けにくいが、ほとんどの有機溶剤には可溶性がある。有機ゴム製品、写真用品ほか多様な化学製品を製造する合成原料として使用されている。

(2) 事業場別排水の特徴

排水の水質に特徴のある業種は数多くあるが、食品製造（飲食店を含む）・写真現像・めっき・電子部品・機械部品・洗濯業・自動車整備・農薬製造・ごみ焼却については、特に理解しておく。

ほぼ全ての業種でpH（酸性あるいはアルカリ性の排水）が該当するので、特別な場合を除いて言及しない。

1）食品製造（飲食店を含む）

食品製造、飲食店その他食べ物に関連する業種の排水は、BOD、SS、油類（ノルマルヘキサン抽出物質）が主な処理対象物質である。家庭料理を大量に作っていると考えると理解しやすい。

2) 写真現像

写真現像の際に使用される硫黄化合物（ハイポ）は強い還元性がある。このため、よう素消費量が高い排水を排出することになる。

3) めっき

めっきとは、金属材料などの表面を異種の金属または合金の薄膜で被覆することで、耐久性、装飾性を高めるために行われる。

めっきの材料の重金属（クロム、銅、亜鉛等）や薬品として使用するシアン等を含んだ排水が排出される。

4) 電子部品

電子部品は、わずかな汚れがあっても製品不良につながるため、洗浄能力に優れた溶剤で洗浄している。溶剤には有機塩素化合物が使われていることから、有機塩素化合物を含んだ排水が排出される。

5) 機械部品

機械部品製造過程では、油類（ノルマルヘキサン抽出物質）が使われる。一部の製品では、溶剤（有機塩素化合物）で洗浄を行っている。このため、油類や有機塩素化合物を含んだ排水が排出される。

6) 洗濯業

洗濯業で石鹸を使用する水洗いでは、アルカリ性の排水が、ドライクリーニングでは、難燃性で油汚れを良く落とす有機塩素化合物（テトラクロロエチレン）が排出される。また、高温の排水が出ることから温度も排水の特徴となる。

7) 自動車整備

自動車整備では、各種の油類（ノルマルヘキサン抽出物質）を含んだ排水が排出される。

8) 農薬製造

農薬製造業からは、有機りん系殺虫剤、チウラム（殺菌剤）、シマジン（除草剤）、チオベンカルブ（除草剤）が排出される。

9) ごみ焼却

ごみ焼却施設からは、廃棄物の焼却により生成されるダイオキシン類や、廃棄物由来の重金属類（カドミウムや鉛）を含んだ排水が排出される。

過去問題(令和元年)

次のうち、トリクロロエチレン、テトラクロロエチレンについて述べたものです。最も不適当なものはどれですか。
(1) 自然界には存在しない。
(2) 揮発しにくい。
(3) 不燃性である。
(4) ヒトや動物の体に蓄積しない。

【解説】

トリクロロエチレン等の有機塩素系化学物質の性状として、自然界には存在せず、不燃性の無色透明の液体で揮発しやすく、さらに脱脂力が大きい化学物質である。ヒトや動物の体に蓄積することはないが、自然界では分解されにくいため環境を汚染するものである。設問の中では、(2)の揮発しにくいが不適当となる。

【解答】(2)

出典:「事業場排水指導指針と解説」(2016年版、P419)(公社)日本下水道協会

過去問題(令和2年)

次のうち、排水中に含まれるベンゼンの性状として最も不適当なものはどれですか。
(1) 疎水性を有する。
(2) 無臭である。
(3) 比重が水よりも軽い。
(4) 無色である。

【解説】

ベンゼンの性状は、水より比重が軽く、特有の芳香を有する無色の液体で、疎水性であり、水には溶けにくいが、ほとんどの有機溶剤には可溶性がある。設問の中では、ベンゼンには特有の芳香があるため、(2)の「無臭である」が不適当となる。

【解答】(2)

出典:「事業場排水指導指針と解説」(2016年版、P431〜432)(公社)日本下水道協会

第 6 章　工場排水の規制

オリジナル問題①

次は、特定施設の業種と排水中の主な処理対象水質項目を示したものです。組合せとして最も不適当なものはどれですか。

	業種	処理対象水質項目
(1)	食品製造業	BOD
(2)	洗たく業	有機リン
(3)	飲食店	油類（ノルマルヘキサン抽出物質）
(4)	写真現像業	よう素消費量

【解説】

洗濯業は、ドライクリーニングで使用する有機塩素化合物（テトラクロロエチレン）、水洗いで使用する石鹸からのアルカリ性排水、温度が処理対象水質項目となる。農薬等の用途で使用される有機りんは、洗濯業での処理対象水質項目とはならない。よって、(2) が不適当である。

【解答】(2)

出典：「事業場排水指導指針と解説」(2016年版、P56、P234～235、P257～258、P278～280、P298～301)（公社）日本下水道協会

3　処理対象物質が下水道に与える影響と処理方法

> **ここがポイント！**
>
> 処理対象物質が下水道に与える影響や処理方法に関する問題は、例年1〜2題程度出題されている。
> 各処理対象物質の性質と関連付けて理解する。
> 　①処理対象物質が下水道に与える影響と処理方法

(1)　処理対象物質が下水道に与える影響と処理方法
処理対象物質の下水道に与える影響と処理方法の概略は表6.3.1参照。

1)　pH
　酸性が強いと下水管や金属の機械が腐食される。また、pHが概ね6以下の酸、9以上のアルカリになると生物の働きを阻害するため、下水処理水質に悪影響を与える。pHの処理は、酸性排水にはアルカリをアルカリ性排水には酸を用いて、中性付近にする中和が行われる。

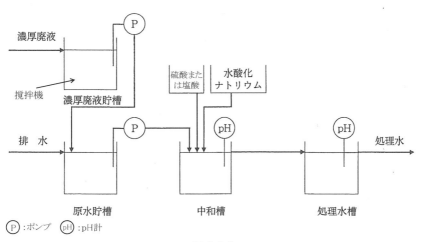

図6.3.1
出典：「事業場排水指導指針と解説」(2016年版、P214)（公社）日本下水道協会

表 6.3.1　処理対象物質が下水道に与える影響と処理方法

処理対象物質	下水道に対する影響	処理方法
酸・アルカリ排水（pH）	下水管の腐食・他の排水と混ざり、有害ガスが発生することがある	中和法
浮遊物質（SS）	下水管の清掃回数を増加させる・下水管を詰まらせる	自然沈殿法・凝集沈殿法・加圧浮上法
生物化学的酸素要求量（BOD）	高濃度になると下水処理の機能を低下させる	活性汚泥法・酸素活性汚泥法・回転生物接触法
りん	高濃度になると下水処理の機能を低下させる	物理化学的処理方法（凝集沈殿法）・生物学的処理法
窒素	高濃度になると下水処理の機能を低下させる	生物学的処理法（活性汚泥処理法など）
油類（ノルマルヘキサン抽出物質）	下水管を詰まらせる　火災の危険	自然浮上法・浮上分離法
よう素消費量	下水道施設の腐食・硫化水素ガスの発生原因となり、下水管内作業が危険	薬品酸化法・空気酸化法
フェノール類	高濃度になると下水処理の機能を低下させる	生物処理法・活性炭吸着法・抽出法
シアン	下水管内作業が危険・下水処理の機能を低下させる	アルカリ塩素法・電解酸化法・イオン交換樹脂法
高温度	下水管内作業を妨げる	水冷法
有機りん	下水処理機能を低下させる　下水処理で発生した汚泥の処理や処分が困難になる	活性炭吸着法
水銀		凝集沈殿法・活性炭吸着法・キレート樹脂法
カドミウム		水酸化物凝集沈殿法　鉄粉法　キレート樹脂法　イオン交換樹脂法
鉛		
銅		
亜鉛		
鉄		水酸化物凝集沈殿法
PCB		高温焼却法・脱塩素処理法
セレン		還元法・共沈法
ほう素		キレート樹脂法・凝集沈殿法
六価クロム		薬品還元法で三価クロムに還元した後、水酸化物凝集沈殿法・イオン交換樹脂法
ひ素		金属水酸化物共沈法・フェライト法
ふっ素	下水道施設の腐食・下水管内作業が危険・下水処理の機能を低下させる	凝集沈殿法
有機塩素化合物（トリクロロエチレン、テトラクロロエチレン、ジクロロメタン等）	下水管内作業が危険・下水処理の機能を低下させる	エアレーション法・活性炭吸着法

出典：「事業場排水指導指針と解説」（2016年版、P180ほか）（公社）日本下水道協会

2) BOD

大量の浮遊性有機物が管きょに流入すると、管底に堆積して管きょの断面積を狭めたり、閉塞させてしまう。また堆積した有機物が腐敗すると、有害ガスや悪臭ガスを発生し、管きょ内の作業員に危険をもたらす。処理方法としては微生物の働きで有機物を酸化分解する活性汚泥法がある。

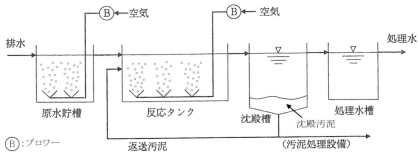

図 6.3.2
出典：「事業場排水指導指針と解説」(2016 年版、P242)（公社）日本下水道協会

3) SS

SS は数値が高いほど小さなごみが多いと言える。多量の SS が下水管に流入すると、沈殿して下水の流れを妨げることがある。下水処理場でも、処理機能を妨げる。一般的な処理法は、自然沈殿法である。凝集剤を加えて SS 粒子を沈みやすくして沈殿させる凝集沈殿法もある。

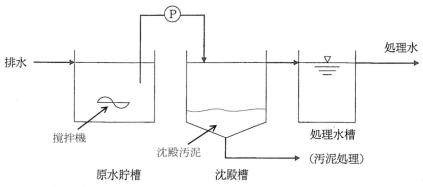

図 6.3.3
出典：「事業場排水指導指針と解説」(2016 年版、P221)（公社）日本下水道協会

4）油類

　油類はラードのように常温になると固まって下水管を閉塞させる。下水道に流された油が下水管にこびりついて塊となり、剥がれ落ちるオイルボールが社会問題となった。また機械油や燃料油のように火災の危険になるものもある。

　一般的な処理方法は、浮きやすい性質を利用して浮上分離させるものである。（自然浮上分離法・浮上分離法）

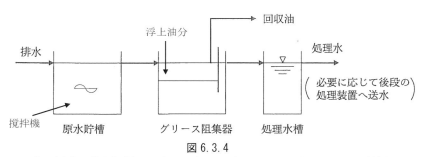

図 6.3.4

出典：「事業場排水指導指針と解説」（2016 年版、P286）（公社）日本下水道協会

5）シアン

　シアンは強い毒性があり、生物処理の機能を著しく低下させる。シアンは酸と混ざるとシアン化水素ガスを発生して大変危険である。このため、アルカリ性にして塩素でシアンを分解する処理方法（アルカリ塩素法）が用いられている。

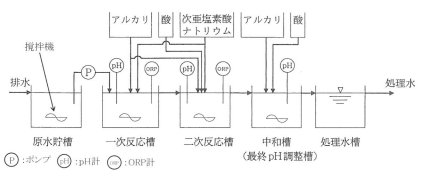

図 6.3.5

出典：「事業場排水指導指針と解説」（2016 年版、P322）（公社）日本下水道協会

6) 水銀

　水銀や重金属類は生物処理を困難にして処理水質を低下させる他、活性汚泥に水銀や重金属類が蓄積するため、水銀・クロム等金属の種類によっては汚泥の処分が困難になる。処理方法の1つとしては凝集沈殿法の後に活性炭吸着法を組み合わせて行う方法がある。

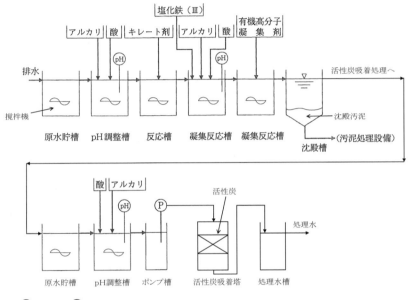

図 6.3.6

出典：「事業場排水指導指針と解説」(2016年版、P336、P338)（公社）日本下水道協会

過去問題(令和2年)

次のうち、除外施設における浮遊物質（SS）の処理方法として最も不適当なものはどれですか。
(1) イオン交換樹脂法
(2) ろ過法
(3) 浮上分離法
(4) 凝集沈殿法

【解説】

浮遊物質（SS）の処理方法としては、自然沈殿法が一般的であるが、自然沈殿法では分離が困難なSSに対しては、凝集剤を添加して、粒子径の大きなフロックにして沈殿分離する方法がある。これを、凝集沈殿法という。SSの処理方法としては、そのほか、ろ過法や浮上分離方法がある。なお、設問中のイオン交換樹脂法は、シアンや六価クロム、カドミウムなどを処理するときに用いる方法のため、不適当となる。

【解答】(1)

出典：「事業場排水指導指針と解説」（2016年版、P179～181、P220～221）
　　　（公社）日本下水道協会

> **過去問題（令和元年）**
>
> 　次は、除外施設における主な処理方法について述べたものです。最も不適当なものはどれですか。
> (1) アルカリ溶液による中和法は、pHの高い排水の処理に用いられる。
> (2) 生物学的処理法は、窒素を多く含む排水の処理に用いられる。
> (3) 活性炭吸着法は、有機りんを含む排水の処理に用いられる。
> (4) 薬品沈殿法は、ふっ素を多く含む排水の処理に用いられる。

【解説】

　中和法は、酸性排水には、水酸化ナトリウムなどのアルカリ性薬品を用いて処理する方法のため、アルカリ溶液による中和法は、pHの低い排水処理に用いられる。その他の方法については、設問通りである。よって、(1)が不適当となる。

【解答】(1)

出典：「事業場排水指導指針と解説」（2016年版、P179〜180）（公社）日本下水道協会

オリジナル問題①

次は、除外施設における主な処理方法について述べたものです。最も不適当なものはどれですか。

(1) 油類の処理方法としては、自然浮上法や加圧浮上法がある。
(2) pHの処理方法としては、中和法がある。
(3) 重金属の処理方法としては、活性汚泥法やイオン交換法がある。
(4) シアンの処理方法としては、アルカリ塩素法やイオン交換法がある。

【解説】
　重金属の処理は薬品沈殿法やイオン交換法で行う。一般的には排水にアルカリ薬品を加え、重金属を水酸化物にして沈殿除去する薬品沈殿法が用いられていることが多い。よって、不適当である。

【解答】(3)

出典：「事業場排水指導指針と解説」(2016年版、P179〜197、P210〜213、P280〜285、P318〜321)（公社）日本下水道協会

第7章　法規等

　下水道施設は、維持管理業務を適正かつ円滑に運営していくうえで、多くの法令、条例、規則、通達、指針等との係わりを持っている。

　特に管路施設は一般的に公道内に敷設されているが、河川、鉄道等の横断及び公共溝渠、私有地等々の敷地内に設置されている場合も少なくない。

　これらの場合、それぞれの管理者並びに土地所有者等から一定の条件のもとに占用許可、使用許可等を得て設置する。

　そのため、下水道管路施設の維持管理に携わる関係者は、常日頃から下水道法のみならず関連する法令、規則、通達等の内容をよく理解し把握しておかなければならない。

　本章は過去に出題された問題と関連法令を抜粋し、問題を解きながら関係法令を一目でわかるようにまとめた。

1　下水道法

> **ここがポイント！**
>
> 下水道法に関する問題は、例年4～5問程度出題されている。
> 必ず出ているので、特に以下の6項目を理解する。
> 　①下水道法の目的、②用語の定義、③排水設備の設置等、④公共下水道に設ける施設及び工作物、⑤特定施設設置等の届出、⑥放流水

(1) 下水道法の目的

1) 関連法令

ⅰ) 下水道法第1条（法律の目的）

　この法律は、流域別下水道整備総合計画の策定に関する事項並びに公共下水道、流域下水道及び都市下水路の設置その他の管理の基準等を定めて、下水道の整備を図り、もって都市の健全な発達及び公衆衛生の向上に寄与し、あわせて公共用水域の水質の保全に資することを目的とする。

過去問題（平成 27 年）

次は、下水道法に規定する下水道の目的について述べたものです。□内にあてはまる語句の組合せとして最も適切なものはどれですか。

この法律は、流域別下水道整備総合計画の策定に関する事項並びに公共下水道、流域下水道及び都市下水路の設置その他の管理の基準等を定めて、 A を図り、もって B 及び C に寄与し、あわせて D に資することを目的とする。

	A	B	C	D
(1)	都市の健全な発達	下水道の整備	公共用水域の水質の保全	公衆衛生の向上
(2)	公共用水域の水質の保全	公衆衛生の向上	都市の健全な発達	下水道の整備
(3)	下水道の整備	都市の健全な発達	公衆衛生の向上	公共用水域の水質の保全
(4)	公衆衛生の向上	公共用水域の水質の保全	下水道の整備	都市の健全な発達

【解説】

この法律は、流域別下水道整備総合計画の策定に関する事項並びに公共下水道、流域下水道及び都市下水路の設置その他の管理の基準等を定めて、下水道の整備を図り、もって都市の健全な発達及び公衆衛生の向上に寄与し、あわせて公共用水域の水質の保全に資することを目的とする。

よって、(3) が適切である。

【解答】(3)

(2) 用語の定義
1) 関連法令
 ⅰ) 下水道法第2条（用語の定義）
　この法律において次の各号に掲げる用語の意義は、それぞれ当該各号に定めるところによる。
- 一　**下水**　生活もしくは事業（耕作の事業を除く。）に起因し、もしくは付随する廃水（以下「汚水」という。）または雨水をいう。
- 二　**下水道**　下水を排除するために設けられる排水管、排水渠その他の排水施設（かんがい排水施設を除く。）、これに接続して下水を処理するために設けられる処理施設（屎尿浄化槽を除く。）またはこれらの施設を補完するために設けられるポンプ施設、貯留施設その他の施設の総体をいう。
- 三　**公共下水道**　次のいずれかに該当する下水道をいう。
  - イ　主として市街地における下水を排除し、または処理するために地方公共団体が管理する下水道で、終末処理場を有するものまたは流域下水道に接続するものであり、かつ、汚水を排除すべき排水施設の相当部分が暗渠である構造のもの
  - ロ　主として市街地における雨水のみを排除するために地方公共団体が管理する下水道で、河川その他の公共の水域もしくは海域に当該雨水を放流するものまたは流域下水道に接続するもの
- 四　**流域下水道**　次のいずれかに該当する下水道をいう。
  - イ　専ら地方公共団体が管理する下水道により排除される下水を受けて、これを排除し、及び処理するために地方公共団体が管理する下水道で、二以上の市町村の区域における下水を排除するものであり、かつ、終末処理場を有するもの
  - ロ　公共下水道（終末処理場を有するものまたは前号ロに該当するものに限る。）により排除される雨水のみを受けて、これを河川その他の公共の水域または海域に放流するために地方公共団体が管理する下水道で、二以上の市町村の区域における雨水を排除するものであり、かつ、当該雨水の流量を調節するための施設を有するもの
- 五　**都市下水路**　主として市街地における下水を排除するために地方公共団体が管理している下水道（公共下水道及び流域下水道を除く。）で、

その規模が政令で定める規模以上のものであり、かつ、当該地方公共団体が第 27 条の規定により指定したものをいう。

六　**終末処理場**　下水を最終的に処理して河川その他の公共の水域または海域に放流するために下水道の施設として設けられる処理施設及びこれを補完する施設をいう。

七　**排水区域**　公共下水道により下水を排除することができる地域で、第 9 条第 1 項の規定により公示された区域をいう。

八　**処理区域**　排水区域のうち排除された下水を終末処理場により処理することができる地域で、第 9 条第 2 項において準用する同条第 1 項の規定により公示された区域をいう。

九　**浸水被害**　排水区域において、一時的に大量の降雨が生じた場合において排水施設に当該雨水を排除できないことまたは排水施設から河川その他の公共の水域もしくは海域に当該雨水を排除できないことによる浸水により、国民の生命、身体または財産に被害を生ずることをいう。

過去問題(令和2年)

次は、下水道法に規定する用語の定義について述べたものです。最も適当なものはどれですか。

(1) 下水道の処理施設には、し尿浄化槽も含まれる。
(2) 下水には、耕作の事業に起因する排水も含まれる。
(3) 下水道の排水施設には、かんがい排水施設も含まれる。
(4) 下水には、雨水も含まれる。

【解説】
下水道法に規定する用語の定義に関する設問である。下水道法に規定する用語の定義については、下水道法第2条に定められている。

一 下水　生活もしくは事業（耕作の事業を除く。）に起因し、もしくは付随する廃水（以下「汚水」という。）または雨水をいう。

二 下水道　下水を排除するために設けられる排水管、排水渠その他の排水施設（かんがい排水施設を除く。）、これに接続して下水を処理するために設けられる処理施設（屎尿浄化槽を除く。）またはこれらの施設を補完するために設けられるポンプ施設、貯留施設その他の施設の総体をいう。

(1)(2)(3)は定義から除かれている。
よって、(4)が適切である。

【解答】(4)

過去問題（令和元年）

次は、下水道法に規定する公共下水道の定義について述べたのです。☐内に当てはまる語句の組合せとして最も適切なものはどれですか。

公共下水道は、次のいずれかに該当する下水道をいう。

イ　公共下水道は、主として　A　における下水を排除し、または処理するために　B　が管理する下水道で、終末処理場を有するものまたは流域下水道に接続するものであり、かつ、汚水を排除すべき排水施設の相当部分が　C　である構造のもの

ロ　主として　A　における　D　のみを排除するために　B　が管理する下水道で、河川その他の公共の水域もしくは海域に当該　D　を放流または流域下水道に接続するもの

	A	B	C	D
(1)	都市部	市町村	暗きょ	地下水
(2)	市街地	市町村	管きょ	雨水
(3)	都市部	地方公共団体	管きょ	地下水
(4)	市街地	地方公共団体	暗きょ	雨水

【解説】

下水道法に規定する用語の定義に関する設問である。下水道法に規定する用語の定義については、下水道法第2条に定められている。

三　**公共下水道**　次のいずれかに該当する下水道をいう。

イ　主として市街地における下水を排除し、または処理するために地方公共団体が管理する下水道で、終末処理場を有するものまたは流域下水道に接続するものであり、かつ、汚水を排除すべき排水施設の相当部分が暗渠である構造のもの

ロ　主として市街地における雨水のみを排除するために地方公共団体が管理する下水道で、河川その他の公共の水域もしくは海域に当該雨水を放流するものまたは流域下水道に接続するもの

【解答】（4）

(3) 排水設備の設置等
1) 関連法令
ⅰ) 下水道法第 10 条（排水設備の設置等）

　公共下水道の供用が開始された場合においては、当該公共下水道の排水区域内の土地の所有者、使用者または占有者は、遅滞なく、次の区分に従って、その土地の下水を公共下水道に流入させるために必要な排水管、排水渠その他の排水施設（以下「排水設備」という。）を設置しなければならない。ただし、特別の事情により公共下水道管理者の許可を受けた場合その他政令で定める場合においては、この限りでない。

一　建築物の敷地である土地にあっては、当該建築物の所有者

二　建築物の敷地でない土地（次号に規定する土地を除く。）にあっては、当該土地の所有者

三　道路（道路法〈昭和 27 年法律第 180 号〉による道路をいう。）その他の公共施設（建築物を除く。）の敷地である土地にあっては、当該公共施設を管理すべき者

　　2　前項の規定により設置された排水設備の改築または修繕は、同項の規定によりこれを設置すべき者が行うものとし、その清掃その他の維持は、当該土地の占有者（前項第三号の土地にあっては、当該公共施設を管理すべき者）が行うものとする。

　　3　第 1 項の排水設備の設置または構造については、建築基準法（昭和 25 年法律第 201 号）その他の法令の規定の適用がある場合においてはそれらの法令の規定によるほか、政令で定める技術上の基準によらなければならない。

下水道法施行令第 8 条（排水設備の設置及び構造の技術上の基準）

　下水道法第 10 条第 3 項に規定する政令で定める技術上の基準は、次のとおりとする。

一　排水設備は、公共下水道管理者である地方公共団体の条例で定めるところにより、公共下水道のますその他の排水施設または他の排水設備に接続させること。

二　排水設備は、堅固で耐久力を有する構造とすること。

三　排水設備は、陶器、コンクリート、れんがその他の耐水性の材料で造り、かつ、漏水を最少限度のものとする措置が講ぜられていること。ただ

し、雨水を排除すべきものについては、多孔管その他雨水を地下に浸透させる機能を有するものとすることができる。

四　分流式の公共下水道に下水を流入させるために設ける排水設備は、汚水と雨水とを分離して排除する構造とすること。

五　管渠の勾配は、やむを得ない場合を除き、1/100 以上とすること。

六　排水管の内径及び排水渠の断面積は、公共下水道管理者である地方公共団体の条例で定めるところにより、その排除すべき下水を支障なく流下させることができるものとすること。

七　汚水（冷却の用に供した水その他の汚水で雨水と同程度以上に清浄であるものを除く。以下この条において同じ。）を排除すべき排水渠は、暗渠とすること。ただし、製造業またはガス供給業の用に供する建築物内においては、この限りでない。

八　暗渠である構造の部分の次に掲げる箇所には、ますまたはマンホールを設けること。

イ　もっぱら雨水を排除すべき管渠の始まる箇所

ロ　下水の流路の方向または勾配が著しく変化する箇所。ただし、管渠の清掃に支障がないときは、この限りでない。

ハ　管渠の長さがその内径または内のり幅の 120 倍をこえない範囲内において管渠の清掃上適当な箇所

九　ますまたはマンホールには、ふた（汚水を排除すべきますまたはマンホールにあっては、密閉することができるふた）を設けること。

十　ますの底には、もっぱら雨水を排除すべきますにあっては深さが 15 センチメートル以上のどろためを、その他のますにあってはその接続する管渠の内径または内のり幅に応じ相当の幅のインバートを設けること。

十一　汚水を一時的に貯留する排水設備には、臭気の発散により生活環境の保全上支障が生じないようにするための措置が講ぜられていること。

過去問題(平成 30 年)

次は、下水道法に規定する排水設備の設置及び構造の技術上の基準について述べたものです。最も適切なものはどれですか。

(1) 排水設備のうち、雨水を排除すべきものについては、多孔管その他雨水を地下に浸透させる機能を有するものとすることができる。
(2) 管きょの長さがその内径または内のり幅の 200 倍をこえない範囲内において管きょの清掃上適当な箇所には、ますまたはマンホールを設けること。
(3) 合流式下水道であっても、排水設備は汚水と雨水とを分離して排除する構造であること。
(4) 管きょのこう配は、やむを得ない場合を除き 1000 分の 1 以上とすること。

【解説】
(1) 設問どおりである。
(2) 下水道施行令第 8 条八で「120 倍をこえない範囲内…」と規定されている。よって誤りである。
(3) 下水道施行令第 8 条四で「分流式」に関する規定とされている。よって誤りである。
(4) 下水道施行令第 8 条五で「100 分の 1 以上…」と規定されている。よって誤りである。

【解答】(1)

(4) 政令　公共下水道に設け都施設または工作物その他の物件に関する技術上の基準

1) 関連法令

（公共下水道に設ける施設または工作物その他の物件に関する技術上の基準）

第十七条　法第二十四条第二項に規定する政令で定める技術上の基準は、次のとおりとする。

一　施設または工作物その他の物件の位置は、次に掲げるところによること。

　　イ　分流式の公共下水道に下水を流入させるために設ける排水施設のうち、汚水を排除するものは公共下水道の汚水を排除すべき排水施設に、雨水を排除するものは公共下水道の雨水を排除すべき排水施設に設けること。

　　ロ　公共下水道に汚水を流入させるために設ける排水施設は、公共下水道のますまたはマンホール（合流式の公共下水道の専ら雨水を排除すべきます及びマンホールを除く。）の壁のできるだけ底に近い箇所に設けること。

　　ハ　公共下水道に専ら雨水を流入させるために設ける排水施設は、公共下水道の排水きょの開きょである構造の部分（以下この条において「開きょ部分」という。）、ますまたはマンホールの壁（ますのどろための部分の壁を除く。）に設けること。

　　ニ　公共下水道に下水を流入させるために設ける排水施設（以下この条において「流入施設」という。）以外のものは、公共下水道の開きょ部分の壁の上端より上に（当該部分を縦断するときは、その上端から二・五m以上の高さに）、または当該部分の地下に設けること。ただし、水道の給水管またはガスの導管を当該部分の壁のできるだけ上端に近い箇所に設ける場合において、下水の排除に支障を及ぼすおそれが少ないときは、この限りでない。

　　ホ　公共下水道の開きょ部分の壁の上端から二・五m未満の高さに設けるものは、当該部分の清掃に支障がない程度に他の物件と離れていること。

二　施設または工作物その他の物件の構造は、次に掲げるところによること。

　　イ　堅固で耐久力を有するとともに、公共下水道の施設または他の施設もしくは工作物その他の物件の構造に支障を及ぼさないものであること。

ロ　分流式の公共下水道に下水を流入させるために設ける排水施設は、汚水と雨水とを分離して排除する構造とすること。
　ハ　流入施設及びその他の排水施設の公共下水道の開きょ部分に突出し、またはこれを横断し、もしくは縦断する部分は、陶器、コンクリート、れんがその他の耐水性の材料で造り、かつ、漏水を最少限度のものとする措置が講ぜられていること。
　ニ　汚水（冷却の用に供した水その他の汚水で雨水と同程度以上に清浄であるものを除く。）を排除する流入施設は、排水区域内においては、暗きょとすること。ただし、鉱業の用に供する建築物内においては、この限りでない。
　ホ　流入施設、建築基準法第四十二条に規定する道路、鉄道、軌道及び専ら道路運送車両法（昭和二十六年法律第百八十五号）第二条に規定する自動車または軽車両の交通の用に供する通路以外のもので、公共下水道の開きょ部分の壁の上端から二・五m未満の高さで当該部分に突出し、またはこれを横断するものの幅は、一・五mを超えないこと。
三　工事の実施方法は、次に掲げるところによること。
　イ　公共下水道の管きょを一時閉じふさぐ必要があるときは、下水が外にあふれ出るおそれがない時期及び方法を選ぶこと。
　ロ　流入施設は、公共下水道の開きょ部分、ますまたはマンホールの壁から突出させないで設けるとともに、その設けた箇所からの漏水を防止する措置を講ずること。
　ハ　水道の給水管またはガスの導管を公共下水道の開きょ部分の壁に設けるときは、その設けた箇所からの漏水を防止する措置を講ずること。
　ニ　その他公共下水道の施設または他の施設もしくは工作物その他の物件の構造または機能に支障を及ぼすおそれがないこと。
四　流入施設から公共下水道に排除される下水の量は、その公共下水道の計画下水量の下水の排除に支障を及ぼさないものであること。
五　下水以外の物を公共下水道に入れるために設ける施設でないこと。
六　法第十二条第一項または法第十二条の十一第一項の規定による条例の規定により除害施設を設けなければならないときは、当該施設を設けること

過去問題（令和元年）

次は、下水道法に規定する公共下水道に設ける施設または工作物、その他の物件に関する技術上の基準について述べたものです。最も不適切なものはどれですか。

(1) 分流式の公共下水道に下水を流入させるために設ける排水施設のうち、汚水を排除するものは公共下水道の汚水を排除すべき排水施設に設けること。
(2) 施設または工作物その他の物件の構造は、堅固で耐久力を有するとともに、公共下水道の施設その他の物件の構造に支障を及ぼさないものであること。
(3) 公共下水道に下水を流入させるために設ける排水施設以外のものは、公共下水道の開きょ部分の壁のできるだけ底に近い箇所に設けること。
(4) 公共下水道に開きょ部分の壁の上端から 2.5 m 未満の高さに設けるものは、当該部分の清掃に支障がない程度に他の物件と離れていること。

【解説】
下水道法施工例第 17 条についての設問である。
(1) 設問のとおりである。
(2) 設問のとおりである。
(3) 下水道法施行令第 17 条第一号ニで「開きょ部分の壁の上端より上に設ける」と規定されている。よって不適切である。
(4) 設問のとおりである。
よって、(3) が不適切である。

【解答】(3)

下水道法（特定施設の設置等の届出）

第十二条の三　工場または事業場から継続して下水を排除して公共下水道を使用する者は、当該工場または事業場に特定施設を設置しようとするときは、国土交通省令で定めるところにより、次の各号に掲げる事項を公共下水道管理者に届け出なければならない。

一　氏名または名称及び住所並びに法人にあつては、その代表者の氏名
二　工場または事業場の名称及び所在地
三　特定施設の種類
四　特定施設の構造
五　特定施設の使用の方法
六　特定施設から排出される汚水の処理の方法
七　公共下水道に排除される下水の量及び水質その他の国土交通省令で定める事項

 2　一の施設が特定施設となつた際現にその施設を設置している者（設置の工事をしている者を含む。）で当該施設に係る工場または事業場から継続して下水を排除して公共下水道を使用するものは、当該施設が特定施設となつた日から三十日以内に、国土交通省令で定めるところにより、前項各号に掲げる事項を公共下水道管理者に届け出なければならない。

 3　特定施設の設置者は、前二項の規定により届出をしている場合を除き、当該特定施設を設置している工場または事業場から継続して下水を排除して公共下水道を使用することとなつたときは、その日から三十日以内に、国土交通省令で定めるところにより、第一項各号に掲げる事項を公共下水道管理者に届け出なければならない。

過去問題(令和2年)

次のうち、下水道法に規定する特定施設の設置等の届出に必要な事項として最も不適切なものはどれですか。
(1) 特定施設の種類
(2) 氏名または名称及び住所並びに法人にあっては、その代表者の氏名
(3) 特定施設から排出される汚水の処理の方法
(4) 工場または事業所の用途地域

【解説】

特定施設の設置等の届出については、下水道法第12条第3項に次のとおり定められている。

一　氏名または名称及び住所並びに法人にあっては、その代表者の氏名
二　工場または事業場の名称及び所在地
三　特定施設の種類
四　特定施設の構造
五　特定施設の使用の方法
六　特定施設から排出される汚水の処理の方法
七　公共下水道に排除される下水の量及び水質その他の国土交通省令で定める事項

(4) 工場または事業所の用途地域は定められていない。

【解答】(4)

(6) 放流水の水質の基準
1) 関連法令
下水道法　（放流水の水質の基準）
第八条　公共下水道から河川その他の公共の水域または海域に放流される水（以下「公共下水道からの放流水」という。）の水質は、政令で定める技術上の基準に適合するものでなければならない。

下水道法施行令　（処理施設の構造の技術上の基準）
第五条の五　処理施設（これを補完する施設を含み、終末処理場であるものに限る。以下この条において同じ。）の構造の技術上の基準は、次のとおりとする。
一　水処理施設（汚泥以外の下水を処理する処理施設をいう。以下同じ。）は、第六条第一項第一号から第三号までに掲げる放流水の水質の技術上の基準に適合するよう下水を処理する性能を有する構造とすること。
二　前号に定めるもののほか、水処理施設は、次の表に掲げる計画放流水質の区分に応じて、それぞれ同表に掲げる方法（当該方法と同程度以上に下水を処理することができる方法を含む。）により下水を処理する構造とすること。

（放流水の水質の技術上の基準）
第六条　法第八条（法第二十五条の十八において準用する場合を含む。次項において同じ。）に規定する政令で定める公共下水道または流域下水道からの放流水の水質の技術上の基準は、雨水の影響の少ない時において、次の各号に掲げる項目について、それぞれ当該各号に定める数値とする。この場合において、当該数値は、国土交通省令・環境省令で定める方法により検定した場合における数値とする。
一　水素イオン濃度　水素指数五・八以上八・六以下
二　大腸菌群数　一立方センチメートルにつき三千個以下
三　浮遊物質量　一リットルにつき四十ミリグラム以下
四　生物化学的酸素要求量、窒素含有量及びりん含有量　第五条の五第二項に規定する計画放流水質に適合する数値
　　2　前項に定めるもののほか、合流式の公共下水道（流域関連公共下水道を除く。）からの放流水または合流式の流域下水道及びそれに接続しているすべての合流式の流域関連公共下水道からの

放流水の水質についての法第八条に規定する政令で定める技術上の基準は、国土交通省令・環境省令で定める降雨による雨水の影響が大きい時において、合流式の公共下水道（流域関連公共下水道を除く。）の各吐口または合流式の流域下水道及びそれに接続しているすべての合流式の流域関連公共下水道の各吐口からの放流水に含まれる生物化学的酸素要求量で表示した汚濁負荷量の総量を、当該各吐口からの放流水の総量で除した数値が、一リットルにつき五日間に四十ミリグラム以下であることとする。この場合において、これらの総量は、国土交通省令・環境省令で定める方法により測定し、または推計した場合における総量とする。

3　水質汚濁防止法（昭和四十五年法律第百三十八号）第三条第一項の規定による環境省令により、または同条第三項の規定による条例その他の条例により、第一項各号に掲げる項目について同項各号に定める基準より厳しい排水基準が定められ、または同項各号に掲げる項目以外の項目についても排水基準が定められている放流水については、同項の規定にかかわらず、その排水基準を当該項目に係る水質の基準とする。

4　前三項の規定によるもののほか、ダイオキシン類対策特別措置法（平成十一年法律第百五号）第八条第一項の規定による環境省令により、または同条第三項の規定による条例により、同条第一項の排出基準のうち同法第二条第四項に規定する排出水に係るもの（以下「水質排出基準」という。）が定められている放流水については、その水質排出基準を同条第一項に規定するダイオキシン類（以下単に「ダイオキシン類」という。）の量に係る水質の基準とする。

第7章　法規等

過去問題（令和元年）

次は、下水道法に規定する公共下水道からの放流水について述べたものです。最も不適当なものはどれですか。

(1) 公共下水道からの放流水の水質は、政令で定める技術上の基準に適合するものでなければならない。
(2) 放流水の水質の技術上の基準として定められている項目には、温度が含まれている。
(3) 合流式の公共下水道からの放流水で、降雨による雨水の影響が大きい時の水質も定められている。
(4) 計画放流水質の項目については、下水道管理者が定める数値が放流水の水質の技術上の基準となる。

【解説】
(1) 下水道法第八条で規定されている。よって適切である。
(2) 下水道法施行令第六条で「水素イオン濃度、大腸菌群数、浮遊物質量、生物化学的酸素要求量、窒素含有量及びりん」の4つが定められている。よって不適切である。
(3) 下水道法施行令第六条第二項に定められている。よって適切である。
(4) 下水道法施行令第五条の五、第一項第二号及び第二項に定められている。よって適切である。

【解答】(2)

2　廃棄物の処理及び清掃に関する法律

> **ここがポイント!**
>
> 廃棄物の処理及び清掃に関する法律に関する問題は、例年1～2問出題されている。
> 必ず出ているので、特に以下の4項目を理解する。
> 　①法律の目的
> 　②用語の定義
> 　③事業者の責務、市町村の処理
> 　④一般廃棄物処理業、産業廃棄物処理業

(1) 法律の目的
1) 関連法令
　ⅰ）廃棄物の処理及び清掃に関する法律（以下廃掃法と略す）第1条（目的）
　　この法律は、廃棄物の排出を抑制し、及び廃棄物の適正な分別、保管、収集、運搬、再生、処分等の処理をし、並びに生活環境を清潔にすることにより、生活環境の保全及び公衆衛生の向上を図ることを目的とする。

過去問題（令和2年）

次は、廃棄物の処理及び清掃に関する法律に規定する法律の目的について述べたものです。□□□内にあてはまる語句の組合せとして最も適当なものはどれですか。

この法律は、廃棄物の ▢A▢ を抑制し、及び廃棄物の適正な分別、保管、▢B▢、運搬、再生、処分等の ▢C▢ をし、並びに生活環境を清潔にすることにより、▢D▢ 及び公衆衛生の向上を図ることを目的とする。

	A	B	C	D
(1)	排出	収集	処理	生活環境の保全
(2)	発生	収集	処理	資源の有効利用
(3)	発生	回収	管理	生活環境の保全
(4)	排出	回収	管理	資源の有効利用

【解説】

廃棄物の処理及び清掃に関する法律に規定する法律の目的に係る設問である。同法の目的については、廃棄物の処理及び清掃に関する法律に規定する法律第1条に定められている。

この法律は、廃棄物の 排出 を抑制し、及び廃棄物の適正な分別、保管、収集 、運搬、再生、処分等の 処理 をし、並びに生活環境を清潔にすることにより、 生活環境の保全 及び公衆衛生の向上を図ることを目的とする。

よって、(1) が適当である。

【解答】(1)

(2) 用語の定義、事業者の責務、市町村の処理
 1) 関連法令
  ｉ) 廃掃法第2条（用語の定義）
   この法律において「廃棄物」とは、ごみ、粗大ごみ、燃え殻、汚泥、ふん尿、廃油、廃酸、廃アルカリ、動物の死体その他の汚物または不要物であって、固形状または液状のもの（放射性物質及びこれによって汚染された物を除く。）をいう。
  2 この法律において「一般廃棄物」とは、産業廃棄物以外の廃棄物をいう。
  3 この法律において「特別管理一般廃棄物」とは、一般廃棄物のうち、爆発性、毒性、感染性その他の人の健康または生活環境に係る被害を生ずるおそれがある性状を有するものとして政令で定めるものをいう。
  4 この法律において、「産業廃棄物」とは、次に掲げる廃棄物をいう。
  一 事業活動に伴つて生じた廃棄物のうち、燃え殻、汚泥、廃油、廃酸、廃アルカリ、廃プラスチック類その他政令で定める廃棄物
 (第2号略)
  5 この法律において「特別管理産業廃棄物」とは、産業廃棄物のうち、爆発性、毒性、感染性その他の人の健康または生活環境に係る被害を生ずるおそれがある性状を有するものとして政令で定めるものをいう。（以下の項略）

過去問題(平成 30 年)

次は、廃棄物の処理及び清掃に関する法律に規定する事項について述べたものです。最も不適切なものはどれですか。
(1) 廃棄物には、動物の死体は含まれる。
(2) 廃棄物には、放射線物質によって汚染されたものは含まれる。
(3) 廃棄物には、気体状のものは含まれない。
(4) 廃棄物には、液状のものは含まれる。

【解説】
(1) 設問のとおりである。
(2) 廃棄物の処理及び清掃に関する法律第二条で「放射性物質及びこれによって汚染された物を除く」と規定されている。よって不適切である。
(3) 設問のとおりである。
(4) 設問のとおりである。

【解答】(2)

ⅱ) 廃掃法第3条（事業者の責務）
　事業者は、その事業活動に伴って生じた廃棄物を自らの責任において適正に処理しなければならない。
2　事業者は、その事業活動に伴って生じた廃棄物の再生利用等を行うことによりその減量に努めるとともに、物の製造、加工、販売等に際して、その製品、容器等が廃棄物となつた場合における処理の困難性についてあらかじめ自ら評価し、適正な処理が困難にならないような製品、容器等の開発を行うこと、その製品、容器等に係る廃棄物の適正な処理の方法についての情報を提供すること等により、その製品、容器等が廃棄物となつた場合においてその適正な処理が困難になることのないようにしなければならない。
3　事業者は、前二項に定めるもののほか、廃棄物の減量その他その適正な処理の確保等に関し国及び地方公共団体の施策に協力しなければならない。
ⅲ) 廃掃法第6条の2（一般廃棄物市町村の処理等）
　市町村は、一般廃棄物処理計画に従つて、その区域内における一般廃棄物を生活環境の保全上支障が生じないうちに収集し、これを運搬し、及び処分しなければならない。
（第2項以下略）

第 7 章　法規等

過去問題（平成 29 年）

次は、廃棄物について述べたものです。廃棄物の処理及び清掃に関する法律に規定する事項について最も不適切なものはどれですか。
(1) 事業者は、その事業所が存する市町村の区域内における一般廃棄物を収集し、運搬し、及び処分しなければならない。
(2) 事業活動に伴って生じた廃棄物のうち、燃え殻、汚泥、廃油等は産業廃棄物である。
(3) 一般廃棄物とは、産業廃棄物以外の廃棄物をいう。
(4) 事業者は、その事業活動に伴って生じた廃棄物を自らの責任において適正に処理しなければならない。

【解説】
(1) 廃棄物の処理及び清掃に関する法律第六条の二で「市町村は、一般廃棄物処理計画に従って、その区域内における一般廃棄物を生活環境の保全上支障が生じないうちに収集し、これを運搬し、及び処分しなければならないと規定されている。よって不適切である。
(2) 設問のとおりである。
(3) 設問のとおりである。
(4) 設問のとおりである。

【解答】(1)

(3) 一般廃棄物処理業、産業廃棄物処理業
1) 関連法令
ⅰ) 廃掃法第7条（一般廃棄物処理業）
　一般廃棄物の収集または運搬を業として行おうとする者は、当該業を行おうとする区域（運搬のみを業として行う場合にあっては、一般廃棄物の積卸しを行う区域に限る。）を管轄する市町村長の許可を受けなければならない。ただし、事業者（自らその一般廃棄物を運搬する場合に限る。）、専ら再生利用の目的となる一般廃棄物のみの収集または運搬を業として行う者その他環境省令で定める者については、この限りでない。
2　前項の許可は、一年を下らない内閣で定める期間ごとにその更新を受けなければ、その期間の経過によって、その効力を失う。
　（第3〜4項略）
5　市町村長は、第一項の許可の申請が次の各号に適合していると認めるときでなければ、同項の許可をしてはならない。
　一　当該市町村による一般廃棄物の収集または運搬が困難であること。
　二　その申請の内容が一般廃棄物処理計画に適合するものであること。
　三　その事業の用に供する施設及び申請者の能力がその事業を的確に、かつ、継続して行うに足りるものとして環境省令で定める基準に適合するものであること。
　四　申請者が次のいずれにも該当しないこと。
　　　イ　成年被後見人もしくは被保佐人または破産者で復権を得ないもの
　　　ロ　禁錮以上の刑に処せられ、その執行を終わり、または執行を受けることがなくなった日から5年を経過しない者
（ハ〜ヌ略）
（第6〜16項略）

廃棄物の処理及び清掃に関する法律
第七条の二（変更の許可等）
　一般廃棄物収集運搬業者または一般廃棄物処分業者は、その一般廃棄物の収集もしくは運搬または処分の事業の範囲を変更しようとするときは、市町村長の許可を受けなければならない。ただし、その変更が事業の一部の廃止であるときは、この限りでない。
　2　前条第五項及び第十一項の規定は、収集または運搬の事業の範囲の

変更に係る前項の許可について、同条第十項及び第十一項の規定は、処分の事業の範囲の変更に係る前項の許可について準用する。
3　一般廃棄物収集運搬業者または一般廃棄物処分業者は、その一般廃棄物の収集もしくは運搬もしくは処分の事業の全部もしくは一部を廃止したとき、または住所その他環境省令で定める事項を変更したときは、環境省令で定めるところにより、その旨を市町村長に届け出なければならない。

（第4項以下略）

第十四条（産業廃棄物処理業）

　産業廃棄物（特別管理産業廃棄物を除く。以下この条から第十四条の三の三まで、第十五条の四の二、第十五条の四の三第三項及び第十五条の四の四第三項において同じ。）の収集または運搬を業として行おうとする者は、当該業を行おうとする区域（運搬のみを業として行う場合にあっては、産業廃棄物の積卸しを行う区域に限る。）を管轄する都道府県知事の許可を受けなければならない。ただし、事業者（自らその産業廃棄物を運搬する場合に限る。）、専ら再生利用の目的となる産業廃棄物のみの収集または運搬を業として行う者その他環境省令で定める者については、この限りでない。
2　前項の許可は、五年を下らない期間であって当該許可に係る事業の実施に関する能力及び実績を勘案して政令で定める期間ごとにその更新を受けなければ、その期間の経過によって、その効力を失う。

（第3～5項略）

6　産業廃棄物の処分を業として行おうとする者は、当該業を行おうとする区域を管轄する都道府県知事の許可を受けなければならない。ただし、事業者（自らその産業廃棄物を処分する場合に限る。)、専ら再生利用の目的となる産業廃棄物のみの処分を業として行う者その他環境省令で定める者については、この限りでない。
7　前項の許可は、5年を下らない期間であつて当該許可に係る事業の実施に関する能力及び実績を勘案して政令で定める期間ごとにその更新を受けなければ、その期間の経過によつて、その効力を失う。

（第8項以下略）

廃棄物の処理及び清掃に関する法律施行令（一般廃棄物収集運搬業の許可の更新期間）

第四条の五　法第七条第二項に規定する政令で定める期間は、二年とする。

第六条の九　法第十四条第二項の政令で定める期間は、次の各号に掲げる者の区分に応じ、当該各号に定める期間とする。
　一　新たに法第十四条第一項の許可を受けた者　五年
　二　法第十四条第二項の許可の更新を受けた者であって、当該許可の更新に際し、従前の許可の有効期間（同条第三項に規定する許可の有効期間をいう。）において法第十四条の三の規定による命令を受けていないことその他の当該許可に係る事業の実施に関し優れた能力及び実績を有する者として環境省令で定める基準に適合すると認められたもの　七年
　三　法第14条第2項の許可の更新を受けた者であって、前号に掲げる者以外のもの　5年

過去問題（令和元年）

次は、廃棄物の処理及び清掃に関する法律に規定する一般廃棄物または産業廃棄物の収集運搬について述べたものです。最も不適切なものはどれですか。

(1) 一般廃棄物収集運搬業の許可は、2年ごとにその更新を受けなければ、その期間の経過によってその効力を失う。
(2) 産業廃棄物収集運搬業の許可は、4年ごとにその更新を受けなければ、その期間の経過によってその効力を失う。
(3) 産業廃棄物の収集または運搬を業として行おうとする者は、当該業を行おうとする区域を管轄する都道府県知事の許可を受けなければならない。
(4) 一般廃棄物収集運搬業者は、その一般廃棄物の収集もしくは運搬の事業に全部もしくは一部を廃止したときは、市町村長に届け出なければならない。

【解説】
(1) 設問のとおりである。
(2) 4年ごとではなく、5年ごとにその更新を受けなければならない。廃棄物の処理及び清掃に関する法律第14条（産業廃棄物処理業）第2項および令第6条の9（産業廃棄物収集運搬業の許可の更新期間）に規定されている。よって不適切である。
(3) 設問のとおりである。
(4) 設問のとおりである。

【解答】(2)

3 道路法・道路交通法

> **☝ここがポイント!**
>
> 道路法・道路交通法に関する問題は、例年1問出題されている。
> 特に以下の項目を理解する。
> 　　道路法
> 　①道路の占用の許可
> 　　道路交通法
> 　②道路の使用許可

(1) 道路の占用の許可

1) 関連法令

ⅰ) 道路法第32条 (道路の占用の許可)

道路に次の各号のいずれかに掲げる工作物、物件または施設を設け、継続して道路を使用しようとする場合においては、道路管理者の許可を受けなければならない。

一　電柱、電線、変圧塔、郵便差出箱、公衆電話所、広告塔その他これらに類する工作物
二　水管、下水道管、ガス管その他これらに類する物件
三　鉄道、軌道その他これらに類する施設

(第四～七号略)

　　2　前項の許可を受けようとする者は、左の各号に掲げる事項を記載した申請書を道路管理者に提出しなければならない。

一　道路の占用 (道路に前項各号の一に掲げる工作物、物件または施設を設け、継続して道路を使用することをいう。以下同じ。) の目的
二　道路の占用の期間
三　道路の占用の場所
四　工作物、物件または施設の構造
五　工事実施の方法
六　工事の時期
七　道路の復旧方法

(第3項以下略)

過去問題（令和元年）

次は、道路法に規定する事項について述べたものです。最も不適切なものはどれですか。
(1) 道路に下水道管を設け、継続して道路を使用しようとする場合においては所轄警察署長の許可を受けなければならない。
(2) 道路管理者は、道路の占用につき占用料を徴収することができる。
(3) 道路占用者は、道路の占用の期間が満了した場合においては、道路の占用している工作物等を除却し、道路を原状に回復しなければならない。
(4) 道路管理者は、道路に関する工事のためやむを得ないと認められる場合においては、交通の危険を防止するため、区間を定めて、道路の通行を禁止し、または制限することができる。

【解説】
道路法に規定する事項についての設問である。
(1) 道路に次の各号のいずれかに掲げる工作物、物件または施設を設け、継続して道路を使用しようとする場合においては、道路管理者の許可を受けなければならない、と第32条に規定されている。よって不適切である。
(2) 第39条第1項に規定されている。よって適切である。
(3) 設問のとおりである。
(4) 設問のとおりである。

【解答】(1)

ⅰ）道路交通法第 77 条（道路の使用の許可）

　次の各号のいずれかに該当する者は、それぞれ当該各号に掲げる行為について当該行為に係る場所を管轄する警察署長（以下この節において「所轄警察署長」という。）の許可（当該行為に係る場所が同一の公安委員会の管理に属する 2 以上の警察署長の管轄にわたるときは、そのいずれかの所轄警察署長の許可。以下この節において同じ。）を受けなければならない。

　一　道路において工事もしくは作業をしようとする者または当該工事もしくは作業の請負人（第二〜四号略）
　二　前項の許可の申請があつた場合において、当該申請に係る行為が次の各号のいずれかに該当するときは、所轄警察署長は、許可をしなければならない。
　一　当該申請に係る行為が現に交通の妨害となるおそれがないと認められるとき。
　二　当該申請に係る行為が許可に付された条件に従って行われることにより交通の妨害となるおそれがなくなると認められるとき。
　三　当該申請に係る行為が現に交通の妨害となるおそれはあるが公益上または社会の慣習上やむを得ないものであると認められるとき。
　　　第一項の規定による許可をする場合において、必要があると認めるときは、所轄警察署長は、当該許可に係る行為が前項第一号に該当する場合を除き、当該許可に道路における危険を防止し、その他交通の安全と円滑を図るため必要な条件を付することができる。

（第 4 項以下略）

過去問題(令和2年)

次のうち、道路交通法に基づく道路使用許可申請書に記載すべき事項として最も不適切なものはどれですか。
(1) 道路使用の目的
(2) 道路使用の方法または形態
(3) 現場責任者の住所
(4) 工事または作業を行う業務の契約金額
（道路交通法および道路法）

【解説】
道路交通法第七十七条第一項による道路使用許可申請書に記載すべき事項を次に示す。
① 道路使用の目的
② 道路使用の場所または区間
③ 道路使用の期間
④ 道路使用の方法または形態
⑤ 添付書類等
⑥ 現場責任者の住所、氏名、電話番号
よって、(4)は記載すべき事項に含まれていない

【解答】(4)

(4) その他参考法令
1) 道路法
ⅰ) 道路法第1条（法律の目的）
　この法律は、道路網の整備を図るため、道路に関して、路線の指定及び認定、管理、構造、保全、費用の負担区分等に関する事項を定め、もつて交通の発達に寄与し、公共の福祉を増進することを目的とする。
ⅱ) 道路法第2条（用語の定義）
　この法律において「道路」とは、一般交通の用に供する道で次条各号に掲げるものをいい、トンネル、橋、渡船施設、道路用エレベーター等道路と一体となってその効用を全うする施設または工作物及び道路の附属物で当該道路に附属して設けられているものを含むものとする。
（第2～5項以下略）
ⅲ) 道路法第3条（道路の種類）
　道路の種類は、左に掲げるものとする。
　一　高速自動車国道
　二　一般国道三都道府県道四市町村道
ⅳ) 道路法第33条（道路の占用の許可基準）
　道路管理者は、道路の占用が前条第1項各号のいずれかに該当するものであつて道路の敷地外に余地がないためにやむを得ないものであり、かつ、同条第2項第2号から第7号までに掲げる事項について政令で定める基準に適合する場合に限り、同条第1項または第3項の許可を与えることができる。
（第2項略）
　道路法施行令第9条（占用の期間に関する基準）
　道路法第32条第2項各号に掲げる事項についての道路法第33条第1項の政令で定める基準は、占用の期間または占用の期間が終了した場合においてこれを更新しようとする場合の期間が、次の各号に掲げる工作物、物件または施設の区分に応じ、当該各号に定める期間であることとする。
　一　次に掲げる工作物、物件または施設 10年以内
　　（イ～ロ　略）
　　ハ　下水道法による下水道管
　　（ニ～チ　略）
　二　その他の道路法第32条第1項各号に掲げる工作物、物件または施

設5年以内

道路法施行令第11条の4（下水道管の占用の場所に関する基準）

　道路法第32条第2項第3号に掲げる事項についての下水道管に関する道路法第33条第1項の政令で定める基準は、下水道管の本線を地下に設ける場合において、その頂部と路面との距離が3m（工事実施上やむを得ない場合にあっては、1m）を超えていることとする。

（第2項略）

2）**道路交通法**

ⅰ）道路交通法第1条（法律の目的）

　この法律は、道路における危険を防止し、その他交通の安全と円滑を図り、及び道路の交通に起因する障害の防止に資することを目的とする。

4　水質汚濁防止法

👍ここがポイント！

水質汚濁防止法に関する問題は、例年1問出題されている。特に以下の項目を理解する。
　①用語の定義

(1) 用語の定義
1) 関係法令

ⅰ) 水質汚濁防止法第2条（定義）

　この法律において「公共用水域」とは、河川、湖沼、港湾、沿岸海域その他公共の用に供される水域及びこれに接続する公共溝渠、かんがい用水路その他公共の用に供される水路（下水道法第2条第3号及び第4号に規定する公共下水道及び流域下水道であって、同条第6号に規定する終末処理場を設置しているもの（その流域下水道に接続する公共下水道を含む。）を除く。）をいう。

2　この法律において「特定施設」とは、次の各号のいずれかの要件を備える汚水または廃液を排出する施設で政令で定めるものをいう。
　一　カドミウムその他の人の健康に係る被害を生ずるおそれがある物質として政令で定める物質（以下「有害物質」という。）を含むこと。
　二　化学的酸素要求量その他の水の汚染状態（熱によるものを含み、前号に規定する物質によるものを除く。）を示す項目として政令で定める項目に関し、生活環境に係る被害を生ずるおそれがある程度のものであること。
3　この法律において「指定地域特定施設」とは、第4条の2第1項に規定する指定水域の水質にとつて前項第2号に規定する程度の汚水または廃液を排出する施設として政令で定める施設で同条第1項に規定する指定地域に設置されるものをいう。
4　この法律において「指定施設」とは、有害物質を貯蔵し、もしくは使用し、または有害物質及び次項に規定する油以外の物質であつて公共用水域に多量に排出されることにより人の健康もしくは生活環境に係る被

害を生ずるおそれがある物質として政令で定めるもの（第14条の２第２項において「指定物質」という。）を製造し、貯蔵し、使用し、もしくは処理する施設をいう。

5　この法律において「貯油施設等」とは、重油その他の政令で定める油（以下単に「油」という。）を貯蔵し、または油を含む水を処理する施設で政令で定めるものをいう。

6　この法律において「排出水」とは、特定施設（指定地域特定施設を含む。以下同じ。）を設置する工場または事業場（以下「特定事業場」という。）から公共用水域に排出される水をいう。

7　この法律において「汚水等」とは、特定施設から排出される汚水または廃液をいう。

8　この法律において「特定地下浸透水」とは、有害物質を、その施設において製造し、使用し、または処理する特定施設（指定地域特定施設を除く。以下「有害物質使用特定施設」という。）を設置する特定事業場（以下「有害物質使用特定事業場」という。）から地下に浸透する水で有害物質使用特定施設に係る汚水等（これを処理したものを含む。）を含むものをいう。

9　この法律において「生活排水」とは、炊事、洗濯、入浴等人の生活に伴い公共用水域に排出される水（排出水を除く。）をいう。

過去問題(令和2年)

次のうち、水質汚濁防止法に規定する公共用水域を示したものです。最も不適切なものはどれですか。
(1) かんがい用水路
(2) 港湾
(3) 終末処理場を設置している公共下水道
(4) 河川

【解説】

水質汚濁防止法第2条第1項に公共用水域の定義が規定されている。条文の全文を次に示す。

この法律において「公共用水域」とは、河川、湖沼、港湾、沿岸海域その他の公共の用に供される水域及びこれに接続する公共溝渠(こうきょ)、かんがい用水路その他の公共の用に供される水路(下水道法(昭和33年法律第79号第2条第三号及び第四号に規定する公共下水道及び流域下水道に接続する公共下水道を含む)を除く)をいう。

終末処理場を設置している公共下水道は公共用水域の定義から除外されている。

【解答】(3)

第 7 章　法規等

過去問題(平成 30 年)

次は、水質汚濁防止法に規定する水質汚濁防止法の目的について述べたものです。☐内にあてはまる語句の組み合わせとして最も適当なものはどれですか。

この法律は、工場及び ☐ A ☐ から公共用水域に排出される水の排出及び地下に浸透する水の浸透を規制するとともに、☐ B ☐ の実施を推進すること等によって、公共用水域及び ☐ C ☐ の水質の汚濁の防止を図り、もって国民の健康を保護するとともに生活環境を保全し、並びに工場及び ☐ A ☐ から排出される汚水及び廃液に関して人の健康にかかる被害が生じた場合における ☐ D ☐ の損害賠償の責任について定めることにより、被害者の保護を図ることとする。

	A	B	C	D
(1)	家庭等	事業場排水対策	地下水	事業者
(2)	事業場	事業場排水対策	海洋	国及び都道府県
(3)	家庭等	生活排水対策	海洋	国及び都道府県
(4)	事業場	生活排水対策	地下水	事業者

【解説】

(第 1 条) この法律は、工場及び 事業場 から公共用水域に排出される水の排出及び地下に浸透する水の浸透を規制するとともに、生活排水対策 の実施を推進すること等によって、公共用水域及び 地下水 の水質の汚濁の防止を図り、もって国民の健康を保護するとともに生活環境を保全し、並びに工場及び 事業場 から排出される汚水及び廃液に関して人の健康にかかる被害が生じた場合における 事業者 の損害賠償の責任について定めることにより、被害者の保護を図ることとする。

【解答】(4)

5 環境基本法

> **ここがポイント！**
>
> 環境基本法に関する問題は、過去に1問出題されている。特に以下の項目を理解する。
> ①用語の定義

(1) 用語の定義
1) 関係法令

ⅰ) 環境基本法第2条（定義）

　この法律において「環境への負荷」とは、人の活動により環境に加えられる影響であって、環境の保全上の支障の原因となるおそれのあるものをいう。

2　この法律において「地球環境保全」とは、人の活動による地球全体の温暖化またはオゾン層の破壊の進行、海洋の汚染、野生生物の種の減少その他の地球の全体またはその広範な部分の環境に影響を及ぼす事態に係る環境の保全であって、人類の福祉に貢献するとともに国民の健康で文化的な生活の確保に寄与するものをいう。

3　この法律において「公害」とは、環境の保全上の支障のうち、事業活動その他の人の活動に伴って生ずる相当範囲にわたる大気の汚染、水質の汚濁（水質以外の水の状態または水底の底質が悪化することを含む。第21条第1項第1号において同じ。）、土壌の汚染、騒音、振動、地盤の沈下（鉱物の掘採のための土地の掘削によるものを除く。以下同じ。）及び悪臭によって、人の健康または生活環境（人の生活に密接な関係のある財産並びに人の生活に密接な関係のある動植物及びその生育環境を含む。以下同じ。）に係る被害が生ずることをいう。

過去問題(平成 29 年)

次は、環境基本法に規定する公害について述べたものです。最も不適当なものはどれですか。
(1) 悪臭
(2) 大気汚染
(3) 地盤沈下
(4) 放射性物質による障害

【解説】

環境基本法第2条第3項に規定する公害に関する設問である。
(1) 設問のとおりである。
(2) 設問のとおりである。
(3) 設問のとおりである。
(4) この法律において「公害」とは、環境の保全上の支障のうち、事業活動その他の人の活動に伴って生ずる相当範囲にわたる大気の汚染、水質の汚濁(水質以外の水の状態または水底の底質が悪化することを含む。第二十一条第一項第一号において同じ。)、土壌の汚染、騒音、振動、地盤の沈下(鉱物の掘採のための土地の掘削によるものを除く。以下同じ。)及び悪臭によって、人の健康または生活環境(人の生活に密接な関係のある財産並びに人の生活に密接な関係のある動植物及びその生育環境を含む。以下同じ。)に係る被害が生ずることをいう。よって、公害と規定されていないため不適切である。

【解答】(4)

6 騒音規制法

> **ここがポイント!**
>
> 騒音規制法に関する問題は、特に以下の項目を理解する。
> 　騒音規制法
> 　地域の指定

1) 関連法令

ⅰ) 騒音規制法

（目的）

第一条 この法律は、工場及び事業場における事業活動並びに建設工事に伴って発生する相当範囲にわたる騒音について必要な規制を行なうとともに、自動車騒音に係る許容限度を定めること等により、生活環境を保全し、国民の健康の保護に資することを目的とする。

（定義）

第二条 この法律において「特定施設」とは、工場または事業場に設置される施設のうち、著しい騒音を発生する施設であつて政令で定めるものをいう。

　2　この法律において「規制基準」とは、特定施設を設置する工場または事業場（以下「特定工場等」という。）において発生する騒音の特定工場等の敷地の境界線における大きさの許容限度をいう。

　3　この法律において「特定建設作業」とは、建設工事として行なわれる作業のうち、著しい騒音を発生する作業であつて政令で定めるものをいう。

　4　この法律において「自動車騒音」とは、自動車（道路運送車両法（昭和二十六年法律第百八十五号）第二条第二項に規定する自動車であつて環境省令で定めるもの及び同条第三項に規定する原動機付自転車をいう。以下同じ。）の運行に伴い発生する騒音をいう。

（地域の指定）

第三条 都道府県知事（市の区域内の地域については、市長。第三項（次条第三項において準用する場合を含む。）及び同条第一項において同じ。）は、住居が集合している地域、病院または学校の周辺の地域その他の騒音を防止することにより住民の生活環境を保全する必要があると認める地域を、特定工場等において発生する騒音及び特定建設作業に伴つて発生する騒音について規制する地域として指定しなければならない。

過去問題（平成 30 年）

次は、騒音規制法に規定する事項について述べたものです。最も不適切なものはどれですか。
(1) 都道府県知事は、騒音を防止することにより住民の生活環境を保全する必要があると認める地域を、特定工場等において発生する騒音及び特定建設作業に伴って発生する騒音について規制する地域として指定しなければならない。
(2) 特定施設とは、工場または事業場に設置される施設のうち、著しい騒音を発生する施設であって都道府県知事が指定するものをいう。
(3) 特定建設作業とは、建設工事として行われる作業のうち、著しい騒音を発生する作業であって政令で定めるものをいう。
(4) 規制基準とは、特定施設を設置する特定工場等において発生する騒音の特定工場等の敷地の境界線における大きさの許容限度をいう。

【解説】
(1) 設問のとおりである。
(2) 騒音規制法第二条第一項のとおり、特定施設は政令で定めることになっている。都道府県知事ではない。よって不適切である。
(3) 設問のとおりである。
(4) 設問のとおりである。

【解答】(2)

TGS 合格編集委員会

【執筆責任者】
専務取締役 池田 匡隆

【第1章 管路施設の基礎知識 執筆担当】
野島 正（のじま　ただし）

【第2章 管路施設の維持管理 執筆担当】
高原 淳司（たかはら　あつし）
川原 俊哉（かわはら　としや）

【第3章 臭気・騒音・振動の防止対策 執筆担当】
彦久保 洋（ひこくぼ　ひろし）

【第4章 管路施設の安全管理 執筆担当】
濱口 晃（はまぐち　あきら）

【第5章 下水道施設の基礎知識 執筆担当】
塩谷 聡（しおや　さとる）

【第6章 工場排水の規制 執筆担当】
中村 武史（なかむら　たけし）

【第7章 法規等 執筆担当】
苅部 智恵美（かりべ　ちえみ）

【監修】
落合 恒男（おちあい　つねお）
稲毛 順二（いなげ　じゅんじ）

下水道管理技術認定試験
（管路施設）

2022年6月17日　初版第1刷発行

検印省略

編　者　TGS合格編集委員会

発行者　柴山　斐呂子

発行所

理工図書株式会社

〒102-0082　東京都千代田区一番町27-2
電話03（3230）0221（代表）
FAX 03（3262）8247
振替口座00180-3-36087番
http://www.rikohtosho.co.jp

© TGS合格編集委員会　2022年　Printed in Japan
ISBN978-4-8446-0915-5
印刷・製本　藤原印刷

〈日本複製権センター委託出版物〉
＊本書を無断で複写複製（コピー）することは、著作権法上の例外を除き、禁じられています。本書をコピーされる場合は、事前に日本複製権センター（電話：03-3401-2382）の許諾を受けてください。
＊本書のコピー、スキャン、デジタル化等の無断複製は著作権法上の例外を除き禁じられています。本書を代行業者等の第三者に依頼してスキャンやデジタル化することは、たとえ個人や家庭内の利用でも著作権法違反です。

自然科学書協会会員★工学書協会会員★土木・建築書協会会員

メモ・備忘欄